I

Les Cheveux Rouges

Anne Boscher

© 2020, Anne BOSCHER
Édition : BoD – Books on Demand,
12/14 rond-point des Champs-Élysées, 75008 Paris
Impression : BoD – Books on Demand, Norderstedt, Allemagne
ISBN : 978-2-3222-2385-5
Dépôt légal : septembre 2020

Conception de la couverture : François SEYLLER

Pour François et Vincent.

« Nos premiers pas sont dégagés,
Dans ce monde
Où l'erreur abonde.
Nos premiers pas sont dégagés
Du vieux maillot des préjugés.

Au peuple, en butte à nos larcins,
Tout grimoire
En peut faire accroire.
Au peuple, en butte à nos larcins,
Il faut des sorciers et des saints. »

Pierre-Jean de Béranger
Œuvres Complètes, 1839

Son ventre gonflait, elle ne sentait rien.

« Vous êtes enceinte » étaient bien les mots du médecin qu'elle venait de voir.

Que lui avait-il dit d'autre ? Elle n'en avait plus le moindre souvenir. Cela n'était pas sa question. Pourtant il y avait eu le passage sur une table d'examen, la recherche sur un écran de ce qui se passait à l'intérieur et la remise de clichés noir et blanc. Le papier avait rapidement rejoint le fond de sa poche arrière. Il s'y trouvait encore alors qu'elle s'était assise dans le bureau.

Elle ne voulait plus quitter son blouson qui l'enserrait.

Elle voyait parler le médecin, elle ne l'entendait pas. Les mots étaient des sons, des mots déliés du contexte et dénoués les uns des autres. Quelques-uns pouvaient l'atteindre : « suivi », « décision », « entourage ». Ils restaient pure production de cette bouche qu'elle voyait s'articuler avec effort et insistance.

Le visage de la jeune fille était mangé aux trois quarts par une épaisse mèche, le médecin n'avait accès qu'à la moitié d'un œil. Il cherchait avec difficulté à croiser un regard. Il lâchait peu, lorsqu'il décrochait, c'était pour un court moment d'abattement. Rapidement, il repartait à la charge, multipliait les tentatives et les stratégies pour obtenir un mouvement.

Il rencontrait plus qu'un silence. À ça, il était bien rodé. Il en avait affronté de multiples : le silence de l'étonnement, du désespoir, du choc de l'inattendu, de l'embarras… Les silences étaient quelque chose avec quoi il avait appris à faire. Il savait être empathique, rassurant, patient. Il pouvait se taire le temps nécessaire et s'estimait plutôt bon.

Là, le médecin ne décodait pas. Cette jeune fille ne lui semblait ni stupide ni inhibée. Pourtant, rien chez elle ne témoignait d'un accusé de réception. Il supportait mal cette absence. Il se sentit transparent, inexistant. Il insista à en devenir logorrhéique.

Décidément, rien ne percutait. Un sentiment d'impuissance l'envahit. Il détestait cela. L'envie de secouer cette fille le traversa. Contre son gré, il devrait passer la main.

La jeune fille n'était pas concernée. Le flot de paroles qui emplissait l'espace commençait à l'agacer. Ses mains serrées dans chacune de ses poches maintenaient son blouson au plus près du corps. Du côté gauche, ses doigts reconnaissaient la matière dure et veloutée de son portable. À la première vibration, elle sortit son téléphone.

« On se parle après ton rendez-vous ? » lui écrivait Marion.

À cet instant, elle n'avait rien à répondre.

Le médecin se leva, contourna le bureau, se retrouva à ses côtés puis l'engagea à le suivre. Elle quitta sa chaise, docile, sans réfléchir. D'ordinaire, elle s'en voulait toujours d'obtempérer. Ces relents de bonne éducation l'énervaient. Il restait des moments où elle redevenait celle qu'elle n'était plus depuis longtemps. Rien n'y faisait. Ces automatismes la surprenaient et elle les regrettait.

« Voyez si vous pouvez accrocher avec elle » furent les mots du médecin en entrant dans le bureau adjacent.

La jeune femme présente se sentit flattée d'être mandatée. Depuis peu dans le service des maternités précoces, cela lui arrivait rarement. Le médecin accompagnait une grande adolescente voyante et négligée. Il était reparti rapidement.

« Pressé de quoi ? » se demanda-t-elle.

Inexpérimentée, la jeune femme excédait de prudence. Elle se soutenait de quelques règles qui la rassuraient : surtout ne rien induire… Qu'il ne se passe rien valait mieux que de risquer de faire des dégâts ! Elle n'était jamais frontale, préférait laisser venir, laisser le temps au temps.

L'entretien commença par un silence alors que mille questions se bousculaient dans sa tête comme à chaque première rencontre.

La jeune fille se trouvait assise dans cet autre bureau. La chaise était la même. L'ensemble du mobilier, la disposition, la pauvreté du décor et les odeurs étaient identiques. Tous ces bureaux portaient l'empreinte des services de soins où la préoccupation d'asepsie dominait.

Son regard se posa sur le seul objet singulier de cet environnement, une boule en verre qui enfermait une orchidée blanche. La boule captait la lumière, déformait la fleur selon l'angle du regard, laissant apparaître des reflets blancs et bleutés qui glissaient sur la surface lisse du verre. Elle eut envie de jouer avec la boule et la lumière, de la toucher.

Une jeune femme avait pris la place du médecin. La main qu'elle lui avait tendue l'avait étonnée comme à chaque fois que ce geste se présentait. Sa jeunesse n'en faisait pas encore une banalité.

Elle regarda cette femme sans la voir. Par-delà le bureau, pas de blouse blanche. Le pull était orangé, de bonne qualité et particulièrement moulant. Son choix n'était pas le fruit du hasard. Le maquillage non plus. Discret et soigné, il cherchait à embellir et non à se montrer.

Au départ du médecin, le flot de paroles s'était interrompu. De temps à autre, la jeune femme parlait. Le ton, plus doux et plus calme, n'engageait pas plus la jeune fille à parler, mais il lui permettait de retrouver un état d'annihilation tranquille et confortable.

L'attrait pour la boule en verre reprit. De légers filaments orangés se surajoutèrent. Leurs danses, croisant les arabesques blanches et bleutées, rendirent l'ensemble chaud, presque vivant.

C'est alors que surgit la première image.

Une masse. Elle n'était pas réellement sphérique, des bosses et des creux constituaient son enveloppe. Élastique, la matière était mouvante. Une poussée plus importante que les autres entraîna une déformation prédominante et lissa l'ensemble. Une seconde lui succéda, moins intense. Cette chose était une sorte d'agrégat de substances aux textures variées, certaines compactes, d'autres plus gélatineuses, avec des parties opaques ou transparentes, plus ou moins brillantes et très peu de couleurs, d'un blanc laiteux à un beige tirant sur un jaune plutôt laid, rappelant celui des morceaux de graisse.

Non seulement la masse se déformait, mais elle grossissait. Son accroissement, lent, déterminé, échappait à toute maîtrise. Autonome, elle générait d'elle-même sa propre consistance.

L'image façonnée par son esprit suscita de l'étrangeté. La jeune fille n'en fut pas très à l'aise. L'objet vivant avait pris place dans ses entrailles. Il prenait possession de son corps, de l'intérieur, inexorablement.

L'écœurement prit le dessus, il lui fallait de l'air.

La jeune femme resta figée de son côté du bureau sans saisir ce qui venait de se passer.

Sa patiente n'était pas partie, elle s'était volatilisée. Le mouvement avait été vif, bref, imprévisible comme lorsqu'on quitte une scène. Elle se sentit frustrée d'avoir juste eu le temps de se présenter et de tenter une approche sans entendre le son de la voix de l'adolescente. L'entretien avait duré à peine quelques minutes.

Seule dans son bureau, la porte ouverte, elle n'allait pas bien.

Le presse-papier avait lui aussi disparu.

Sa course était rapide. Elle filait dans les dédales de l'hôpital sans baisser le regard, sans tenir compte des pastilles colorées au sol qui traçaient la marche à suivre. Son seul impératif était de trouver l'air nécessaire à sa survie. Successivement, les couloirs s'élargirent et se repeuplèrent. Dans le hall d'accueil, la foule était plus dense. Elle ne percuta personne. Seules les portes à ouverture automatique freinèrent son élan. Elle n'en fut pas gênée. Ce court temps d'attente présageait l'imminence du but à atteindre. Son regard se portait au-delà des vitres, déjà dehors.

La première inspiration fut salvatrice.

Magdalena quittait une mise en veille qui avait duré trop long-temps. La fraîcheur de l'air la prit de l'intérieur puis de l'extérieur. Ses poumons se gonflèrent à bloc, prestement, comme lorsqu'on retrouve enfin la surface après une apnée. Ce fut l'ensemble de son corps qu'elle retrouva ensuite. Le froid crispait sa peau. De légers frissons parcouraient la surface de ses membres, de son ventre, de son dos et lui redonnaient une existence. Cette sensation lui plut. Elle se sentit vivante.

Le parvis de l'hôpital était immense. De nombreuses personnes s'y attardaient régulièrement : des malades qui échappaient pour un temps à l'attente, à la maladie et à son lot d'angoisses ; des visiteurs qui mar-quaient une pause pour affronter cette parenthèse dans leur quotidien.

Magdalena occupait une place centrale. Le sentiment d'espace con-tribua à son bien-être. Autour d'elle, le parvis éclatait en étoile pour se prolonger dans des allées menant aux différents parkings. Une passerelle réservée aux piétons et aux cyclistes marquait droit devant la frontière de l'hôpital. Elle permettait de franchir le parking du personnel et d'atteindre la station de tram. Arrivé sur le quai, on reprenait pied dans l'ordinaire de la vie.

Au-delà, des blocs bouchaient l'horizon. Magdalena les connaissait bien, depuis longtemps.

L'hôpital et le quartier portaient curieusement le même nom, se dit-elle. Elle n'avait jamais fait le rapprochement. Il faut dire que l'on ne se trompait jamais en parlant de l'un ou de l'autre tant les univers divergeaient. Le contexte et ses résonances dans l'usage ne laissaient aucune marge d'erreur. Chacun était concerné par l'un, sans cesse en extension et en rénovation afin d'être à la pointe des avancées technologiques médicales, alors que le quartier était vu de loin, suscitait de la crainte et souffrait de sa réputation d'endroit mal famé comme beaucoup d'autres.

Tous deux avaient pourtant fait partie d'un même projet. Fin des années soixante, la nécessité d'extension de la ville et celle du vieil hôpital du centre s'étaient rencontrées. L'idée de créer des habitations modernes en rupture avec tout ce qui avait précédé était dans l'air du temps. Rapidement, un chantier gigantesque colonisa d'anciens terrains agricoles à la périphérie de la ville pour un projet qui avait été l'un des plus originaux du pays. L'architecte-urbaniste de l'époque imagina une multitude d'alvéoles hexagonales aux centres piétonniers avec une circulation automobile à leur périphérie. Chaque espace était conçu pour favoriser le bien-être et le calme des habitants. Dans l'intimité de leur appartement, les locataires étaient protégés de tout bruit et jouissaient d'une vue dégagée sur la verdure. Le centre des constructions ménageait un espace commun sécurisé. Pour le confort, des passerelles et des passages souterrains reliaient les alvéoles entre elles et permettaient d'en rejoindre d'autres, à pied, dédiées plus spécifiquement aux activités. Les habitants avaient à portée de main des équipements sportifs de qualité, des établissements scolaires bien équipés, des commerces, les services publics et l'hôpital.

Dans sa démesure, l'architecte-urbaniste n'avait pas seulement eu l'espoir de rendre la vie meilleure, il avait voulu changer le monde.

Les ensembles immobiliers s'apparentaient ainsi à des petits villages, avec la vie et des relations de voisinage supposées du même acabit. Il voyait déjà les enfants aux peaux colorées, variées, rire et jouer ensemble, des discussions s'engager entre adultes flânant sur les bancs, des liens se nouer entre les jeunes, les vieux, les plus riches, les plus pauvres, des solidarités se créer pour accompagner les enfants à l'école, pour soutenir la personne isolée dans ses démarches ou se charger des courses du voisin vieillissant.

Afin d'humaniser plus encore ce grand ensemble urbain, chaque alvéole avait pris le nom incongru d'un prénom féminin.

Comme souvent, l'utopie ne résista pas au temps.

La ruche était devenue une cité. Les plans de désenclavement, la destruction des passerelles, des passages souterrains et l'arrivée des rails du tram n'y avaient rien fait. Les habitants de la métropole continuaient à fréquenter les mailles périphériques où se trouvaient le CHU, une grande salle de spectacle et un hypermarché sans se souvenir qu'elles avaient porté un prénom de femme. Seules les mailles centrales d'habitation avaient gardé leur nom.

Magdalena ne connaissait rien à cette folle histoire qu'elle aurait très certainement adoré lire dans un ouvrage de littérature fantastique pour enfants. Elle connaissait le quartier d'aujourd'hui comme sa poche depuis qu'elle croyait y avoir trouvé un ancrage.

Elle ne quittait plus le parvis. Ses mains restaient au chaud dans ses poches. La droite épousait les contours d'une boule en verre qui avait pris la température de son corps. Elle pressentait que son esprit s'activait.

L'essentiel de son activité psychique créait des images. Elles surgissaient sans s'annoncer, rapides, souvent fugaces, se succédant les unes aux autres comme pour occuper le terrain. Les pensées étaient rares. Pourtant, Magdalena avait été une petite fille qui avait parlé très tôt et très bien. Petite, elle étonnait les adultes par la richesse de son vocabulaire, sa curiosité intellectuelle et la perspicacité de ses questions. On se souvenait d'elle toujours en mouvement, en soif de connaître et de comprendre le fonctionnement des choses, toujours à surprendre dans ce qu'elle avait à dire.

Ces dernières années, elle ne pensait presque plus.

Quand la machine s'était-elle enrayée ? Peut-être le jour où elle s'était dit que Martha était vieille, laide et fade, que décidément, elle ne comprenait rien, sur toute la ligne. Rien à la vie, à l'amour, à leur histoire, et surtout, rien à qui elle était.

La deuxième image surgit...

C'était l'illustration d'un manuel scolaire, le schéma d'une cellule. Un trait rouge délimitait la circonférence d'un disque bleuté. Au centre, une autre forme, ovoïde, noire.

L'étude de la cellule avait dû faire partie du programme de sixième ou de cinquième sans qu'elle puisse se le rappeler précisément. Sa professeure en « Sciences de la Vie et de la Terre », madame Gravelle, était une femme simple, sans artifices, un peu boulotte. Magdalena aimait son rapport direct avec les élèves, sa façon de parler, passionnée, ses pointes d'humour. Madame Gravelle avait suivi sa classe au fil des années. Avec elle, pas de surprise ni d'anonymat à chaque rentrée. Les élèves savaient où ils allaient, rien n'était à recommencer. Magdalena avait cru, dès les premières heures, attirer son regard et susciter une attention toute particulière.

Elle affectionnait cette matière qui approchait les mystères des choses concrètes, inaperçues dans l'existence ordinaire, porteuse de promesses étonnantes. Elle correspondait si bien à sa soif de découverte qu'elle avait pris la première place dans ses intérêts occupée jusqu'alors par l'enseignement du français. Le nom lui-même lui plaisait. Tant qu'elle avait fréquenté le collège, elle avait continué à le prononcer en entier sans le réduire à son abréviation ni l'amputer.

Les « Sciences de la Vie et de la Terre » avaient résisté longtemps alors que peu à peu elle avait déserté chacun des autres cours.

Magdalena ne bougeait toujours pas du parvis de l'hôpital.

Le dessin s'anima lorsqu'il prit trois dimensions. Le noyau flottait tranquillement entre deux eaux, un liquide l'enveloppait et le protégeait. Un pincement de la cellule sur elle-même en provoqua la torsion. Le mouvement bref fit apparaître deux formes exactement identiques, serrées l'une à l'autre. Le même processus se reproduisit avec chacune des cellules. Le rythme, d'abord lent, s'accéléra progressivement avant de s'emballer. Dès la huitième cellule, il devint difficile de les distinguer et de les dénombrer. Seuls des traits de couleur rouge, noire et bleue restaient visibles. De multiples fils apparaissaient pour s'enrouler sur la matière première tout en la compactant.

Une pelote se forma.

Elle devint multicolore et dorée lorsqu'elle atteignit la grosseur d'une orange.

« Vous êtes enceinte ».

Lorsque la phrase du médecin insista, ni Sara, ni Lisa, ni même Michel ne vinrent à l'esprit de Magdalena. Ce fut Martha. C'était bien elle qui était concernée par cette masse difforme et graisseuse. Son agrégat était anarchique, il avait d'ailleurs implosé en créant une multitude de magmas qui colonisaient son corps. En contraste, la pelote de Magdalena était belle, scintillante et cohérente. La jeune fille se sentit pleine et entière dans cette satisfaction. Elle tenait dans ses mains une pelote colorée, précieuse, qui l'opposait radicalement à Martha. Cette pelote était son arme ultime, elle détruirait cette femme.

Aujourd'hui, en cet instant, elle était sûre d'elle, prête pour le dernier round.

Forte de son état, Magdalena quitta sa place. Sa démarche était assurée, l'attitude du corps déjà conquérante lorsqu'elle franchit la passerelle menant au tram.

Son téléphone vibra pour la seconde fois.

« Je suis là. On peut se parler si tu veux », écrivait Marion.

Ce n'était pas le moment.

Magdalena prendrait la première rame qui l'amènerait dans l'autre monde, celui de Martha

Martha

1

Martha quittait peu son appartement. Il portait son empreinte. Elle avait choisi minutieusement les meubles, les éléments de décoration, la couleur des accessoires et des papiers peints. L'ensemble était subtil et délicat, à son image, jamais clinquant.

Elle y avait emménagé avec Michel peu de temps après leur mariage, il y avait maintenant presque vingt-cinq ans. Tous les deux avaient perçu, dès leur première visite, qu'il correspondrait parfaitement au bonheur qui les attendait. Le vaste appartement gardait la splendeur des grands logements du tout début du XXe siècle, splendeur logée dans les hauts plafonds, les moulures des lourdes menuiseries intérieures et l'épaisseur des parquets en chêne.

Martha et Michel tenaient à garder la mémoire de l'ancien. Ils s'attachaient à l'histoire des lieux et à ce qui leur était laissé en héritage. Martha en particulier, n'aurait pu s'imaginer vivre dans une habitation récente. Le luxe du logement ou le prestige de sa conception n'y auraient rien changé.

Avec l'aide d'un ami architecte, Michel s'était occupé de la rénovation afin de disposer d'un confort moderne qui préserverait l'esprit de la construction. Martha avait aménagé l'appartement.

De tout temps, elle avait disposé quelques fleurs dans un vase du vestibule. Elle aimait les roses anciennes aux teintes beiges saumonées. Les fleurs avaient leur place sur une console tout comme quelques objets qu'elle exposait avec soin. Chacun portait une histoire, celle du moment de sa trouvaille plus que du lieu, celle d'un souvenir de ses ancêtres : la boîte en marqueterie incrustée de nacre que Michel lui avait offerte pour leur première année de vie commune, quelques coquillages ramassés alors que le bonheur d'un temps de vacances emplissait leur vie, la petite statuette en ivoire – déesse africaine de la fécondité – héritée de son grand-oncle voyageur.

Lorsque Martha ne se rendit plus chez son fleuriste qui tenait boutique face au manège de chevaux de bois sur la grande place, Michel prit spontanément le relais. Sans avoir dit un mot, chaque mois, le jour précis de leur mariage, il offrait un bouquet à sa femme.

Une lourde tenture moirée, retenue avec élégance par une embrase à deux glands, marquait le passage du vestibule au grand salon. Elle avait remplacé la haute porte à deux battants pour créer un espace entrouvert, invitant ou non au passage vers la grande pièce qui avait conservé ses dimensions d'origine, celles d'une salle de réception.

Dès le seuil de la porte d'entrée, on saisissait l'ambiance des lieux. Le ton était donné. Celui qui franchissait le drapé pénétrait dans l'intimité de l'appartement et de ses occupants. Il allait, au-delà du sas, pouvoir s'y attarder. Le visiteur était rare aujourd'hui. La tenture, dépourvue de son accroche, fermait l'accès au-delà du vestibule. Il n'en avait pas toujours été ainsi.

Depuis déjà quatre ans, le jardin d'hiver dans l'oriel du salon avait perdu ses plantes.

À cette époque, Martha savait qu'elle devrait faire avec la maladie. Celle-ci s'était imposée sans s'annoncer, brutale. Rapidement, son corps avait été investigué. Les examens n'avaient pas eu besoin d'être poussés. Très vite, les médecins s'étaient accordés sur un diagnostic, assurés de ne pas se tromper. Elle n'avait pas été dupe de la banalité médicale affichée lors de l'annonce. Pour elle, ce n'était qu'un premier signe, le premier épisode d'une longue série aux péripéties et aux retours en arrière qui ne pourraient être que dévastateurs.

Le cancer avait bousculé l'ordre des choses que Martha aimait tant.

Quelques mois plus tard, le jardin d'hiver s'était transformé en espace de lecture. Elle avait orchestré le changement lorsqu'elle put retrouver sa capacité à lire. Avec la maladie, son esprit s'était figé, les mots n'avaient plus été qu'une succession de syllabes, réduites à l'écriture de signes à déchiffrer et à la production de phonèmes. Elle aurait pu en toute clarté faire la lecture à d'autres sans imprimer le sens des mots, des phrases ou du texte. Elle avait tout de même tenté, avec persévérance, de lire pour elle-même, revenant à plusieurs reprises sur un paragraphe qu'elle ne pouvait saisir.

Quitter cet état de torpeur lui fut d'un réel soulagement. Pour autant, elle ne put identifier ce qui lui permit d'en sortir.

L'idée d'un lieu spécifique à la lecture n'était pas étonnante de la part de cette femme qui avait toujours été une grande lectrice. Les livres faisaient partie de sa vie. Ils occupaient ses activités en solitaire, ses discussions avec ses amis et aussi ses relations à sa fille.

Dans sa mémoire, le moment où son enfant avait appris à lire restait un souvenir fabuleux. Les mots et les histoires… la transmission de son goût pour les livres. Le regard de Lucie passait alors de l'ouvrage au visage de sa mère dans une recherche d'assentiment, d'aide et de reconnaissance. Le déchiffrage dépassé, Martha l'avait rejoint dans son émerveillement lorsqu'elle avait découvert la succession des mots qui construisaient des histoires. Alors, elles parlaient ensemble des personnages, en inventaient d'autres, créaient des rebondissements et d'autres dénouements. Elles cherchaient les mots compliqués et leur racine, les mots peu usités ou techniques. De la « salsepareille » chantante, au « croquembouche » évocateur. Des « dextrorsum » et « senestrorsum » imprononçables à bien d'autres. Elles s'étaient amusées des expressions de la langue. « Faire l'œuf » « Sans queue ni tête » et « Rire comme une baleine » avaient déclenché des fous rires mémorables. Dès l'âge de six ans, Lucie avait eu sa propre carte d'emprunt à la médiathèque. L'espace pour les enfants y était entièrement conçu pour susciter l'envie d'y séjourner. Des bacs regorgeaient d'ouvrages accessibles aux petits. Une foule d'albums pris, rangés, repris, consultables pour un moment. On y était confortablement assis sur des petites banquettes à disposition ou allongé sur un tapis de sol. Mère et fille y avaient manipulé les livres, lu des extraits, fait le choix d'en emprunter quelques-uns. Toujours ensemble, elles se rendaient souvent aux séances de lecture de contes. Tant l'une que l'autre en sortaient enjouées, reprenant sur le chemin du retour les intonations de la conteuse et riant au souvenir des aventures rocambolesques des héros majeurs ou mineurs du récit.

Martha ne pouvait s'empêcher d'acheter des livres, pour elle-même et pour Lucie. Chaque mois, elle lui avait fait la surprise de celui qu'elle choisissait avec soin dans les rayonnages du rare libraire qui tenait encore une boutique en ville.

Ces moments où elle avait partagé, transmis et pris du plaisir avec sa fille restaient ceux qui l'avaient rendue maternelle. Elle en avait toujours été convaincue.

Aujourd'hui, Martha était seule dans ses livres.

Son coin lecture était fait pour la solitude qu'elle recherchait.

L'exiguïté du lieu ne permettait d'y installer qu'un seul fauteuil. De fines et hautes fenêtres couvraient l'ensemble des parois semi-hexagonales. L'espace et la lumière en faisaient un lieu à part, ni inté-rieur ni extérieur au salon qu'il juxtaposait. Pour l'atteindre, Martha devait contourner le grand ficus qui le délimitait et préservait partiel-lement son intimité. Elle y avait placé une bergère. Les joues du meuble enveloppaient son corps, elle s'y sentait rassemblée et proté-gée. Un petit guéridon pour poser les ouvrages, deux coussins – l'un pour la nuque, l'autre pour le creux des reins – et un plaid, nécessaire pour pallier le froid qui la saisissait, y compris lorsque la chaleur de la pièce était agréable, suffisaient à remplir l'espace.

L'ensemble, minuscule, était son refuge.

Martha y passait de nombreuses heures dans la journée lors desquelles elle s'évadait, oubliait pour un temps ce qui se tramait dans ses organes, ce qui s'imposait dans les traitements et surtout, ce qui s'annonçait pour la suite. Elle voulait s'échapper, se ménager des espaces non contaminés où elle pouvait continuer à être ce qu'elle était depuis toujours. Elle s'y intéressait à la littérature, la philosophie, l'architecture et l'archéologie… tout ce qui la nourrissait intellectuellement.

Sa vie se resserrait.

Depuis que Lucie n'était plus là, Martha passait plus de temps encore dans son coin lecture. Ses sorties à la médiathèque où elle avait fouiné à la recherche d'ouvrages qui enrichissaient sa connaissance et sa réflexion sur le sujet du moment se raréfièrent. Ce temps révolu, elle piochait dans les livres amoncelés sur les étagères aménagées tout le long du grand couloir qui desservait les chambres. Elle lisait et relisait exclusivement des romans, en particulier des grands auteurs du XIXe siècle. Ils la transportaient de suite hors du temps présent.

Insensiblement, elle ne se sentit bien que dans ce minuscule appendice et se déplaça de moins en moins dans son vaste appartement.

Plusieurs livres devaient constituer une pile sur le guéridon pour qu'elle trouve la tranquillité.

Alors, elle ne s'évadait plus, mais elle quittait terre. Elle plongeait dans un autre monde, virtuel, qui ne laissait plus aucune place à la réalité mortifère de son quotidien. Elle ne réfléchissait plus, n'appréciait plus la richesse de l'écriture, la subtilité des émotions décrites, la justesse des mots. Elle vivait les romans.

Elle s'acquittait de ses besoins, physiologiques et médicamenteux, sans s'attarder, déambulant comme un automate.

Son fauteuil aurait pu être un formidable poste d'observation pour apercevoir l'extérieur du monde. Il lui aurait suffi de tourner le regard pour remarquer les passants pressés, les promeneurs de chiens, les groupes de lycéens ou Michel garant sa voiture.

Mais elle ne le faisait plus.

Ces derniers jours, elle dormait de longues heures, tombant dans le sommeil comme une souche. Même sans lecture, s'entourer de livres restait une nécessité. Maintenant, ils s'empilaient non seulement sur le guéridon, mais gagnaient le plancher, à ses pieds, sous le ficus, le long du mur. Les livres devenaient des objets.

La vie de Martha se repliait.

Vers dix-neuf heures, Michel arrivait.

Il constatait que sa femme ne mangeait jamais la totalité du plat chaud livré chaque midi. Parfois, elle n'avait que picoré. Il se refusait à le réchauffer, il tenait à cuisiner. Ainsi chaque soir, il faisait un détour par l'épicerie du coin avant de rentrer. Puis il faisait réduire des oignons, revenir des champignons, rôtir des légumes, toujours frais, qu'il saupoudrait d'épices. Ce qui comptait c'étaient les odeurs. Il voulait qu'elles gagnent l'appartement, qu'elles enveloppent l'espace, et atteignent Martha. Tout en s'affairant dans la cuisine, il brouillait le silence, mettait la radio plutôt qu'un disque, parlait à haute voix, de n'importe quoi, des rendez-vous de sa journée, posait des questions, faisait les réponses.

Martha ne sortait de son alcôve que lorsque, le repas prêt, la table dressée, Michel venait la chercher.

Cet homme voyait bien que sa femme l'avait quitté. Il s'évertuait à la réanimer, tentait de la faire reprendre pied dans la réalité. C'était sa façon à lui de survivre.

En ce mois d'avril, il en était épuisé. Il souffrait.

Il avait une longue histoire avec elle, mêlée d'histoires de famille. Une histoire marquée d'extrêmes, de bonheurs immenses à des coups du sort terrassant qui font qu'aujourd'hui, il ne pouvait se dérober.

Il ne pouvait pas davantage se résoudre à ce que la vie s'éteigne doucement, sans bruit.

2

Ils pouvaient dire qu'ils se connaissaient depuis toujours.

Leurs destinées s'étaient croisées bien avant leur naissance avec la rencontre de leurs grands-mères. Celle de Michel s'appelait Jeanne. Celle de Martha portait le prénom qu'elle donnerait à sa fille, Lucie. Les deux grands-mères s'étaient trouvées au pensionnat Sainte Chrétienne.

Dans la famille de Lucie, les filles fréquentaient cet établissement dont la bonne moralité et la bonne éducation allaient de soi. Dès leur plus jeune âge, on les envoyait dans cette petite ville à une quarantaine de kilomètres du domicile familial. En toute logique, Lucie y avait rejoint ses sœurs aînées pour être interne dès ses sept ans. À son tour, Lucie en avait fait de même avec sa fille. Elle se le reprocha plus tard lorsqu'elle la perçut distante par moment et un peu froide avec elle. Elle y voyait le résultat d'une maternité en pointillé qui rend rares les petits bonheurs qui se logent dans les petites choses insignifiantes et ritualisées du quotidien. Quelque chose avait été raté.

Ce sentiment ne fut pas étranger, très certainement, à son affection toute particulière pour sa petite fille Martha dès sa naissance. Peut-être Lucie rattrapait-elle ce que les mères de sa famille n'avaient pas donné à leurs filles ? Et plus encore, ce que sa fille ne donnait pas à Martha.

Elle s'était réjouie lorsque l'enfant avait fréquenté l'école publique du quartier. La décision de son gendre et de sa fille rompait une évidence familiale qu'elle n'avait pas interrogée pour elle-même. Alors qu'elle voyait en leur motivation un besoin de maîtrise parentale plus qu'un désir de vivre ensemble, ce qui comptait pour Lucie était de garder Martha au plus près, de ne pas la perdre.

La famille de Jeanne était bien différente. Avec leur mercerie, ces parents avaient eu peu de temps à consacrer à leur fille unique. Cette boutique concrétisait leur rêve et leur vie à deux. Ils travaillaient dur. La scolarité de Jeanne à Sainte Chrétienne avait fait partie du projet : ils déléguaient l'éducation de leur fille à cet établissement qui faisait la réputation de leur ville sur l'ensemble de la région et ils lui assuraient une ascension sociale qu'eux-mêmes tentaient d'atteindre.

Bien que l'établissement se situait à peine à dix minutes de marche de leur logement au premier étage de leur commerce, Jeanne avait intégré l'internat.

Ainsi, petites filles, femmes et mères, Lucie et Jeanne se construisirent l'une avec l'autre. Il s'était tissé entre elles plus qu'une amitié. Elles menaient leur vie en miroir, au détail près d'une petite longueur d'avance, toujours, pour Jeanne.

Le départ du pensionnat n'avait pas créé de distance. Leurs mariages non plus. Jeanne, la première, épousa rapidement un jeune notaire qui reprenait une étude à deux pas du commerce parental. De retour chez elle, Lucie continua ses trajets qui avaient donné le tempo de son enfance et de son adolescence. Son mariage avec un jeune homme à l'avenir prometteur dont on appréciait la famille ne changea pas le rituel.

Face à Jeanne, Lucie était plus citadine et mondaine. Elle lui apportait les potins et les évènements de la grande ville. Suite au voyage en train, seule puis avec ses enfants, elle passait des heures avec Jeanne à parler d'elles, de leurs états d'âme, des autres, de leur famille et de celles des autres. Selon leur âge, les petits écoutaient ou dormaient sur les genoux, les plus grands se géraient et menaient leurs affaires d'enfant.

Lorsqu'elles ne se voyaient pas un temps, leur correspondance prenait le relais.

Leur veuvage successif renforça davantage leurs liens.

D'abord Jeanne, de nouveau la première, quitta sa maison et sa petite ville pour un appartement à proximité de celui de son amie. Puis ce fut le tour de Lucie qui retrouva à la mort de son mari une solitude connue dans son enfance doublée d'une liberté de tous les instants. Bien qu'indépendantes, chacune chez soi, leurs rencontres reprirent la couleur du quotidien vécu à l'internat. Elles occupaient leur temps, projetaient leurs sorties et discutaient encore et toujours.

C'est à l'arrivée de Jeanne en ville que Lucie l'initia au bridge. Et encore alertes à plus de quatre-vingts ans, elles ne manquaient, ni l'une ni l'autre, de s'y rendre chaque semaine.

Lucie ne survécut que six mois à la mort de Jeanne. Personne ne s'en étonna.

Lorsque Martha repensait à ces deux vieilles dames, elle se disait que leurs vies se ressemblaient. Plus encore, elles s'étaient débrouillées pour n'en construire qu'une.

C'est Lucie qui avait introduit Jeanne dans la sienne lorsqu'elle la choisit comme marraine de son troisième enfant. Elle n'avait pu le faire pour ses deux aînés puisqu'il était d'usage de puiser en premier lieu dans les ressources familiales. Pour ses garçons, elle avait donc choisi ses sœurs. Mais lorsque sa fille entra par le baptême dans la communauté chrétienne chère à la famille, elle intégra Jeanne définitivement dans le cercle familial.

Alors, Jeanne fit partie du paysage, toujours conviée aux cérémonies et aux fêtes très ritualisées dans la famille de Martha. On les appréciait, même vieillissantes. Leur côté vieille France les rendait originales aux yeux des jeunes générations qui s'en amusaient.

Martha avait de nombreux souvenirs d'enfance avec sa grand-mère. Bien plus qu'avec sa mère, constatait-elle, troublée, sans jamais chercher à creuser.

Lorsque ces moments avec sa grand-mère lui revenaient en mémoire, l'amie de toujours, Jeanne, n'était jamais loin. Il y avait eu les goûters qu'elles organisaient ensemble avec leurs petits-enfants, et en particulier avec elle et Michel parce qu'ils avaient le même âge.

À cette époque, les deux vieilles dames s'amusaient à dresser dans les règles de l'art, sur la table basse du salon chez Lucie, petites tasses, cuillères à moka, fourchettes à dessert, serviettes brodées et viennoiseries qu'on coupait en quatre pour les distribuer sur des petites assiettes. Les goûters avaient une allure de dînette où ils étaient quatre à jouer. Les deux grands-mères reprenaient leurs histoires avec les personnages et les aventures qu'elles s'étaient contées dans l'enfance. Martha sautait à pieds joints dans l'imaginaire débordant des vieilles dames. Très rapidement, elle devenait la pauvrette esseulée et misérable recueillie chez les grands bourgeois de la ville, l'ogresse qui attirait les frères et sœurs appâtés par les friandises ou la princesse qui se méfiait des mets très certainement empoisonnés par sa malveillante belle-mère. Michel avait plus de mal à se laisser prendre au jeu. La plupart du temps, il riait de voir ces deux mamies jouer à être des enfants qui jouaient à être des grandes personnes.

L'après-midi filait à toute allure. La magie cessait vers dix-huit heures au coup de sonnette des parents de Michel. Jeanne et Lucie raccompagnaient alors Martha chez elle. Les vingt minutes de marche prolongeaient les histoires et les rires qu'aucune d'elles n'avait envie de quitter.

La mémoire de Martha s'était attachée à ces moments heureux. Elle en avait fait l'essentiel des mercredis après-midi de son enfance. Michel ne se souvenait que de quelques-uns. Les goûters disparurent en grandissant. Michel ne fit plus qu'exceptionnellement le trajet jusque chez Lucie. Il n'apparaissait plus que rarement à certains mariages de cousins ou de petits cousins, cédant parfois à l'insistance de sa grand-mère à l'y accompagner.

Les deux jeunes gens ne s'étaient réellement retrouvés qu'après le lycée alors qu'ils partagèrent le même campus universitaire : Michel en Droit, Martha en Lettres Modernes. Il suivait la trace de son grand-père tout comme son père l'avait suivie. Elle s'était laissé guider par son goût pour la littérature sans se soucier où ses études allaient la mener. Tous deux s'étaient sentis décalés dans cet environnement peuplé d'étudiants aux préoccupations festives et qui, dans la jouissance d'une liberté toute neuve, s'essayaient aux excès. Cela les avait rapprochés.

Dans le petit studio de Michel, Christine les rejoignait de temps en temps. Attirée par sa vivacité, sa culture et son verbe, Martha s'en était fait une amie – la seule d'ailleurs – avec laquelle elle partageait l'intérêt pour la littérature, côte à côte dans le même amphi.

Son diplôme supérieur de notariat en poche, Michel ne tarda pas à épouser Martha. Ils avaient tous deux vingt-trois ans et leur union s'imposa comme une évidence. Le mariage s'organisa dans le respect protocolaire et sa myriade de détails habituels dans la famille de la mariée ce qui ne mit pas très à l'aise l'autre famille, à l'exception de Jeanne. La fierté des deux grands-mères, comblées, domina les festivités. Avec le mariage de Martha et Michel, chacun savait qu'elles scellaient leur vie pour l'éternité. Jeanne et Lucie figureraient, à jamais, dans la généalogie de leurs descendants.

Mariée, Martha attendit tranquillement l'enfant de Michel. Il était bien présent dans son esprit même s'il n'avait pas encore pris corps pour se loger en elle. Elle n'était ni pressée, ni impatiente, convaincue que chaque chose arrivait en son temps. L'ordre des choses avait dirigé les étapes qu'elle avait successivement franchies, l'une après l'autre, dans une suite logique qui lui avait permis d'appréhender la vie, paisible, confiante et sereine en l'avenir, sans imaginer qu'un coup dur pouvait la terrasser ni même surgir.

Ses études, poussées jusqu'en troisième cycle universitaire, ne l'engagèrent pas plus dans le monde du travail. Michel, lui, rejoignit l'étude notariale familiale pour faire ses premières armes sous la tutelle de son père. Il gardait un pied dans le giron maternel chaque midi où sa mère attendait mari et fils pour le repas pris au premier étage.

Chaque jour, il faisait quarante kilomètres, à l'aller puis au retour, laissant Martha à ses occupations.

La jeune femme consacra beaucoup de temps à leur appartement. Elle choisit des meubles, des lustres, des tapis, du linge de maison et des plantes sans jamais se précipiter. Elle préférait aller voir en boutique, attendre, imaginer d'abord l'objet dans son contexte pour en mesurer l'effet produit. Elle comparait, allait, revenait, avant de se décider ou d'abandonner l'idée. Rarement, ses achats relevaient d'un coup de cœur. Ce fut pourtant le cas du grand miroir trumeau de style Régence, qu'elle avait déjà déplacé à trois reprises. Au passage, elle continuait à s'attarder, insatisfaite de son emplacement. Les yeux portés davantage sur le miroir que sur son reflet, elle pensait qu'il aurait mérité une cheminée ancienne.

Martha n'aimait ni le kit ni les meubles intégrés, elle mariait les styles. Quelques meubles anciens en côtoyaient d'autres, contemporains, aux lignes épurées. Une harmonie de couleurs dans les tons blancs, ocre et quelques bruns soutenus se créa. Seul un pan de mur de la cuisine fut peint en rouge éclatant pour mettre en valeur le vaisselier offert par sa grand-mère.

Petit à petit, chaque chose gagna sa place. Peu d'affaires traînèrent et tout objet utilitaire se trouva hors de la vue.

Dès leur installation, ils avaient déterminé la chambre qu'occuperait leur enfant – la seule pièce baignée par le soleil du matin, la seule qui donnait sur une cour intérieure, protégée des nuisances de la rue. Tous deux avaient convenu de la laisser en friche. Martha n'y toucherait qu'à l'annonce de sa maternité pour réserver ce plaisir au moment venu.

Une petite période la sépara de Christine qui débuta sa carrière d'enseignante en s'expatriant deux années dans le nord du pays. Son amie en revint abasourdie. Son désir d'initier à la beauté de la langue avait rencontré certains élèves qui ânonnaient encore lors d'une lecture à voix haute. Elle n'avait vu en eux qu'une indigence dans la pauvreté de leur vocabulaire et de leur réflexion. Un fossé phénoménal séparait ces adolescents de la littérature et d'elle-même. La jeune enseignante qu'elle était n'avait pas tenté de passerelles ni essayé de les rencontrer. Elle était revenue prise par la déroute du voyageur au retour d'un pays éloigné des avancées de la civilisation, un pays où la vie et le quotidien des gens étaient rudes.

Dès que possible, Christine quitta le collège de ce quartier défavorisé du Nord. Si elle n'avait pas obtenu sa mutation dans sa ville et son affectation dans un établissement du centre, elle n'aurait sûrement pas continué sa carrière. De retour, elle eut le sentiment de reprendre place parmi les siens.

De son côté, Martha n'était nullement oisive, mais elle avait le luxe de pouvoir jouir du temps. Elle meublait ses semaines par des visites à sa grand-mère, des heures aux terrasses de cafés avec Christine dans les libertés de son emploi du temps et des cours à l'Université Populaire. Sa première inscription fut pour un cours d'italien à la suite de son voyage de noces à Florence. Les sonorités de la langue, l'envie de poursuivre le voyage, d'en faire d'autres et d'approcher cette culture en s'immergeant dans les ouvrages originaux l'avaient motivée. D'abord débutante, Martha gravit les années de perfectionnement puis elle enrichit ses connaissances par un cours sur la « Culture et les Civilisations Italiennes ».

Au fil des ans, elle explora d'autres domaines, choisis chaque été dans la brochure universitaire où elle déterminait son rythme et son planning annuels. S'ajouta alors : « Art, Architecture et Urbanisme contemporains » où des visites d'édifices illustraient les cours. Vinrent ensuite : « Pays du Nord de l'Europe » pointu sur l'histoire de ce peuple depuis son origine, puis un cours d'initiation à « L'art de l'éventail dans le Tai-Chi-Chuan » où le maniement lent et précis de l'objet avait apaisé les tourments qu'elle traversait cette année-là.

À force de fréquentations, la direction de l'Université Populaire vit en Martha une jeune femme cultivée au solide bagage universitaire. Elle lui proposa des vacations en « Français – Langue Étrangère ». Martha accepta sans intérêt financier, mais pour prendre sa part dans cette institution qui lui apportait beaucoup.

Elle s'entoura, deux heures, deux fois par semaine, d'un groupe d'étudiants étrangers venus valider une partie de leur cursus supérieur en France. Quelques cadres américains et hollandais expatriés par leur multinationale, et quelques femmes issues de couples mixtes, dont une russe et une sud-américaine, se joignirent au groupe. Le cours du mardi après-midi était le plus didactique, Martha reprenait à partir d'articles ou d'extraits de films, les fondamentaux de la langue française avec ses règles de grammaire, d'orthographe et de prononciation. Le second, bien plus vivant, était un cours de « Conversations ». Tout l'enjeu était d'y acquérir une aisance et un vocabulaire suffisant pour tenir une discussion. Chacun venait avec ses idées sur un thème, débattait et argumentait. Elle adorait ces moments cosmopolites où l'exercice prenait fréquemment une tournure théâtrale et de franche rigolade.

À cette époque, Martha avait le sentiment que sa vie s'organisait, cohérente, entourée.

Elle n'avait aucun doute concernant l'enfant. Il y trouverait sa place. Il donnerait plus encore de contenu et de sens à son existence.

3

Dès sa sortie du laboratoire, Christine se précipita chez son amie pour lui annoncer la nouvelle.

Martha partagea chaque étape du processus de cette première grossesse : les images où le petit bonhomme miniature avait déjà figure humaine, les changements du corps qui suscitaient fierté et embarras, les questions à se poser, les choix à faire, l'attente longue et pénible des dernières semaines et son issue extraordinaire. Les deux jeunes femmes s'échangèrent des articles de magazines spécialisés relatifs à l'accouchement, aux soins et aux précautions à prendre avec les tout-petits. Elles rêvèrent ensemble de l'avenir de ce petit homme. Martha était enjouée, sensible et heureuse comme si la venue de ce premier bébé, suivie pas à pas, était sa première expérience de maternité par procuration. Un galop d'essai en quelque sorte avant que ce ne soit son tour.

La seconde grossesse de Christine prit une tournure bien différente.

Dès l'annonce, la joie de Martha se teinta d'irritation. Au fur et à mesure que le ventre gonflait, elle supporta de plus en plus mal d'entendre les préoccupations de son amie. Son espoir d'avoir cette fois une fille, son idée de faire au mieux pour son aîné. Elle aurait voulu ne rien en savoir. La plénitude et le bonheur affichés de l'autre touchaient une frustration qu'elle ne pouvait raisonner. Pour la première fois, elle se confronta à l'absence de son enfant.

Le plus insoutenable furent les plaintes de Christine : la fatigue, le constat que c'était plus compliqué qu'avec le premier. Aussi Martha commença à être occupée ailleurs. Plus encore que son amie, elle évitait le fils de Christine pourtant étranger à l'affaire du haut de ses deux ans. À ses yeux, l'enfant n'était plus qu'un gosse remuant et envahissant.

Insidieusement, le manque d'enfant devint éprouvant.

Sans cesse, il interpella l'attention de Martha. La moindre situation banale ne se percevait plus qu'au travers de ce prisme. Un nombre impressionnant de femmes enceintes et de poussettes peuplèrent les rues. Des étalages gigantesques de puériculture colonisèrent les supermarchés. Et des regards interrogatifs, insistants et omniprésents sur leur vie à deux s'éternisaient.

Sa sœur Laurence, de cinq ans sa cadette, s'y mit aussi. Tout juste vingt-quatre ans, enceinte sans même attendre sa première année de mariage ! Elle bouscula toute logique dans la fratrie. Insupportable pour Martha, prise à nouveau dans une rivalité qui n'était plus de son âge.

Même Delphine, sœur aînée de Michel, à trente ans passés, venait de mettre au monde sur le tard un petit garçon qu'elle avait choisi d'élever seule, avec pour résultat un enfant béni de ses grands-parents tout émus de reprendre soin d'un bébé qui portait leur nom.

Et toutes les autres. Les unes après les autres…

Les grandes réunions familiales prirent des allures de crèche où les petits, plus nombreux chaque année, devenaient le centre de la fête. On s'étonnait de la hardiesse de l'un, de l'inventivité de l'autre et de la précocité du petit dernier qui se montrait si éveillé. Excédée, Martha se surprit à lancer quelques remarques cinglantes. En retour, elle saisit sûrement pour la première fois que la forme des propos toujours polie et mesurée qui affichait une prévenance et une cohésion familiale pouvait cacher des intentions bien moins nobles qu'elle ne l'imaginait. La belle croûte dorée de son univers commença à se fissurer.

Le manque précéda largement la question de son origine.

Sans qu'elle s'y soit préparée, son gynécologue précipita la réponse avec une échographie assassine. Son utérus fut le premier à fracasser l'ordre des choses, violemment, la laissant blessée, sans réparation ni recouvrement possible.

Le spécialiste fit l'hypothèse d'une « hypoplasie congénitale de l'utérus ». Puis dans un effort pédagogique, il parla « d'utérus infantile ». À ces mots, le corps de Martha se glaça dans le cabinet médical. Lentement, elle reposa sa tête sur la table d'examen. Son regard, rivé jusque-là sur l'écran de l'appareil échographique, porta au plafond. Elle s'entendit respirer puis parler d'un ton atone et lent : Quelle place pouvait trouver l'enfant ? Comment pourrait-il grandir ? Comment pourrait-elle lui garantir un développement normal ?

De longs silences succédèrent aux réponses du médecin qui tapaient à côté. Toute hypothèse se devait d'être vérifiée, disait-il, elle ne devait pas aller trop vite. Il y aurait une exploration des antécédents médicaux et familiaux, des examens complémentaires, sanguins et génétiques, des investigations au service hospitalier qui venait tout juste de s'équiper d'un appareil IRM… Ils se reverraient, rapidement, dans trois jours, avec son mari. Le rendez-vous était déjà pris.

Quelles que furent la prudence et les précautions du médecin, Martha savait déjà.

Sortant de la consultation, elle ne rentra pas chez elle. Elle marcha, le pas rapide, sans but précis, comme pour se tenir debout par un corps en mouvement alors que sa vie s'effondrait. Le rythme accéléré de ses pas fit cavaler son esprit.

Son utérus s'était révélé après des années de secret intimement gardé. Elle n'avait pourtant pas été une enfant chétive, faisait même un bon poids à sa naissance. Plutôt fluette d'accord, mais elle n'avait pas été plus petite en taille que les autres à l'école primaire et au collège. Elle avait peu été malade, hormis les affections infantiles, comme tous les enfants, ni plus ni moins. Sa puberté n'avait soulevé aucune question et son corps de femme n'avait laissé paraître aucun dérèglement qui aurait pu mettre la puce à l'oreille de quiconque.

Elle avait été tout ce qu'il y a d'ordinaire ! Pourtant, depuis toujours, y compris dans le ventre de sa mère, elle portait en elle une anomalie – terrée – qui la rendrait radicalement différente de toutes les autres, qui lui donnait l'apparence des autres sans leur complétude. Une femme amputée de son autre face, jamais une mère. Une enveloppe vide.

Pendant près de six mois, Michel et Martha gardèrent pour eux ce diagnostic tombé comme un couperet. Seule Christine était dans la confidence parce qu'elle n'avait pu accepter la distance que lui imposait son amie. Elle avait crevé l'abcès. C'est avec elle que les émotions de Martha explosèrent. Elle pleura abondamment, envahie par ses larmes, hoquetant, à la recherche d'inspirations amples et profondes qui amèneraient un instant de répit. Martha pleura comme un enfant qui laisse couler son chagrin, immense, inconsolable.

Christine fut la première à lui parler d'adoption :
— Tu as toutes les qualités pour être mère. Tu es douce, attentive et prévenante.
Ses mots étaient tendres, réparateurs, mais Martha, silencieuse, ne regardait alors que le ventre qui s'affichait avec indécence face à elle.
— Le biologique n'est rien, ce sont les liens qui comptent, avait-elle ajouté sans que Martha l'entende.

Michel était malheureux de voir la peine de Martha.
Lorsqu'il fut soulagé d'apprendre que tous les examens menés ne décelaient aucune pathologie associée, il parla à leur entourage. Cela avait été plutôt facile, l'annonce allait définitivement mettre un terme aux remarques de plus en plus insistantes sur leur couple sans enfant. Il limita les explications à « une infertilité irrémédiable, connue des médecins ». Puis, sans l'avoir prémédité, il s'inclut dans le problème.

À sa surprise, il s'entendit dire que de son côté, des faiblesses avaient été repérées :

— Une grossesse aurait été difficile même si Martha n'avait pas eu ce souci…

Chacun put alors comprendre la mauvaise humeur et certains coups d'éclat de la jeune femme. Mais son problème allait nourrir les esprits. Dans les regards furtifs et les bribes de conversations tenues à voix basse, Martha entendit autre chose que la compassion et l'empathie que chacun lui témoignait. Elle se vit un objet de curiosité, une femme difforme, mutante et radicalement étrangère.

Avec le temps, la détresse fit place à la colère. Martha trouva quelque chose contre quoi se battre et, par là même, une énergie qui lui redonna vie. C'est sa mère qui prit. Elle, qui ne l'avait pas fabriquée en entier, qui ne lui avait pas transmis ce qu'on transmettait à sa fille pour lui permettre d'être mère à son tour. Elle n'avait pas fait ce qu'il fallait pour garantir que la roue puisse tourner. Martha la jugeait égoïste, insensible, toujours lisse, peu préoccupée par ses enfants sauf pour les modeler à son idée. Elle déversait sur Michel ses ressentiments sans s'adresser à l'intéressée qui restait fuyante et verrouillée. Elle s'échauffait à la voir continuer à s'attacher à des futilités et des banalités à mille lieues du drame qu'elle vivait. Elle ne trouvait aucune ouverture.

La colère s'épuisa comme se tarit un venin craché, jusqu'au bout, de tout son soûl, vidé de sa réserve. Ce n'est qu'alors, à nouveau, que Martha imagina son enfant. L'idée folle d'une adoption, suggérée bien avant l'heure par Christine, refit surface.

Michel la suivit parce que ce qui comptait était de la voir de nouveau enthousiaste. Et quoiqu'il en soit, cet enfant, qu'il l'ait ou non conçu, restait celui qu'il donnerait à Martha.

4

Leur courrier pour participer à la réunion d'information collective avait été soigné. Ils l'avaient lu et relu, pesant chaque mot et chaque argument comme si, à lui seul, il déterminerait l'arrivée de leur enfant. La lettre était dense à l'image de leur désir.

Puis, parmi quarante personnes, sur toute une journée, ils rencontrèrent le Service des Adoptions.

Pour cette première étape, Michel resta en costume, Martha choisit un pull en cachemire et un pantalon au tombé impeccable. Ses couleurs – un beige pastel et un blanc immaculé – respiraient la douceur et une propreté irréprochable. Ils se serrèrent l'un à l'autre parmi tous les couples conviés, bien différents les uns des autres.

Il fut question de législation, de procédure d'agrément, des innombrables étapes et des enfants adoptables, d'ici ou d'ailleurs. Les candidats étaient préparés à la longueur de la démarche et à l'incertitude de son aboutissement.

Les informations survolaient l'attention de Martha. Le grand nombre de couples réunis dans un même but la parasitait. L'enjeu était de taille ! Y compris dans cette sphère si intime, la logique de l'offre et de la demande ferait des coupes sombres, angoissait-elle.

La voix étranglée par la douleur, une jeune femme blonde, corpulente, s'épancha sur le souhait de mettre un terme à ses espoirs déçus à chacune de ses FIV.

— Déjà trois… disait-elle avant que l'un des deux animateurs recentre le propos sur l'objet de la réunion.

Le mari de la femme blonde passa la journée à lui tenir la main. Un autre couple dont l'allure laissait penser qu'il n'était pas loin de la quarantaine posa la question étonnante et absurde pour Martha de « leurs chances » alors qu'ils avaient déjà trois enfants biologiques.

Michel et Martha sortirent déterminés, impatients et déstabilisés par le long chemin à parcourir. Le processus s'entamait par neuf mois d'entretiens. Certainement pas l'œuvre du hasard, pensèrent-ils. Sur le trajet, ils partagèrent une multitude de questions : Combien d'entre eux iraient au bout de la démarche ? Lesquels verraient un enfant dans leur vie ? Martha, sûre d'elle, confiante en l'amour inconditionnel pour son enfant, se demandait intérieurement si cette administration allait l'entendre et qui, parmi tous ces couples, lui ferait concurrence.

La lettre confirmant leur candidature à l'agrément fut envoyée sitôt les pièces administratives rassemblées.

Martha pouvait comprendre les précautions prises pour s'assurer de la bonne moralité des futurs parents ainsi que l'évaluation de leurs ressources financières qui garantiraient des conditions d'accueil convenables, même si elle entrevoyait les prémices d'une mise à nue dérangeante. Elle était beaucoup moins à l'aise avec le certificat médical exigé dans le dossier. Le certificat prénuptial, encore obligatoire à son mariage, l'avait déjà heurtée alors qu'il n'était pas encore question de sa malformation. Aujourd'hui, l'aval médical qui attestait *d'un état de santé qui ne présentait pas de contre-indication à l'accueil d'enfant en vue d'adoption* la perturbait. Elle se voyait falsifier un document alors que son corps était défaillant.

Un sentiment d'injustice l'effleura. Tout de même, toutes ces femmes qui avaient enfanté naturellement ces 800 000 enfants l'année passée, parfois dans un contexte dramatique, sans que personne leur pose une seule question !

La première visite de l'assistante sociale estima les conditions matérielles et leur compatibilité avec l'accueil d'un enfant. Ils s'empressèrent d'aménager la seule pièce toujours en friche de leur appartement tant ils souhaitaient faire bonne impression et se conformer à l'image des parents idéaux qu'ils supposaient attendue. Dès que possible, une entreprise couvrit les murs d'un papier en fibre de verre et posa une moquette gris galet au sol. Martha peignit elle-même la pièce en blanc cassé, asexué. Seules une commode et une armoire furent installées dans la chambre. Le lit adéquat serait choisi le moment venu. Un joli lustre, aux losanges en pâte de verre colorée, projeta ses reflets sur le plafond et le haut des murs.

Ensuite, Martha déposa « Flocon » sur le meuble bas, le petit mouton qu'elle conservait de son enfance, élimé à force d'avoir été tripoté.

Michel s'attarda devant la vitrine d'un magasin spécialisé avant d'entrer explorer les trois étages de cette véritable arche de Noé qui regorgeait d'animaux en tout genre. Il y choisit une mère kangourou et son petit qui pouvait sortir et rentrer dans sa poche. Encombré par un paquet qu'il ne savait comment tenir, il se sentit léger pourtant sur le chemin du retour, heureux de sa trouvaille, et d'en faire la surprise à Martha.

L'encombrant kangourou et son petit s'installèrent aux côtés du petit mouton.

Seule Christine fut dans la confidence. Elle était aux côtés de Martha dans ses découragements et ses doutes. Jusque-là, ils n'en avaient parlé à personne d'autre comme s'ils se préservaient de faire face à une avalanche de commentaires. Une position qui n'était possible qu'un temps, intenable lorsque la question de la place de l'enfant dans leur famille élargie fut posée par l'assistante sociale du Service des Adoptions.

Là encore, Michel s'en chargea. Parler d'adoption lui fut bien plus difficile que d'annoncer, à l'époque, une infertilité. Sous la compréhension affichée de sa famille, Martha sentit que cela n'allait pas de soi. Et si cet enfant était perturbé d'avoir commencé sa vie dans un milieu défavorisé ? Et si sa couleur de peau lui rendait difficile son intégration scolaire ? Et s'il restait hanté par la recherche de ses parents d'origine ?

Tant de remarques la blessèrent. Elles ne livraient rien de personnel tout en révélant leur intolérance, l'étroitesse de leur vie « comme il faut », « entre-soi » et leur peur de l'étranger. Seule sa grand-mère Lucie avait été émue. À quatre-vingt-trois ans, elle avait partagé avec sa petite fille l'espoir de vivre suffisamment longtemps pour connaître cet enfant dont elle serait l'arrière-grand-mère.

Apparemment, les choses étaient plus simples dans l'autre famille. Il y avait été dit que si ce choix était le leur, c'est qu'il était un bon choix. La connaissance des parents de Michel sur l'adoption se résumait au fils des restaurateurs établis dans leur rue, un petit Centrafricain qu'ils trouvaient bien souriant et sympathique.

Après trois mois, toutes les questions posées dans la procédure agacèrent Martha. Elle s'y pliait par nécessité, celle du prix à payer.

Elle pouvait parler sans retenue de ce qui était important pour elle dans l'éducation des enfants, de l'organisation qu'ils se donneraient dans leur quotidien et de cette nouvelle vie qu'ils construiraient à trois. En revanche, revenir sur son parcours personnel, leur vie de couple et les motivations de leur démarche lui était insupportable. Très défensive, elle affichait une armure, tenait des propos convenus et rapportait les évènements du passé en théorisant ce qu'elle avait pu régler depuis. C'est le corps qui parla tout seul de sa fragilité et de ses blessures. Sans le voir venir, elle s'effondra à l'ouverture d'une brèche par la psychologue du Service des Adoptions. Tout ce qu'elle avait enfoui au plus profond d'elle-même resurgit, sans qu'elle le veuille, en direct, avec son lot d'émotions, intactes, comme si le temps n'avait pas fait son effet. Elle pleura, revit sa minuscule matrice inopérante, en ressentit physiquement la contraction dans son bas-ventre.

Elle s'en voulut.

On ne pouvait que comprendre, tenta de la rassurer Michel. C'était un sujet sensible… elle n'avait pas à s'en faire, elle avait tellement de qualités.

Ce n'est qu'ensuite que Martha consentit à prendre le temps. Et au bout du compte, ces neuf mois ne furent peut-être pas de trop. Lorsque la commission d'agrément leur signifia son avis favorable, elle n'était plus tout à fait la même.

5

Martha raccrocha le combiné du téléphone.

« Nous vous proposons de nous rencontrer pour vous parler d'une enfant » est précisément ce qui venait de lui être dit.

Elle s'assit sur le canapé blanc de son salon, abasourdie par l'appel.

Prise au dépourvu, elle n'avait pas su vraiment quoi dire à la personne au bout du fil. Immédiatement, elle avait craint de ne pas être à la hauteur. Le ton compréhensif de l'interlocutrice l'avait très vite rassurée :

— Vous pouvez avoir beaucoup de questions, mais nous n'allons pas discuter par téléphone. Nous prendrons le temps de nous voir pour en parler. Quelles sont vos disponibilités ?

Martha avait saisi la première proposition. Oui ! s'était-elle engagée, elle confirmerait la présence de Michel même si elle n'en doutait pas une seconde.

Le rendez-vous aurait lieu dans trois jours.

Seule, sur son canapé, elle était bouleversée. Les évènements, les étapes, les espoirs, les doutes revinrent massivement, d'eux-mêmes, pêle-mêle, désordonnés alors qu'une certaine résignation lui avait permis de s'en dégager.

Une période d'euphorie avait suivi la délivrance de leur agrément. Même si Martha savait être en bas de la liste et qu'elle connaissait la durée moyenne de l'attente – cinq ans, les avait-on prévenus – elle s'était précipitée sur son téléphone à chaque sonnerie. Michel aussi attendait. À son retour de l'étude, il avait cet air interrogatif qui voulait tout dire sur la question qu'il ne posait pas.

Cela dit, la décision lui avait fait beaucoup de bien. Elle avait certifié une maternité possible. Être mère était légitime, son corps n'était qu'une erreur de la nature. L'enfant pouvait être là et Martha était entrée en une gestation qui serait juste un peu plus longue que pour les autres.

Dans le même élan, elle s'était réconciliée avec les enfants, ceux de Christine et ceux de sa famille. Elle avait pu de nouveau les regarder, accepter l'élan des plus petits pour grimper sur ses genoux. Les sorties avec son amie dans les aires de jeux avaient repris et elle s'était même surprise à venir en aide à l'aîné des garçons en mauvaise passe en haut du toboggan. La contrariété qui l'avait rendue désagréable ne la submergeait plus lorsqu'aux repas entre amis, le petit dernier faisait des siennes pour dormir et qu'il accaparait alors Christine jusqu'à la faire disparaître de la table. Le plaisir des fêtes de famille était revenu également. Celui de s'y préparer, de réfléchir à la tenue et aux bijoux pour l'occasion, de choisir l'ornement floral pour la maîtresse de maison. Martha y avait retrouvé sa place et ses discussions.

Tous étaient soulagés de la voir ainsi et plus personne ne s'était risqué depuis bien longtemps à parler d'une hypothétique adoption.

Le téléphone était resté désespérément muet.

Cette administration souffrait d'une inertie monumentale, avait-elle jugé. Comment était-elle gérée ? Leur dossier n'était-il pas mis systématiquement en bas de la pile ? Pour toute réponse, Michel et Martha n'avaient rencontré qu'un vide incompréhensible, ils en avaient voulu à la procédure même, regrettant « tout ça pour ça ».

Comme l'attente ne peut à elle seule remplir une vie, la jeune femme avait multiplié ses activités dans des projets qui s'attachaient à des réalisations concrètes. Elle avait continué ses rencontres avec ses étudiants étrangers, de plus en plus jeunes à ses yeux, elle avait participé à un groupe de lecteurs sélectionnés pour le prix du Livre Inter, et elle venait de débuter la rédaction de critiques littéraires pour un mensuel culturel régional. À son insu, elle avait relégué l'attente au second plan. Et par là même l'enfant.

Sans grande conviction, ils n'avaient pas manqué d'envoyer leur courrier qui soutenait, année après année, leur demande. Le temps passant, leur agrément avait perdu de sa validité avec pour résultat une remise des compteurs à zéro. Il y a deux ans de cela, la procédure et le parcours du combattant avaient recommencé. Sans plus y croire, ils avaient signifié alors être prêts à accueillir un enfant plus grand.

Sept ans s'étaient écoulés depuis leur première démarche.

Sept ans avant que le téléphone sonne.

Seule dans l'appartement, Martha ressentit un vertige, une ivresse, une perte de clairvoyance face au bouleversement.

Avec Michel, ils passèrent une grande partie de la nuit à se parler. Le retentissement de l'appel du Service des Adoptions balayait, pour l'un et l'autre, le renoncement qui s'était logé peu à peu dans leur vie.

Ils avaient trente-huit ans tous les deux. Pour une femme surtout, disait Martha, c'était l'âge charnière, la limite haute raisonnable pour enfanter. L'âge où les grossesses prennent des allures de prises de risques. L'âge où le deuil d'enfant commence à poindre chez les célibataires. L'âge de la dernière chance.

Elle tordait les propos entendus dans tous les sens. La voix du téléphone avait bien mentionné « une enfant » : il s'agissait d'une fille. Lors de l'évaluation, sa réponse quant au sexe souhaité avait été prudente. La question l'avait mise à mal, elle lui semblait si étrange. À elle seule, elle caractérisait une maternité radicalement différente des autres où un quelconque choix n'avait pas lieu d'être. Mais surtout, avoir une fille était pour elle d'une telle évidence. Empêtrée, elle s'en était sortie en disant être plus à l'aise avec les filles qu'avec les garçons. Et aujourd'hui, c'était une fille ! Tout s'accomplissait, pensa-t-elle, convaincue d'avoir été entendue.

Avant de se coucher, elle s'attarda dans la chambre qui n'avait pas bougé, figée dans le temps, avec ses peluches, ses deux meubles et l'absence d'un lit. Elle ne put trouver le sommeil pour le reste de la nuit.

Les trois jours d'attente lui parurent une éternité même si, étrangement, tout se précipitait. Toutes ces années n'avaient rien préparé, mais elles avaient tué la perspective d'un évènement qui tombait du ciel aujourd'hui. Martha s'agita, fit des allers-retours dans la pièce réservée depuis si longtemps. Elle passa son temps dans les magasins de jouets, de vêtements et d'articles de puériculture trouvant tout et n'importe quoi intéressant, frustrée de ne pas en savoir plus.

Puis vint le rendez-vous.

Au Service des Adoptions, les lieux étaient fidèles à son souvenir : la présence d'une secrétaire dès l'entrée, un accueil attentionné, une salle d'attente ouverte et une multitude de jouets, tous âges confondus, éparpillés dans le service.

Madame Lecourt n'était pas l'assistante sociale rencontrée sept ans plus tôt. Habituée à l'impatience des couples, elle nomma sans tarder « Magdalena ». Puis elle laissa venir.

Les questions fusèrent, comme souvent, tous azimuts. Elle dressa le tableau, remit les détails à plus tard lorsqu'ils se reverraient.

Michel et Martha repartirent avec le mandat de réfléchir à cette enfant. Curieuse question ! Comment auraient-ils pu se défausser ? Il n'y avait rien à réfléchir. Leur enfant était là, contre toute attente, depuis trois jours, à portée de main.

Silencieux d'abord, chacun eut besoin d'atterrir, de s'imprégner seul de ce qui venait d'être dit de leur fille, bien réelle pour la première fois. Elle avait un nom, un âge, une histoire. Elle avait pu être prise en photo. Madame Lecourt la leur avait remise.

Magdalena était une petite fille de cinq ans. Elle était pupille de l'État. Elle allait bien. Elle grandissait dans une famille d'accueil depuis sa naissance… elle n'avait jamais vécu avec ses parents. Le conseil de famille avait lu leur dossier, il était favorable à leur demande. Les informations données par l'assistante sociale tournaient en boucle dans l'esprit de Martha. Elle calculait, cherchait des repères, remontait le temps. Quels étaient les enfants de cinq ans qu'elle connaissait ? Les fils de Christine avaient déjà dix et douze ans maintenant. Le plus jeune de ses neveux et nièces ? C'était Claire, sauf erreur, elle devait avoir six ans.

L'enfant était bien loin de ses premiers rêves où elle s'était vue la bercer pour l'endormir, lui faire découvrir le monde, être à ses côtés pour la première fois de chaque chose. La première à entendre le premier mot. La première à assister aux premiers pas.

Pourquoi maintenant ? regretta-t-elle. Plus tôt, elle aurait pu connaître Lucie, décédée il y a à peine deux ans.

Que faisait-elle l'année de sa naissance ? Le jour précis de ce 25 juillet où elle était née ? Sans le savoir, il s'était passé un évènement qui révolutionnerait sa vie. Un trouble gagna Martha, un peu perdue dans une chronologie déroutante, déréglée.

La photo entre les mains, elle regardait une enfant dans la verdure. Un verger peut-être ? Une robe débardeur rouge lui découvrait les genoux. La petite fille souriait, malicieuse. Ses yeux étaient légèrement en amande, vifs, foncés. Ses cheveux longs, très sombres également. Elle avait le teint hâlé de l'été. Son corps vrillé et son oreille couchée sur l'épaule lui donnaient un air coquin.

Martha avait dans les mains à la fois l'image concrète, en chair et en os, de l'enfant qui existait depuis toujours dans son désir et la photo d'une parfaite inconnue.

D'où lui venait ce prénom ? s'interrogea-t-elle.

6

Michel se gara le long du trottoir derrière la voiture de service de madame Lecourt.

Avec Martha, ils découvraient ce petit village rural, à l'écart des axes fréquentés, qui ne figurait pas dans les brochures touristiques. Ils avaient eu besoin de le repérer sur une carte routière tant il fallait y connaître quelqu'un pour s'y rendre.

Par derrière l'église, la « Rue Neuve » menait à un lotissement créé au début des années quatre-vingt-dix. Au numéro « 16 », une maison plutôt banale à un étage.

En ce début mars, de petites jonquilles et des primevères multicolores garnissaient déjà les jardinières des fenêtres donnant sur la rue. Le terrain à l'avant semblait réservé aux arbustes décoratifs et aux bulbes renouvelés selon la saison pour fleurir l'entrée toute l'année. Par le côté latéral, ils aperçurent une vaste prairie à l'arrière de la maison, qui menait à des champs cultivés. Tout au fond, quelques arbres fruitiers et deux gamines de taille identique qui s'affairaient autour d'une cabane en plastique aux couleurs délavées.

Michel sonna, Martha en retrait.

À l'intérieur, Patricia se leva aussitôt. Avant d'ouvrir, elle ajusta correctement deux coussins sur le canapé comme si leur tenue était tout d'un coup fondamentale. Elle jeta un regard rapide vers la cuisine alors qu'elle savait que rien n'y traînait.

Lorsque Patricia appela Magdalena, les deux fillettes coururent sur toute la longueur du jardin. Elles riaient.

Une timidité gagna Martha. Ce n'était pourtant pas l'un de ses traits de caractère.

Elle se raccrochait, crispée, au paquet apporté pour la première rencontre avec leur fille.

Les deux enfants, disciplinées et imprégnées des règles de la maison, laissèrent spontanément leurs bottes sur le pas de la baie vitrée du côté de la véranda. Elles restèrent en collant, comme toujours. Patricia n'en dit rien, elle savait qu'elles ne tardaient jamais à ressortir.

La première chose qui attira le regard de Martha fut le teint légèrement cuivré de la peau de la fillette. Magdalena avait l'allure des enfants qui grandissent à la campagne, les joues rougies par le grand air. Ses cheveux, magnifiques, brillants, épais, en bataille, lui donnaient un côté sauvageonne. Elle ne disait rien, dévisageait intensément ces deux personnes qu'elle ne connaissait pas. Pas de regards en coin ni de regards détournés, elle les fixait sans sourciller. Son attention était parasitée de temps à autre par les pitreries de sa compagne de jeu. Ses diversions la faisaient rire.

Quelles émotions animaient Magdalena ? s'interrogeait intérieurement Patricia. Rien n'indiquait une inquiétude ou un étonnement chez la petite. Lorsqu'elle lui avait parlé de la venue de ses nouveaux parents, l'assistante familiale s'était trouvée décontenancée, une fois de plus, par le peu de manifestations de la petite fille.

Cette enfant lui avait fait traverser une situation inédite dans sa carrière alors que cela faisait une dizaine d'années qu'elle faisait ce métier, qu'elle accueillait dans son foyer avec Claude, son mari, ces enfants séparés de leur famille. Beaucoup d'entre eux étaient malmenés à un âge et par des évènements que les adultes avaient grand-peine à imaginer. Mais parmi eux, Magdalena l'avait interpellée comme personne.

D'autres enfants avaient quitté son domicile après une parenthèse nécessaire à leur retour en famille. Il y avait eu d'abord ce garçon de dix ans, son premier accueil, qui avait rejoint ses grands-parents lorsque les services sociaux s'étaient assurés qu'ils tenaient la route, puis ces deux jumelles qui avaient pu revivre avec leur père qui s'était stabilisé grâce à sa nouvelle compagne et aujourd'hui la petite Kelly, six ans. Pour elle, les relations avec sa mère permettaient l'espoir, lointain et incertain encore, d'une levée de placement parce que cette dernière avait fui le domicile conjugal sur le coup de violences un peu plus graves que d'ordinaire.

Dans la succession de ses accueils, Patricia en oubliait un, Michaël. Quinze jours effacés de sa mémoire, car elle n'avait pas pu approcher ce jeune révolté. Avec lui, Claude était sorti de ses gonds au point de ne plus se reconnaître. Le souvenir de Michaël était parti en emportant le sentiment d'échec que Patricia avait éprouvé. Cette parenthèse refermée, elle continuait à se voir un peu en intérimaire, interpellée pour assurer un temps ce qui était laissé vacant par un autre. Elle concevait tout son travail de cette manière. Sa mission prenait fin dans la satisfaction d'un retour à l'ordre des choses.

C'était différent pour Magdalena. La situation de ce nourrisson l'avait bousculée, et ceci dès le début de leur histoire. La petite n'avait alors que quinze jours et elle attendait au service de pédiatrie du CHU que quelqu'un s'intéresse à elle. Ces cinq dernières années, Patricia avait eu besoin de s'entourer pour se rassurer sur sa juste place. Aujourd'hui encore, elle était soulagée par la présence de madame Lecourt pour ce premier contact avec des parents adoptifs.

Martha donna à Magdalena le paquet qu'elle serrait sur son ventre dès qu'elle saisit qu'il attirait son regard. Puis elle perçut le mouvement arrière qui colla immédiatement la fillette à la cuisse de son assistante familiale. À la découverte du poupon, un sourire illumina son visage. Michel trouva de la contenance à détacher la multitude d'accessoires arrimés à l'emballage. À chaque objet, l'enfant se tournait vers Patricia pour montrer sa trouvaille. Le cadeau déballé, elle fit entendre enfin le son de sa voix :

— C'est l'heure du goûter ? adressa-t-elle, là encore, à Patricia.

Après le chocolat chaud, les quatre adultes suivirent les fillettes au fond du jardin pour découvrir la petite cabane où traînaient des jeux d'extérieur. Puis ils visitèrent la chambre partagée avec Kelly, l'autre petite fille accueillie.

Martha fut étonnée de se voir avec Michel au-dessus du lit de l'enfant. Un cadre doré contenait la photo qu'ils avaient remise à madame Lecourt. Ils y posaient sur le banc du square à proximité de leur domicile lors d'une journée ensoleillée. Ils avaient multiplié les clichés pour que la première image que découvrirait leur fille soit celle de parents à leur avantage. D'autres photos d'adultes, dans deux cadres cette fois, étaient accrochées de l'autre côté de la pièce suffisamment grande pour créer deux espaces.

Magdalena se roula sur son lit – un grand lit à la parure d'un dessin animé télévisé –, très réjouie à faire des culbutes. Elle n'eut aucun mal à cesser quand Patricia lui suggéra de montrer ses dessins ramenés de l'école.

Après deux heures, Michel, Martha et madame Lecourt sortirent ensemble de la maison pour rejoindre leur voiture. Il n'y avait eu aucun rapprochement physique avec l'enfant, aucune caresse même furtive, même non intentionnelle, aucun bisou.

— Rien d'anormal, les rassurait l'assistante sociale, il faut parfois beaucoup de temps. C'est un peu comme s'apprivoiser. Il y aura d'autres rencontres, ils se revoyaient déjà ce samedi.

Sur le chemin du retour, Michel parla du cadeau, heureux de ne pas s'être trompé. Martha pensait à Patricia.

Sa maison était propre et rangée. L'ordre n'y était qu'apparent. Le territoire des enfants n'était pas cantonné à leurs chambres, leur présence était visible dans toutes les pièces. Une étagère regorgeait de jeux et de DVD dans le salon où trônait un home-vidéo. Une petite cuisine avec une batterie d'accessoires en plastique permettait de jouer dans la grande lorsqu'on y préparait le repas. Une tente igloo mangeait l'espace de la véranda. Des jeux de transvasements et des canards encombraient les rebords de la baignoire.

Martha avait été surprise par la jeunesse de Patricia alors qu'elle savait que toutes deux avaient sensiblement le même âge. Cette femme avait déjà deux grands enfants qui ne revenaient que le week-end. Quelle jeune mère elle avait dû être ! Son visage avait conservé la rondeur de l'enfance. Un épais mascara bleu soulignait la vivacité de son regard. Lorsqu'elle s'était penchée, Martha avait aperçu subrepticement un petit papillon tatoué au-dessus de son sein gauche. Drôle d'idée, avait-elle pensé.

Patricia avait beaucoup parlé, de leur vie, de son métier et surtout de Magdalena. Elle semblait prendre la vie et ses avatars avec un optimiste et une confiance sans limites. Lorsqu'une lueur sombre était apparue dans ses yeux, elle l'avait réprimée immédiatement pour éviter le risque d'une montée de larmes sous le coup de l'émotion. Ce bref instant n'avait pas échappé à Martha.

À la remémoration de son après-midi, elle buta sur le mot « pétillante », un adjectif de Patricia pour décrire la fillette et un terme qui correspondait si bien à elle-même. « Un rayon de soleil », avait renchéri l'assistante familiale. Une enfant toujours « rigolote », partante, futée. Revenue sur ses souvenirs, elle avait dépeint un bébé particulièrement éveillé, curieux de tout, qui avait marché et parlé tôt. Depuis petite, elle était « croquignole ».

Les mots de Patricia respiraient la tendresse et leur longue histoire. Pour Martha, cette femme avait décrit sa fille avec un vocabulaire qui lui était si peu familier. Son sentiment d'étrangeté ressenti au premier contact en fut renforcé. Les traits de l'enfant, son allure et son détachement à son égard l'avaient surprise. Celle-ci avait haussé les épaules en soufflant, les yeux rieurs, comme Patricia l'avait fait. Elle l'avait nommée « Pat » en faisant claquer la syllabe par plaisir, comme l'autre petite fille et l'ensemble des enfants accueillis. Tous adoptaient le diminutif de l'homme de la maison envers sa femme. Ils partageaient « Pat », la maisonnée, le familier, un même cercle d'intimité.

« Rejoindre une nouvelle vie était aussi en quitter une autre ». La sagesse des propos du Service des Adoptions lui revint à l'esprit, un court moment.

7

Magdalena était seule au monde quasiment depuis sa naissance.

C'est ce qui avait effrayé Patricia lorsqu'on lui avait parlé de ce nouveau-né qu'il fallait chercher à l'hôpital parce qu'aucune raison médicale ne justifiait qu'elle y reste.

Les soignants s'étaient faits pressants. Eux-mêmes supportaient mal ce bébé sans visites, sans cadeaux et sans le traditionnel défilé de la famille, curieuse et impatiente de voir le nouveau venu.

Magdalena ne pleurait pas, elle criait tout ce qu'elle pouvait. Les hurlements de l'enfant résonnaient dans les couloirs, distillaient un malaise en ces lieux où la douceur et l'attention délicate des premiers soins régnaient d'ordinaire. Ses cris touchaient l'ensemble des jeunes mères, des visiteurs et des professionnels créant chez les uns et les autres des mouvements ambivalents de compassion, d'évitement, d'indignation ou de colère.

Dès sa naissance, le personnel de l'hôpital avait été inquiet pour l'avenir de cet enfant. Sa mère avait été conduite à la maternité par police secours dans un dénuement rare, sans papiers ni vêtements pour elle-même et ce bébé imminent.

Un chauffeur avait découvert cette jeune fille recroquevillée sur un siège à l'arrière de son bus lorsqu'il avait fait son inspection habituelle au terminus de son trajet. Alors qu'il allait prendre le chemin du dépôt qui signait la fin de son service, il n'avait pu se résoudre à laisser cette fille, un peu sale et si peu couverte, seule dans sa douleur. Ils avaient passé trente minutes ensemble à attendre les secours. Lui, embarrassé et déconcerté. Elle, recluse et submergée par ce corps qui la faisait souffrir. Elle lui avait seulement livré un nom et un âge. Elle était

« Sara » et n'avait probablement pas les dix-neuf ans qu'elle annonçait.

L'expulsion fut rapide, violente. Une tâche de celles dont on ne peut se dérober, insupportable, sans échappatoire, acquittée au plus vite.

Les heures et les jours suivants, la jeune fille sembla perdue, le regard vide. Elle sortit de cet état de courts moments pour poser ses yeux avec étonnement sur l'enfant et toucher ce petit corps qui paraissait la surprendre. Avec tous, elle resta muette et personne ne put aborder le sujet de sa sortie : Avait-elle un endroit où aller ? De l'argent ? Des personnes à contacter ? L'incident du troisième jour compléta l'écrit des soignants au procureur. Ce jour-là, sans que personne s'en aperçoive, Sara quitta l'hôpital et l'enfant restée dans son berceau. Elle avait juste eu le temps de la nommer « Magdalena ».

Les médecins se rassurèrent médicalement sur le vécu du nouveau-né dans le ventre de sa mère. Malgré ses pleurs incessants, ils constatèrent que Magdalena était en parfaite santé. Elle n'avait plus rien à faire là. Et, à la première visite de Patricia, leur soulagement fut grand.

Le Service de l'Enfance n'avait laissé à Patricia que quelques heures pour prendre sa décision. Sa réponse fut impulsive. L'idée d'un nouveau-né en proie à une détresse infinie, sans mère depuis plus de dix jours, l'avait submergée. Elle ne s'était pas posé de questions. L'urgence était de réunir le matériel nécessaire à son accueil, sa priorité était d'avoir les moyens de la ramener à la maison. Avec son dernier et les jumelles déjà scolarisées, elle n'avait plus d'équipement pour les tout-petits. Dans la précipitation, elle acheta un Maxi-Cosi au magasin de puériculture le plus proche, ne songeant qu'après-coup qu'elle aurait pu l'emprunter à son entourage.

Dès les premiers instants, Patricia sut que Magdalena ne serait pas une enfant comme les autres.

Elle la sortit délicatement de son berceau pour la blottir contre la chaleur de son corps. « Magda » l'appela-t-elle d'emblée parce qu'elle eut un mal fou à la nommer autrement. L'enfant ouvrit les yeux quand elle caressa la joue de son petit visage. Immédiatement, Patricia retrouva les sensations découvertes à la naissance de ses enfants et plus particulièrement avec Antoine, son benjamin. Dix ans après les autres, cette dernière maternité avait été différente, pleinement épanouie, sans l'insouciance adolescente encore en cours pour ses deux aînés. Avec Magda, elle revécut le toucher si velouté de la peau du bébé, son odeur de lait, la fascination pour ses mains jusque dans les détails des phalanges et des ongles minuscules, la surprise de ses mouvements brefs et désordonnés, l'alerte face aux contractions soudaines du visage, des membres, du ventre et du corps en entier lorsqu'il se replie sur lui-même et qui interroge aussitôt un inconfort qu'il faut comprendre. Elle éprouvait cet état qui emplit les premières semaines, celui d'avoir entre ses mains un petit être, inachevé, dans une dépendance folle, totale de soi, et où il s'agit d'assurer sa survie.

Patricia ne cessa de parler, en chuchotant, doucement, audible uniquement par l'enfant. Elle l'entourait de son corps, lentement la berçait. Lorsque Magda téta goulument un biberon de lait, elle ressentit cette crispation inattendue de ses seins si caractéristique de l'allaitement. L'enfant se détendit. Repue, elle afficha un rictus de satisfaction absolue. Puis elle s'abandonna entièrement dans ce corps à corps. Blottie au creux de Patricia, elle s'endormit.

Ce fut long.

Plusieurs soignants vinrent sur le pas de la porte, sans entrer, la laissant faire. Sans attendre le lendemain, chacun pensait que ces deux-là s'étaient rencontrées. La dernière nuit d'hospitalisation fut la première que Magdalena passa paisible, réveillée par la faim, ni plus ni moins que les bébés des autres chambres.

Sur le chemin du retour, les premières questions arrivèrent.

Patricia ne pouvait imaginer l'enfant sans une mère. L'intensité du manque ne pouvait être que monumentale, elle en était irreprésentable. Un gouffre sans fond ? Un néant sans bords ? Une absence radicale de filet où se raccrocher ? La mère était pour elle fondamentale. Bonne ou mauvaise, elle était là et l'on s'en arrangeait plus tard. Comment s'en sortir, s'interrogea-t-elle, sans cette donne élémentaire ? Et surtout, pourrait-elle y faire quelque chose ?

Le calme revint lorsque ses préoccupations pratiques reprirent le dessus. Avant de rentrer, se dit-elle, elle passerait au supermarché pour s'équiper du minimum nécessaire pour le lendemain. Elle y acheta des couches, des biberons et du lait maternisé « premier âge ». Elle choisit aussi deux grenouillères « trois mois » parce qu'à son avis Magda n'avait rien d'un bébé chétif et elle craqua pour un petit carré de tissus rose d'une douceur extrême, avec une tête de nounours en son milieu.

De retour dans la voiture, elle se dit qu'elle contacterait dès le soir son réseau d'amies, sœurs et belles-sœurs qui s'échangeaient depuis des années les habits trop petits et les jouets, une fois l'âge des enfants dépassé. D'ailleurs, sa jeune sœur devait encore avoir une poussette. Sa nacelle pourrait faire office de lit le temps de se retourner, elle verrait pour plus tard. Heureuse et déjà un peu coupable d'usurper en douce une place qui n'était pas la sienne, Patricia rentra chez elle.

Tous étaient restés éveillés pour savoir comment était ce bébé : Antoine, quatre ans, qui allait devoir céder sa place de petit, les jumelles qui s'imaginaient à sept ans une compagne de jeu et même Sébastien et Célia, ses deux ados qui jusqu'alors affichaient un air détaché. Et Claude surtout, qui avait passé tout l'après-midi à se demander comment cette visite s'était déroulée.

C'était il y a un peu plus de cinq ans, se disait Patricia aujourd'hui.

Par-delà les baies de la véranda, elle regardait Magda et Kelly qui s'étaient empressées de ressortir jouer au fond du jardin avant la tombée de la nuit dès que Michel, Martha et madame Lecourt étaient partis. Son premier contact avec Magda lui revenait en mémoire alors que la première rencontre de la fillette avec ses parents adoptifs venait juste de se dérouler.

Seulement cinq ans, songea-t-elle. Elles avaient commencé leur vie par cette première rencontre extraordinaire. S'étaient ensuivis tous ces moments, inattendus et denses vécus depuis.

8

Martha entra dans la chambre d'enfant. Elle n'alluma pas le lustre, baissa le volet resté ouvert sur la ville endormie.

Il était trois heures du matin et elle n'avait pas réussi à fermer l'œil, une fois de plus, au cours de ces deux dernières semaines.

Elle s'assit sur la moquette à l'épaisseur confortable. Le dos calé contre la porte, les jambes repliées au plus proche du torse. Dans l'obscurité, elle leva les yeux. De multiples étoiles, petites et grandes, brillaient, fluorescentes. C'était la touche de Michel. Il avait gravi les marches du grand escabeau pour atteindre le haut plafond, placer ces formes une à une et créer un ciel étoilé qui veillerait sur les nuits et les rêves de sa fille.

La faible lueur des étoiles permettait de distinguer le contour des meubles de la pièce. Ils en avaient acheté une multitude aux couleurs claires, adaptés aux enfants, pour constituer tout un univers où leur fille se sentirait bien. Un grand lit bien sûr, mais aussi une table, deux chaises, une lampe et la table de chevet pour la poser. Puis quelques jours plus tard, encore une étagère basse, un petit fauteuil en rotin.

L'attention de Martha s'attacha à la bande sombre qui s'étirait sur l'ensemble des murs. Elle avait mis du temps à choisir cette frise tant elle avait hésité entre plusieurs modèles dans le magasin. Certaines auraient convenu à une chambre de bébé, d'autres à sa propre chambre. Un vendeur lui avait proposé son aide. Il était reparti, lassé par son indétermination démesurée. Elle avait fini par se décider pour une jolie suite de coquillages bleus stylisés et d'étoiles de mer aux contours orangés. La frise avait été son point de départ. Elle avait ensuite été très heureuse de trouver une parure de lit qui en rappelait les couleurs et les motifs. Puis elle avait décliné ses achats en cohérence : rideaux, coussins, objets de décoration.

Toujours dans la pénombre, Martha distinguait les deux posters qu'elle avait encadrés. L'un représentait une aquarelle d'Antoine de Saint Exupéry, celle du *Petit Prince*, seul sur sa planète, l'astéroïde B 612, aux côtés de son volcan et de sa rose. Elle se demanda si elle n'aurait pas mieux fait d'accrocher celle où l'auteur avait dessiné son personnage en costume d'apparat. L'autre reprenait l'illustration d'un album de Kazuo Iwamura, *la Famille Souris se couche*, où plusieurs générations de cette vaste lignée semblaient flotter, chacun sur son nuage en guise d'oreiller, paisible, dans le bleu profond d'une nuit sombre.

Les deux ouvrages étaient déjà dans la petite bibliothèque.

Martha regarda les poupées sagement assises côte à côte sur le fauteuil en rotin. Elle se leva pour allumer la lampe de chevet. Sa lumière était tamisée et chaude. Machinalement, elle défroissa la robe de la poupée puis passa les doigts dans ses cheveux pour qu'ils tombent joliment de part et d'autre du visage. Michel l'avait choisie. Pour sa part, elle avait préféré reprendre un poupon avec une surenchère d'accessoires et de tenues différentes qu'elle avait soigneusement rangés dans une armoire à poupées héritée de son enfance. Elle y chercha des chaussons pour couvrir les pieds nus du bébé. Ensuite, elle s'intéressa aux jeux posés sur l'étagère, ajusta les boîtes, celle avec de jolis pions en forme d'escargot, une autre garnie d'une multitude de petits lapins, des Memory, des plaques à trous qui demandaient à reconstituer un dessin à l'aide de fils colorés, une dînette complète et des fruits et légumes miniatures dans un panier.

Martha avait eu beaucoup de mal à limiter ses achats dans le magasin de jouets. Elle n'avait pas choisi des cadeaux pour sa fille, mais elle avait créé un univers qui n'attendait que sa présence pour s'animer. Tous les articles avaient été déballés, le lit fait, la chambre équipée, prête à jouer. Des vêtements étaient déjà rangés dans les tiroirs de la commode après avoir été lavés.

Durant les quinze derniers jours, ils avaient rencontré Magdalena trois fois. Entre les visites, elle et Michel s'étaient activés. Ils voulaient faire vite pour que tout soit prêt, impeccable et plaisant à leur petite fille pour sa première venue dans l'appartement.

Toujours dans la chambre, Martha saisit le service à thé sur l'étagère et le dressa sur la petite table. Elle se sentait maintenant satisfaite. Le compte à rebours pouvait s'arrêter, sa fille serait là dans l'après-midi.

Au réveil, Michel perçut immédiatement l'absence de Martha à ses côtés. Il savait qu'il la retrouverait, une fois encore, endormie sur le lit non défait de l'enfant, la lumière allumée.

Avant de petit-déjeuner, il se rendrait d'abord à la boulangerie. Ce matin, il ne se contenterait pas de la baguette quotidienne, mais il achèterait pour la première fois de sa vie des gâteaux pour sa fille en prenant le temps de s'assurer de son choix.

C'est Claude qui proposa de conduire Magda chez ses parents. Il avait l'idée que cela lui serait plus facile que pour Pat. Il voyait bien que sa femme avait le cœur retourné ces derniers temps même si elle ne cessait d'afficher avec enthousiasme sa confiance en cette adoption. Elle lui avait même fait remarquer une évolution chez l'enfant suite à l'indifférence apparente du premier contact. Après une journée d'abandon sur le canapé, le poupon offert avait, en effet, mis Magda en colère lorsque Kelly avait voulu se l'approprier. Au troisième jour, il avait rejoint les peluches que la fillette cachait sous la couette de son lit, à l'abri des regards, réservées à l'intimité et à la solitude de ses nuits. « Premier bon signe », lui avait dit sa femme.

À la deuxième visite, Magda avait parlé à ses parents. Pat ne l'avait pas entendue, elle l'avait aperçue alors qu'elle s'était volontairement éclipsée dans la cuisine tout en gardant un œil sur le salon. Et puis la fois dernière, elle avait souri et accepté de leur dire au revoir.

Pour ce premier trajet, Claude avait pris les devants.

Les parents de Magda habitaient un beau quartier de la ville, à proximité de bâtiments prestigieux, culturels et administratifs où il ne se rendait jamais. Lorsqu'ils « montaient » en ville, c'était en famille, principalement pour faire le tour des commerces du centre. Cette fois, Claude avait préparé son itinéraire sur son GPS et pris de la marge pour surtout ne pas être en retard.

Main dans la main, il gravit joyeusement les trois étages de l'immeuble avec Magda. Dans l'appartement, il se sentit gauche, impressionné par sa grandeur, son luxe et son atmosphère feutrée. Rien à voir avec son chez-lui en campagne. Planté dans le salon, il ne voulut pas s'asseoir pour ne pas empiéter sur les trois heures de visites. Mais il ne quitta les lieux qu'après dix longues minutes quand l'enfant enleva d'elle-même sa veste. Alors il partit meubler son temps dans la vaste zone commerciale à la recherche d'outils et de matériaux de bricolage. Liste de Pat en main, il s'acquitterait aussi des grosses courses mensuelles à l'hypermarché.

Une fois la veste suspendue dans le vestibule, Magdalena resta statique au milieu du salon. Seule sa tête bougeait pour explorer, les yeux écarquillés, les petits objets sur les étagères.

Elle refusa de quitter ses bottes en caoutchouc. Leur incongruité dans le tableau frappa Martha plus encore que chez Patricia où elles avaient déjà attiré son attention. Des bottes vertes au plastique brillant avec deux yeux et une bouche rieuse dessinés sur le dessus des orteils. Quelle idée, pensa-t-elle ! N'avait-elle pas autre chose pour se chausser ? Martha n'avait rien vu d'autre à ses pieds. Aussitôt, elle s'en voulut d'avoir oublié d'acheter des chaussons. Elle les aurait choisis chauds, confortables, de bonne qualité et bien ajustés avec de petites fleurs ou des cœurs qui auraient fait renoncer l'enfant à ses bottes dès le premier regard.

En mode pause jusqu'alors, Magdalena se mit en mouvement quand Michel eut la bonne idée de lui demander son aide pour préparer le goûter. Emboîtant leurs pas, Martha les suivit dans la cuisine. L'humeur réjouie de Michel dégela l'enfant. Celle-ci riait, s'exclamait de plaisir à chaque mignardise sucrée. Avide et insatiable, elle avait envie de tout manger.

Puis, tous les trois, dans un silence un peu cérémonial, rencontré dans les actes initiatiques ou fondateurs, ils parcoururent ensemble le long couloir qui menait à la chambre.

Dès lors, la petite fille ne sut plus où donner de la tête. Voulait tout voir, saisissait un objet puis très vite un autre, ouvrait les tiroirs et les boîtes. Elle faisait penser à l'enfant en extase au milieu d'un magasin de jouets qui aurait eu l'autorisation de se lâcher sans limites, déballant les jeux alors que son intérêt portait déjà sur d'autres. L'excitation était telle que Magdalena ne pouvait se restreindre ni s'attarder. Elle papillonnait des poupées aux livres, aux fruits, aux légumes, demandait une feuille pour dessiner, la laissait en plan après trois traces rapides, regardait sous l'édredon, manipulait les tasses à thé sur la petite table, ajoutait un verre... Puis elle s'intéressait de nouveau aux poupées. Et c'était reparti pour un tour d'exploration frénétique. Dans une agitation, aussi bien physique que verbale, elle ne cessait de commenter tout ce qui se trouvait à sa portée dans une avalanche de mots, de phrases inachevées, discontinues, presque confuses, entrecoupées d'exclamations et de rires.

Dans son élan, Magdalena tendit une petite tasse de la dînette à Martha. Une porte s'ouvrait pour rejoindre l'enfant dans cet espace qui l'excluait jusqu'alors. Immédiatement, la jeune femme s'y engouffra et elle joua :

— Mais madame la cuisinière, vous n'avez donc pas prévu de lait pour servir votre thé ?

Après un court temps de surprise, l'enfant saisit la question pour répondre d'une voix qui se voulait grave et sérieuse :

— Mais Madame, cela sera plus cher !

C'était parti…

Michel resta assis sur le lit, heureux, introduit de temps à autre lorsque la petite fille lui assignait un rôle.

Magdalena menait la danse.

Au premier coup de sonnette, l'enfant se précipita hors de la chambre pour trépigner, impatiente, dans le vestibule, le temps que Claude gravisse les étages. À l'ouverture de la porte, elle se jeta avec force dans ses bras. Martha pensa ne l'avoir jamais vu dans un tel élan de tendresse. Tout aussi vivement, la fillette rebroussa chemin pour courir sur toute la longueur du couloir et disparaître dans la chambre. Les trois adultes plantés dans l'entrée, gênés, ne surent pas quoi se dire.

Magdalena revint avec la lenteur et la précaution d'une équilibriste, les bras chargés d'objets, préoccupée de ne rien lâcher. Toute contorsionnée, elle tentait de contenir le poupon, le livre de la Famille Souris, deux courgettes et un citron, une robe de poupée et l'une de ses chaussures. Elle avait pris précipitamment ce qui lui était tombé sous la main, tout et n'importe quoi, sans trier.

Butée, elle disait à Claude vouloir emmener les jouets à la maison.

Martha, qui ne comprenait rien à cette attitude, répétait en boucle qu'elle n'avait pas à s'en faire, que les jouets étaient les siens, qu'elle les retrouverait tous, sans exception, le week-end prochain, qu'elle pouvait être sûre qu'ils resteraient dans sa chambre. Des propos rassurants, mais inefficaces, qui renforçaient l'entêtement de l'enfant.

Par crainte d'une situation qui dégénère, Claude s'empressa d'intervenir et proposa de choisir un seul objet et de laisser les autres. Il pressentait surtout qu'il n'aurait su quelle place tenir face à ces parents si une colère se déclenchait.

Au départ de Magdalena, l'appartement retrouva sa stabilité et son calme habituel. Michel et Martha se sentirent vidés. Assis côte à côte sur le canapé, ils reprenaient leurs esprits après le tourbillon qui les avait emportés. Ils avaient plongé, un temps, dans quelque chose qui leur paraissait irréel.

Ils n'avaient fait que jouer, pensa Martha.

Aucune inquiétude n'ébranla sa conviction en l'amour qui se chargerait du reste. Ni l'agitation de Magdalena, ni ses bottes rivées aux pieds, ni « sa maison » qu'elle semblait avoir eu hâte de retrouver. Depuis toujours, elle était certaine que la puissance de cet amour pourvoirait aux difficultés qu'ils rencontreraient. Il gommerait le passé trouble ou douloureux de l'enfant qui deviendrait le sien. Il serait les fondations solides de l'avenir qu'ils construiraient ensemble. Elle en était sûre. Le reste viendrait.

Après ce moment magique qui avait fait apparaître puis disparaître la petite fille, seul le sens dessus dessous de la chambre gardait la trace de ce qui s'était passé.

Ils ne lui avaient pas demandé de ranger, réalisa Martha avant de se projeter immédiatement dans le plaisir qu'elle éprouverait à manipuler les objets qui, un à un, retrouveraient leur place.

9

Patricia pleurait à chaudes larmes. Elles déferlaient, grosses, inondaient son visage, en un flot continu comme si des digues jusque-là bien bétonnées avaient fini par céder sous leur poids accumulé. Malgré elle, Patricia débordait. Cela faisait des heures, lui semblait-il, qu'elle n'arrivait pas à se contenir, assise sur le lit, dans cette moitié de chambre, du côté qui restait vide.

Les murs étaient nus depuis qu'elle avait décroché avec Magda tous les petits trésors exposés au fil des années et qui avaient créé son cocon personnel, de son côté de la chambre. Lors de l'opération, c'était comme si elles les avaient redécouverts, regardant à nouveau les détails, se rappelant le contexte. Les objets avaient repris de la valeur après être passés inaperçus sous l'effet du temps : le « bonhomme patate » que Magda avait dessiné à trois ans en disant qu'il représentait Claude, ce qui l'avait fait bien rire ; le personnage, tout en feuilles dorées, glanées lors d'une promenade puis séchées plusieurs semaines sous une pile de livres ; un poster de son dessin animé préféré, un autre où des chevaux multicolores badinaient sous un arc-en-ciel ; sa première médaille en ski que Pat avait épinglée sur un petit coussin rouge confectionné pour l'occasion ; ses colliers pour beaucoup offerts par ses copines aux anniversaires, suspendus à une patère que Claude avait solidement arrimée au mur ; des mandalas aux traits plus ou moins débordants selon l'âge de leur réalisation.

Tous ces petits riens, précieux, qui témoignaient de leur vie commune défilaient les uns après les autres dans l'esprit de Patricia. Un inventaire qui n'avait plus lieu d'être.

Le vide lui paraissait immense.

Il s'imposait violemment en contraste avec le coin de Kelly laissé en vrac, pressée ce matin pour partir avec Claude. Tout ce qui s'était accumulé sur les meubles, qui emplissait l'armoire et l'étagère du petit bureau avait disparu dans des cartons. La parure de lit que l'enfant aimait tant avait pris le même chemin. Avec Kelly et Magda, elles avaient trié consciencieusement les jouets qui emplissaient les grands bacs en plastique pour qu'il n'y ait pas d'erreurs ni d'oublis. Seul le contenu du tiroir de la table de nuit avait été rangé par Magda elle-même, car elle avait refusé que Pat s'en mêle.

Tout était fini, réalisait Pat.

Au huitième jour du départ, ses larmes ne cessaient de couler.

D'ordinaire, pensa-t-elle, elle avançait dans la vie, quoi qu'il en coûte, quelles que soient les épreuves, tout le monde le lui disait. Ils n'avaient pas été épargnés avec Claude. Ils avaient traversé des périodes difficiles, ils s'étaient battus dès le début, dès cette première grossesse qui avait rencontré les foudres familiales des deux côtés. Et pourtant, soudés, ils avaient continué, ils s'étaient débrouillés et ils en étaient sortis fiers quand le temps des réconciliations était venu.

Mais là, pour la première fois, elle se sentait seule dans un chagrin, fragile comme jamais. D'autres enfants étaient partis tout au long de ces dix dernières années, mais aucun départ ne l'avait mise dans un tel état.

Lorsqu'on lui avait dit que Magda était pupille de l'État et, de ce fait, déclarée adoptable, elle avait paniqué comme si d'un jour à l'autre la vie basculerait. Les explications du Service des Adoptions sur la démarche, les étapes et le temps nécessaire à un « dénouage » des liens, selon l'expression consacrée, avaient suffi à la rassurer. Elle avait souscrit pleinement à ce travail, volontaire, confiante, pour elle, pour Magda, pour préparer et construire un avenir où leurs chemins prendraient des directions différentes.

N'empêche, aujourd'hui, il s'agissait de tout autre chose.

Un calme inhabituel régnait dans la maison.

Claude conduisait Kelly pour quelques jours chez sa mère. Leur grand fils Sébastien s'était levé tôt pour son job d'été décroché dans la ferme en bas du village et Antoine s'était précipité pour rejoindre à vélo les enfants des voisins au stade communal comme à chaque période de vacances.

Pat était seule.

Elle savait que sa fille Célia, encore au lit, ne se lèverait que tard dans la matinée.

Encore une fois, elle repensa à ce nourrisson qui ne pouvait quitter une chambre d'hôpital parce qu'aucune des personnes de sa famille n'avait imaginé lui faire une place dans sa vie. L'image qui lui restait était celle d'un petit tombé du nid, qu'elle avait attrapé au vol pour un atterrissage, ailleurs, tout en douceur.

Toutes ces années, elle n'avait pu se défaire de l'idée qu'une mère, envers et contre tout, ne puisse avoir la préoccupation de son enfant. Même perturbée, immature, marginale, folle ou engluée dans ses addictions, une mère ne pouvait oublier ces neuf mois de totale promiscuité ni cette naissance qui fractionnait radicalement le temps en un avant et un après. Une mère ne pouvait disparaître dans le néant. Elle faisait avec ce qu'elle pouvait, parfois mal, parfois à côté. Parfois dangereuse, tordue, bancale ou intermittente, mais elle faisait.

Les recherches du Service de l'Enfance et les investigations de la police pour tenter de retrouver Sara n'avaient rien donné à l'époque. Les maigres indices – un prénom et un âge à la fiabilité incertaine – n'avaient pas mené la démarche très loin. Pat avait eu du mal à s'y résoudre, elle aurait voulu davantage, mobiliser toutes les énergies des autorités, faire appel à la population. Elle réclamait une mère pour l'enfant plus encore peut-être que Magda elle-même.

Alors à défaut, elle l'avait inventée. À la petite Magda de quelques semaines, Pat avait raconté une mère qui lui ressemblait. Vive, drôle, belle et attachante. Une mère qui n'avait pu lui montrer son amour, mais qui l'éprouvait, avec force, toujours et encore, depuis le premier jour, à distance. Sara pensait à sa fille, voulait qu'elle soit forte, qu'elle grandisse et se construise une vie magnifique. De son côté, un jour, elle reviendrait et elle lui expliquerait. Quoi au juste ? À cet endroit, l'imaginaire de Pat butait.

En attendant, l'enfant s'était éveillée. Rien à voir avec le bébé écorché qu'on lui avait décrit à l'hôpital, s'était étonnée Pat. Arrivée à la maison, Magda avait dormi démesurément comme après une lutte épuisante et, en quelques jours, elle était devenue une petite fille ordinaire. Aucun stress, aucune particularité qui auraient témoigné de son début de vie hors du commun. À tel point que sa normalité avait troublé Pat. L'enfant avait suivi sa route sans se démarquer, plutôt avancée même par rapport aux bébés de la famille. Une enfant facile, s'était-elle étonnée encore en perdant le sentiment d'accomplir un travail qui la rémunérait. Son attachement s'était accru au fil des semaines et avec lui, son émerveillement à la voir grandir dans sa famille, mettant au second plan les contraintes, les nuits écourtées, la fatigue, la tyrannie des tâches et le rythme familial perturbé que chacun connaît avec les petits.

Dès le début, Pat aurait voulu ne pas trop aimer cet enfant. Non seulement cet amour la rendait coupable, mais elle pressentait qu'il pouvait la mettre en danger. De quoi ? Elle ne pouvait pas vraiment le cerner.

Dès la première sollicitation, elle avait été avertie de l'incertitude totale quant à la durée de cet accueil. En prise avec ses démarches juridiques, le Service de l'Enfance lui avait parlé d'une période qui pouvait aller de quelques jours à plusieurs années. « Une vie entière ? » avait extrapolé Pat pour elle-même.

Le statut de cette enfant relevait d'un imbroglio législatif qu'il s'agissait de clarifier. Magda était une enfant, nommée encore en ce temps-là, « naturelle ». Sa mère n'avait ni demandé le secret sur son identité ni une remise en vue d'une adoption, mais elle avait laissé des bribes d'informations qui produisaient un acte de naissance caduque qui préoccupait les autorités administratives et judiciaires. Y figuraient le prénom et l'âge d'une mère sans qu'aucun document officiel ait pu les authentifier, assortis des mentions « sans profession » et « sans domicile ». Peu de choses, peu de certitudes sur lesquelles s'appuyer pour s'engager dans la vie. Magda était venue au monde sans filiation.

La question des origines en avait suscité mille autres chez Pat. Comment ferait-elle lorsque la petite fille serait en âge de lui poser des questions ? Comment devrait-elle réagir si, dans ses premiers mots, elle l'appelait « Maman » ? Comment adoucir l'impensable ?

Son esprit s'était emballé, voyant loin, trop loin.

Puis, Sara était apparue sans que personne lui ait mis la main dessus ni soit allé la chercher. Le coup de théâtre coupa court à l'agitation de Pat. L'espoir de repartir à zéro, de recommencer l'histoire après en avoir raté le début, à l'image d'un second essai après un faux départ, l'anima et la tranquillisa.

La période fut courte.

L'avenir qui se profilait pour Magda stoppa net alors que quelques pierres seulement commençaient à le construire. Les perspectives s'évanouirent précocement, durement, par une réalité sans appel. À l'annonce de la mort de Sara, Pat l'avait rencontrée, en tout et pour tout, trois fois. Elle était l'un des rares témoins de cette petite tranche de vie qui, à peine ouverte, s'était refermée.

En restait aussi une photo, unique, que cette mère avait transmise au Service de l'Enfance.

Pat avait eu du mal à l'y reconnaître. Le maquillage forcé et l'attitude séductrice ne collaient pas avec la jeune au teint terne qu'elle avait rencontrée. Puis elle s'était attardée sur les yeux du cliché : des yeux très noirs légèrement en amande qui attiraient immanquablement le regard et ne laissaient personne indifférent. Les mêmes yeux que Magda.

La photo de Sara avait rejoint la « Boîte à Souvenirs » confectionnée et joliment décorée avec l'enfant. Pat l'y avait déposée précieusement, le jour où la fillette l'avait décrochée brutalement du mur au-dessus de son lit.

Des bruits émanèrent de la chambre de Célia à l'étage.

Le mouvement reprenait dans la maison silencieuse. Il sortit Pat de ses larmes et de ses souvenirs.

10

Quand Pat s'était engagée dans ce métier, elle y avait embarqué Claude et toute sa famille. L'idée avait germé alors que ses deux aînés, de huit et dix ans à l'époque, ne nécessitaient plus l'attention maternelle soutenue des premières années. Elle, qui avait toujours été femme au foyer, s'était découvert du temps et une disponibilité suffisante pour envisager une activité professionnelle. Qu'elle puisse s'exercer tout en restant à domicile était pour tous un bon compromis.

Dès le début avec Claude, ils s'imaginèrent des enfants qui partageraient tout de leur vie de famille, dans et hors du cercle restreint de leur maison. Ils fréquentaient beaucoup leurs frères et sœurs, cousins et cousines habitant sur leur secteur, mais aussi de nombreux amis connus depuis l'enfance ce qui forgeait des amitiés solides, capables de résister au départ de l'un d'entre eux pour une autre région. Ainsi, ils invitaient, étaient invités, se retrouvaient en gîte de groupe certains week-ends, organisaient des parties de campagne dans une maison forestière qu'ils affectionnaient. Ils allaient en troupe au cirque itinérant, aux fêtes foraines qui s'installaient périodiquement dans les villages alentour, au défilé carnavalesque annuel du bourg à une trentaine de kilomètres. Plus fréquemment encore, ils partaient faire des achats pour se vêtir et vêtir la grappe d'enfants qui les accompagnait.

Les liens étaient serrés. Les contacts quasi quotidiens, informels, ils n'attendaient pas qu'on prenne rendez-vous. La vie pulsait.

Les enfants qu'ils accueillaient y prenaient tout naturellement leur place parce que Pat et Claude ne concevaient pas que leur tribu se limite aux liens du sang. Ainsi Magda avait été de toutes les occasions, de tous les séjours d'été au camping à proximité de la mer où ils retrouvaient chaque année, petits et grands, des amitiés qui donnaient aux vacances l'allure d'une vie communautaire. L'hiver dernier, elle avait fait ses premières descentes et ses premières chutes en ski, comme la plupart des enfants et des adultes qui avaient réalisé le projet inédit, d'un départ en moyenne montagne. La fillette était de toutes les visites impromptues et de toutes les sorties décidées au pied levé. Personne n'imaginait son absence parce qu'elle était la seule enfant dont Pat et Claude ne se séparaient jamais. Contrairement aux autres, elle n'avait pas d'autres lieux où aller, pas d'autres personnes qui attendaient sa venue.

Elle passait bien partout.

Trop bien ? s'était demandé Pat lorsqu'elle la voyait partante et joueuse, toujours à l'aise. Elle se faisait apprécier d'emblée sans être pour autant une enfant sage ou une petite fille modèle ce qui aurait amené Pat à soupçonner une enfant malheureuse derrière un vernis trop lisse qui n'aurait pas été à prendre pour argent comptant. Au contraire, Magda savait ce qu'elle voulait. Elle pouvait déborder, contester et se mettre en colère, mais sans jamais atteindre le seuil critique qui interpelle une attitude hors norme pour une enfant de son âge. Elle saisissait vite les règles, se régulait d'elle-même, non pas en petit soldat bien dressé, mais avec intelligence. Elle interrogeait les choses et livrait ses réflexions d'enfant avec un sérieux qui étonnait et faisait rire les adultes.

Longtemps, Pat s'était questionnée sur ce qui permettait à Magda de respirer cette joie de vivre, d'être si peu marquée par son histoire, de ressembler si communément aux petites filles ordinaires. Nouveau-née déjà, elle s'était montrée inatteignable à la rudesse des évènements. Elle n'avait pas été perturbée à la réapparition de sa mère. Pas davantage à l'annonce de sa mort. Et depuis qu'elle était en âge de parler, elle était capable de dire à de nouvelles connaissances, sans gêne et sans souffrance apparente, qu'elle habitait dans une famille d'accueil parce que sa mère était morte, sur le ton de l'évidence, d'une information plutôt banale sans mesurer l'émoi qu'elle suscitait. Magda traversait les évènements marquants de sa vie avec distance. Claude y voyait une force de caractère : sa possibilité, à elle, de faire face à l'adversité en prenant le parti de ne pas sombrer, mais de profiter de la vie. Elle ne s'encombrait pas du passé, mais jouissait du présent et se tournerait vers l'avenir avec réussite et assurance. Il en était convaincu.

Pat elle, en était moins sûre.

Lorsqu'il avait été question d'un projet d'adoption, l'indifférence de l'enfant l'avait surprise à nouveau. Magda avait semblé prendre les choses comme elles venaient, plutôt tranquille, alors qu'elles infléchiraient sa vie entière.

De son côté, Pat en était bien plus ébranlée.

Au premier abord, elle avait été impressionnée par Martha, femme au parcours si différent du sien. Elle s'était senti peu de choses face à cette intellectuelle bardée de diplômes, issue d'un milieu qui lui était totalement étranger. Contrairement à Michel, au contact facile et direct avec l'enfant, Pat avait trouvé un excès de retenue chez Martha, une réserve, une difficulté à se laisser aller avec la petite qui pourtant n'était pas farouche. Ce n'est qu'ensuite qu'elle avait été émue par cette femme, empêchée dans sa maternité, en prise avec une infertilité qu'elle imaginait d'une douleur sans nom, impossible à dépasser si elle-même y avait été exposée. Elle avait vu alors la douceur de Martha, son attention discrète à l'enfant et son désir gigantesque d'être aimée.

Au fil des mois d'adaptation, la mayonnaise avait pris, s'était-elle dit. Au retour de la première visite chez ses parents, Magda avait été très excitée, intarissable au repas du soir sur la multitude de jouets neufs qu'elle avait découverts dans cet appartement. Kelly en avait été estomaquée, envieuse et émerveillée. Puis des week-ends avaient succédé aux journées du samedi. Sur tout le mois de juin, la nuitée du mardi s'était ajoutée. Un peu à l'image des enfants en garde alternée, Magda avait vécu une phase de vie fractionnée.

La première surprise de Pat fut la facilité avec laquelle la fillette se sépara d'eux. Elle partait gaillarde, sans pleurs ou regret manifeste de les quitter, avec sa valise de vêtements de rechange et les peluches qu'elle avait choisi d'emporter. Petit à petit, le contenu de la valise changea. Certains effets ne firent plus le voyage retour, d'autres apparurent. L'enfant revenait toujours empressée de montrer les nouveautés du jour, habits ou jouets, qu'elle rapportait. Le catalogue épuisé, la vie reprenait comme si de rien n'était.

C'est ce qui surprit Pat dans un second temps. Magda racontait, volubile et réjouie, ce qu'elle avait vu, reçu, fait et découvert dans ces moments où elle quittait la maison. Mais que disait-elle de ses parents ?

La question continuait à la perturber alors que le départ définitif remontait déjà à trois semaines. Magda s'accommodait des choses qu'on lui présentait, sans difficultés prévisibles, banales et attendues dans le contexte. Pat n'arrivait pas à se souvenir si l'enfant lui avait parlé de ce que ça lui faisait d'avoir un père alors qu'elle n'en avait jamais eu et d'avoir une mère, après celle qui avait été absente puis morte. Elle était bien en peine de se représenter ce que pouvait vivre Magda, au fond d'elle-même, en deçà de ce qu'elle donnait à voir. Elle se demandait, sans pouvoir privilégier l'une ou l'autre de ses hypothèses, si c'était normal à cinq ans, si elle n'avait pas toujours surfé sur la vie sans vraiment la vivre en fin de compte, ou si elle n'avait pas réellement compris qu'elle était adoptée.

Au dernier bisou de Magda, le moment précis où on leur avait dit qu'ils étaient prioritaires pour une adoption lui était revenu en mémoire. Cette perspective avait alimenté plusieurs soirées de discussions interminables, où ils avaient pris et repris avec ambivalence la question dans tous les sens. Puis il avait fallu trancher.

Avec Claude, ils avaient décliné le projet.

Ils y avaient peut-être trop réfléchi, s'était-elle dit au moment des adieux. Tout ça parce qu'ils avaient déjà trois enfants, encore un petit et qu'ils tenaient à assumer, à ne pas faillir quoiqu'il advienne, et qu'on ne savait jamais ce que réservait la vie. Peut-être avaient-ils été trop raisonnables, finalement ?

Depuis, ni elle ni Claude n'avaient abordé le sujet.

Et la vie avec Magda s'était terminée.

Après ces trois dernières semaines, Pat était convaincue que la page était tournée définitivement, même si chacun s'était dit en se séparant qu'on se donnerait des nouvelles. Elle n'avait pas osé appeler et n'avait pas reçu d'appel. Nous étions à la veille des six ans de Magda et elle réalisait que certaines dates pointent plus que d'autres ce qui n'est plus. Premier anniversaire sans nous, pensa-t-elle. Pat avait organisé les cinq autres, toujours en plusieurs temps, comme elle l'avait fait avec ses enfants : en petit comité le jour précis de la naissance, puis en famille avec ses parents, sa sœur, ses neveux et nièces, et enfin avec les copines et les voisines ces trois dernières années. La fête des enfants s'était ajoutée en cette fin juillet, période d'été propice à ce que la maison se transforme entière, en son intérieur et son extérieur, en terrain de jeux. Aujourd'hui, pour la première fois, cette fête lui manqua cruellement.

Sans attendre, le Service de l'Enfance lui avait déjà proposé plusieurs accueils auxquels elle n'avait pas donné suite. Elle ne se voyait pas investir, à nouveau choyer, rassurer, éduquer, valoriser, soutenir, ouvrir des possibles et porter un enfant du mieux qu'elle pouvait vers sa destinée. Surtout, elle ne voyait pas d'autre enfant qui puisse remplacer Magda.

Cette enfant partie, la vie de la famille était chamboulée. Seule Kelly continuait à parler de sa compagne de jeu, elle exprimait son envie de la voir et de lui téléphoner. Pour les autres, il fallait du temps, pensait Pat. Pour elle-même, il lui fallait régler des choses, cheminer seule. La question était intime et personnelle, pressentait-elle.

Alors Pat avait différé l'idée d'un autre accueil après l'été, puis après la rentrée des classes. En vérité, elle n'était pas sûre d'avoir encore envie d'être assistante familiale. Bien sûr, elle irait jusqu'au bout avec Kelly. Mais par ailleurs ? Peut-être s'engagerait-elle avec des enfants plus grands ? Dépannerait-elle ses collègues sur leurs temps de vacances lorsqu'elles choisiraient de se retrouver en famille sans les enfants accueillis ? Se mettrait-elle à disposition du Service de l'Enfance pour répondre à l'urgence d'un toit, quelques nuits ou quelques semaines, le temps d'élaborer un projet, ailleurs, pérenne ?

Aujourd'hui, Pat était incapable de se prononcer.

Ce qu'elle savait en revanche, c'est que personne ne prendrait la place de Magda. Cette enfant resterait dans leur histoire la petite dernière de la famille.

11

Les petites assiettes à dessert étaient restées sur la table du salon. Quelques-unes empilées, d'autres garnies de miettes et de restes du gâteau au chocolat juste entamé, vite abandonné pour ne pas perdre de temps.

Martha contemplait le chantier, Magdalena blottie contre elle sur le canapé. Les invités partis, la jeune femme se sentait vidée après cet après-midi qui lui avait pompé toute son énergie. La sensation de fatigue était agréable après l'agitation des dernières heures où elle s'était dépensée sans compter. Il y avait longtemps qu'elle ne s'était pas sentie si bien.

Le côté gauche de son corps prenait la chaleur de l'enfant, venue d'elle-même se coller, en silence, les bras chargés d'un gros recueil qui reprenait vingt-cinq des *Contes de l'enfance et du foyer* des frères Grimm. Du coin de l'œil, Martha regardait les illustrations anciennes issues de publications allemandes et anglaises du XIXe siècle. Vieillottes, fouillées et détaillées, elles absorbaient sa fille qui s'attarda longtemps sur celles du *Loup et les Sept Chevreaux*, puis sur celles du *Vaillant Petit Tailleur*. Martha se garda de tout commentaire. Elle respirait lentement, attentive à contrôler le bruit de son souffle pour qu'il passe inaperçu. Figée pour ne créer aucun mouvement susceptible de rompre l'immobilité de ce corps à corps. Elle savourait cet instant qui l'emplissait d'un bonheur qu'elle aurait voulu prolonger une éternité.

À son entrée dans le salon, Michel marqua un temps d'arrêt. Il sourit puis il fit un petit geste de la main pour engager Martha à ne pas bouger, soucieux de préserver ce moment d'état de grâce. Sur la pointe des pieds, il se chargea de débarrasser la table et de faire la vaisselle.

Voici vingt et un jours qu'ils vivaient à trois.

Depuis le 4 juillet très exactement. Cette date resterait l'une de celles qui ne s'oublieraient pas. Dans le calendrier de chaque année, elle signifierait le fait majeur de leur vie.

À peine arrivée, Magdalena fêtait ses six ans. En ce 25 juillet, déjà un an de plus ! L'évènement brouillait la pensée de Martha. C'était l'anniversaire de son enfant présent pour elle depuis toujours, et la célébration du jour où il avait quitté le ventre d'une autre. Le chiffre dénombrait le temps passé, année après année, contrairement à toute logique chronologique ou structurelle pour elle, mère depuis si peu. Il marquait une histoire qui, à la fois, commençait et ne commençait pas aujourd'hui avec le surgissement d'une enfant « déjà faite » sans avoir vécu les prémices d'une vie ensemble. Dans cette vie antérieure, Martha avait été inexistante, pire qu'exclue. Une pensée trouble et inextricable à démêler pour elle. L'inconfort la poussait à laisser la question de côté et à s'attacher au concret des journées passées avec Magdalena.

Les choses avaient été bien faites, se dit-elle.

Même si au début Martha jugeait qu'elles tiraient en longueur, elle avait rapidement perçu qu'il avait fallu du temps pour qu'elle s'autorise à parler à cette enfant, empêtrée dans ce qu'il convenait ou pas de lui dire. Plus de temps encore pour la toucher. Cela lui avait été difficile dans cette famille d'accueil. De prime abord, sa présence lui était apparue incongrue, presque intrusive. Le regard de Patricia si naturellement tendre avec Magdalena l'avait embarrassée.

La première visite de la petite fille dans leur appartement avait été le moment charnière. Martha avait quitté cet état qui l'amenait sans cesse à porter un regard sur elle-même. Elle put enfin être spontanée. Magdalena l'y avait bien aidée, songeait-elle. Son enfant l'avait peu à peu acceptée. Elle était venue les journées et les week-ends, heureuse des retrouvailles. Tous les trois, ils avaient passé de plus en plus de moments à partager leur vie dans un plaisir commun et propre à chacun. Sans véritablement se l'avouer, Martha faisait tout son possible pour lui plaire. Elle prévoyait des surprises, des activités et des sorties plus qu'il n'en fallait pour le temps imparti. L'enfant lui exprimait sa hâte de revenir lorsqu'elles se quittaient et, insensiblement, alors que Michel était déjà « Papa », dans une logique qui prenait peu à peu une valeur d'état, Magdalena la dénomma « Maman ».

Tout s'était passé sans heurt. Et le 4 juillet, Magdalena s'était installée. Michel et Claude s'y étaient mis à deux voitures pour charger les nombreux cartons – plus un vélo et une trottinette. Martha n'avait pas imaginé un tel volume. Le premier carton ouvert contenait l'ensemble des affaires scolaires depuis l'entrée en petite section de maternelle, carnets de liaison et photos de classe compris. Martha n'avait pas pu s'y attarder, car elle ne se voyait pas remonter le temps. Pas maintenant, pas au moment où l'avenir commençait.

Ils avaient choisi de n'être que tous les trois les premières semaines qui marquaient l'arrivée définitive de Magdalena. Ils avaient à se connaître encore et voulaient se préserver des allées et venues de la famille pressée de rencontrer cette petite fille.

Michel se libéra.

Ensemble, ils construisirent le planning de leurs journées centrées sur les activités qui intéressent les enfants de cinq ans. Ils firent découvrir leur ville à Magdalena, les devantures des vitrines des grands magasins, le salon de thé, conçu spécialement pour accueillir les parents avec leurs enfants, où des tapis, des portiques « premier âge » et des coussins côtoyaient les tables. Des jeux, des livres et des tartines de pâte chocolatée saupoudrée de bonbons colorés y étaient proposés. Ils mangèrent des glaces achetées à l'entrée du grand parc, avant de faire le tour de ses trois aires de jeux, l'une après l'autre. Michel et Martha y regardèrent la petite s'en donner à cœur joie, affairée à courir, grimper, glisser, nouant des copinages éphémères sans timidité. Une première pour eux, pas pour elle. Le samedi matin à onze heures, ils allèrent au vieux cinéma qui proposait une programmation de films pour enfants. Et chaque sortie prenait fin avec un passage au manège de chevaux de bois, quitte à faire un détour.

Un dimanche, ils quittèrent la ville pour une fête médiévale dans un château dont les premières pierres dataient du XIIe siècle. En costume, des figurants reconstituaient le quotidien de cette époque. Magdalena courut sur le chemin de ronde, de créneau en créneau et introduisit sa tête dans les archères. Elle s'essaya au tir à l'arc et posa mille questions sur les instruments de torture exposés sous l'un des chapiteaux alors que ses parents tentèrent d'accélérer leur visite. Ils reviendraient un jour de semaine, lui avaient-ils promis, pour l'animation proposée aux familles qui, dans un parcours de trois heures, plongeait petits et grands dans une aventure mêlant défis et chasse au trésor. L'enfant avait choisi deux figurines dans la boutique du château. Louis IX, sur son cheval blanc, épée et bouclier en main, parce qu'il portait une couronne et Perceval en tenue de tournoi sur sa monture, parce que les armoiries représentées sur le caparaçon du cheval étaient dorées.

Les deux adultes retrouvaient sans complexe les plaisirs enfantins. Ils se mêlaient aux anonymes qui sortaient en famille meubler les journées des grandes vacances. Michel et Martha étaient des parents parmi les autres, aucun signe distinctif n'aurait révélé la nouveauté de leur attribut.

Leur famille était mise à distance pour ne pas perturber leur bonheur. En fait, intimement, ils n'avaient pas envie de le partager.

Les temps morts étaient rares depuis début juillet.

Les cartons du déménagement étaient restés intacts, stockés dans le bureau de Michel et s'y trouvaient encore le jour de l'anniversaire.

Martha avait orchestré la fête avec toute l'attention portée à un cadeau pour sa fille.

Elle acheta les serviettes en papier ornées de cœurs, les pailles assorties, des ballons de baudruche à suspendre dans tout l'appartement et une interminable guirlande de fanions à l'effigie d'un « Joyeux Anniversaire » à accrocher sur toute la longueur du couloir. Un gros gâteau fut commandé chez son pâtissier habituel, avec pour décor des cœurs roses en sucre et quelques nœuds en fins rubans de pâte d'amande. À la dernière minute, elle avait disposé des friandises, avec excès, dans des petites coupelles sur la table du salon.

Les deux fils de Christine et Claire, sa nièce de sept ans, furent invités. Ces enfants et leurs mères respectives étaient les premiers à rencontrer sa fille.

Sur le canapé, Magdalena quitta son livre. Elle se tourna, les yeux fermés, pour reposer sa tête tout à proximité de la poitrine de Martha, les jambes recroquevillées. Martha enlaça de son bras gauche ce corps ramassé sur lui-même. Toutes les deux accusaient les émotions de l'après-midi.

La première demi-heure avait eu la caractéristique d'un premier contact chargé d'une importance qui impressionne, comme si l'enjeu des premières minutes était capital. Les adultes parlaient de tout et de rien, dans une approche timide et maladroite. Les enfants, en retrait, s'observaient. Fébrile, Martha avait pris les vestes et les paquets pour les cacher dans la cuisine puis elle avait engagé les invités à la suivre pour un tour de l'appartement. Dans la chambre, l'atmosphère s'était dégelée très vite entre les deux fillettes. Elles partageaient l'envie de jouer sans s'encombrer à leur âge de la singularité de cette rencontre qui occupait l'esprit des adultes.

Christine n'avait cessé d'exclamer, avec sincérité et joie :

— Que Magdalena est belle !

Elle touchait ses cheveux, tentait de la coiffer et de lui mettre des barrettes. L'enfant ne se laissait pas faire.

« Comme avec moi », avait pensé Martha.

Sa sœur Laurence posa quelques questions discrètes sur la petite fille, et parla beaucoup de la sienne, Claire, de son année de CP, comme si elle voulait frayer la trace, livrer des repères et préparer Martha à ce qui l'attendait. Toutes deux enfin mères, Laurence pensait que leurs liens se renforceraient. Martha y vit un égocentrisme qui l'agaça.

Le cadet des fils de Christine marqua de façon ostentatoire son peu d'intérêt à être là. Il s'était vautré dans un fauteuil du salon, livre dans une main, coupelle de friandises dans l'autre. Les sucreries s'engouffraient dans sa bouche, mécaniquement, sans qu'il jette un œil autour de lui. L'aîné, gentiment, participait aux jeux des deux petites et prenait un rôle dans des histoires qui n'étaient plus de son âge.

Puis, il y avait eu le gâteau, les cadeaux.

À côté des paquets des invités, Martha avait ajouté celui de Patricia, arrivé par la poste deux jours plus tôt. Magdalena, empressée, avait déchiré sans ménagement le papier pour découvrir des pots de pâtes à modeler, odorantes, aux couleurs vitaminées et un ensemble d'instruments pour presser, aplatir, pétrir, mouler et réaliser des spaghettis ou des tagliatelles de différentes grosseurs.

Une grande carte, format A4, accompagnait le cadeau. Des fillettes à grosses têtes souriaient largement au premier plan d'un décor féérique. Leurs yeux démesurés et leurs cils prononcés rappelaient les traits codifiés des mangas. À l'ouverture de la carte, la mélodie traditionnelle des anniversaires s'était déclenchée dans une sonorité métallique et nasillarde. Patricia lui souhaitait *tout le bonheur du monde* d'une écriture ronde et Claude lui envoyait *un millier de bisous.* Antoine avait écrit : *Alors tu n'es plus un bébé maintenant,* suivi d'une dizaine de points d'exclamation. Et Kelly, avec l'application d'une écriture encore en apprentissage, demandait *si elle était toujours sa copine.* Il y avait aussi les signatures de Sébastien et Célia, les deux grands enfants que Martha et Michel n'avaient pas croisés. Un dessin de Kelly – une princesse entourée de cœurs – et quatre cartes de créatures fantastiques aux pouvoirs surnaturels léguées par Antoine étaient glissés dans l'enveloppe.

Martha avait perçu le bref instant où Magdalena avait été émue. Alors, elle avait pris conscience que sa fille parlait très peu de sa famille d'accueil, qu'elle ne lui avait pas demandé à leur téléphoner, et qu'elle-même ne le lui avait pas proposé.

La petite toujours endormie à ses côtés, Martha entendit le bruit des tiroirs de la cuisine. Michel s'activait maintenant à préparer le repas du soir. Ils allaient se retrouver autour de la table après cet après-midi un peu étrange, en rupture avec ce qu'ils vivaient à trois jusqu'alors.

Il était temps que Magdalena connaisse sa famille… avant Noël, se dit-elle. D'ailleurs, madame Lecourt le leur avait suggéré à sa dernière visite, dérangée par le huis clos des premières semaines. Alors qu'elle sentait bien qu'ils freinaient, elle leur avait fait remarquer que « petit à petit, dans cette nouvelle vie, avoir des parents, c'est aussi avoir des grands-parents, des cousins, des cousines, des oncles et des tantes ».

Emportée par l'idée, Martha projeta qu'ils organiseraient chez eux, pour la première fois, le repas de Noël familial qui depuis la nuit des temps s'imposait au déjeuner du 25 décembre. Sa fille y prendrait part, comme tous les autres enfants, sa place acquise dans la famille.

D'un rapide calcul, elle compta : avec ses parents, ses frères et sœurs, leurs conjoints et leurs enfants… quinze personnes ! Puis elle rajouta la famille de Michel, moins nombreuse, pour arriver à dix-neuf.

Il faudra déplacer les meubles pour réaménager le vaste salon en salle de réception, imagina-t-elle de suite.

12

Martha connaissait maintenant sa fille depuis presque un an.

Les évènements de l'année avaient été chargés et déstabilisants. Décalée, elle avait fait face à des situations qui l'obligeaient à réduire les écarts, à se mettre en phase avec le temps de cette enfant. Elle s'imaginait avoir pris un train en marche alors que sa fille y voyageait dès la première gare avec la locomotive en vitesse de pointe. Tout lui semblait trop rapide, tout de suite surgissant, sans les préalables de la découverte et sans l'apprentissage qui progresse en boucles successives, avec lenteur, pour atteindre enfin une acquisition notable de l'une des étapes de l'enfance.

L'autonomie de Magdalena la dérangeait. L'enfant se lavait seule, s'habillait seule et débarrassait spontanément son bol et sa cuillère dès la fin de son petit déjeuner. Elle déroutait sa mère qui luttait pour ne pas la prendre pour plus petite qu'elle n'était. La fillette était venue avec ce qu'elle avait connu chez Patricia et Claude, les manières et les usages d'une autre famille. Elle était bruyante, réactive, à l'affut des propos et des discussions des adultes. Elle parlait à tort et à travers. L'amour aidant, Martha pensait lui transmettre de la douceur et de la délicatesse.

Tout était allé très vite, trop vite. En accéléré. À peine arrivée, sa fille avait déjà un an de plus et faisait son entrée en école primaire.

Martha calqua ses activités sur l'emploi du temps scolaire. Pas question pour elle de manquer une seconde à s'en occuper. Elle lâcha ses cours de « Français – Langue étrangère », conserva les « Conversations » déplacées sur un créneau en matinée pour assurer les allers-retours à l'école du quartier, matin, midi et soir. Mère et fille déjeunaient toutes les deux sur la table de la cuisine. L'enfant ne cessait de parler de l'école, de ce que disait la maîtresse, de ce qu'elle venait d'apprendre, et posait immédiatement une foule de questions sur ce qu'elle n'avait pas encore appris.

Martha constata, non sans fierté, que Magdalena sut lire dès la fin novembre de son CP. La soif débordante d'apprendre de la petite et son intelligence la comblaient.

Pour leur premier Noël, elle se surpassa dans la décoration de la table et du grand salon transformé pour l'occasion. Leur premier grand sapin, la crèche dressée à ses pieds, des guirlandes aux minuscules lumières scintillantes et un petit carrousel qui, sous la chaleur de ses bougies, faisait danser des anges soufflant dans leur trompette. Un décor « féérique », « magnifique », relevèrent les convives.

L'ensemble des regards se tournaient vers la fillette. Cela n'avait pas l'air de lui déplaire. Au contraire. Étonnamment à l'aise, satisfaite d'être le point de mire, elle tournoyait, soulevait sa jupe parapluie, passait de l'un à l'autre, distribuait des bisous, le sourire aux lèvres.

Il n'y eut pas de questions qui auraient pu irriter Martha. Seules des remarques concernant sa jolie peau qui contrastait avec la pâleur des enfants de la famille pouvaient laisser entendre les interrogations de chacun sur ses origines. Martha et Michel avaient connaissance de son histoire, ou du moins des éléments recueillis par les services sociaux, mais ils n'avaient rien voulu leur en dire. Ils avaient limité leurs explications au statut d'une enfant orpheline de ses deux parents biologiques. Après le repas, conformément au rituel familial, les enfants déballèrent leurs cadeaux au pied du sapin, sous les yeux des parents. Magdalena fut exagérément gâtée.

Au fil des mois, il y eut quelques contacts avec Patricia. Un appel, le soir de sa première journée à l'école pour avoir des nouvelles de son entrée au CP, puis quelques autres où Kelly voulut parler à Magdalena.

Un second paquet postal arriva pour Noël.

Les deux femmes et les enfants s'étaient même revus à l'occasion d'une promenade pour éviter, sur les conseils du Service des Adoptions, de se retrouver dans l'une ou l'autre maison. Martha avait vu sa fille courir pour se jeter dans les bras de Patricia. Ce n'était peut-être pas une bonne idée, s'était-elle dit. Il valait mieux maintenant tourner la page.

En presque un an, ils arrivaient au bout de la procédure. Le jugement d'adoption était fixé ce jeudi, à quatorze heures, au tribunal de grande instance.

Martha et Michel ne pouvaient contenir leur inquiétude même si leur avocat les avait largement rassurés sur l'issue de l'audience dès le dépôt de leur requête. Leur dossier ne laissait aucun doute quant à une décision favorable, leur avait-il affirmé. Les choses étaient parfois complexes pour une adoption internationale, mais pas pour eux, pas pour avec enfant pupille de l'État. Le rapport social était très positif. Les premiers six mois d'évaluation des conditions d'accueil et de l'intégration de leur fille dans leur famille ne pouvaient que présager le meilleur pour l'avenir. Ils n'avaient pas à s'en faire.

L'attente dura plus d'une heure le long d'un couloir qui faisait office de salle d'attente. Plusieurs familles avec enfants attendaient leur tour. Deux des plus âgés, pas plus de trois ans à en juger, se montraient visiblement impatients et frustrés de ne pouvoir vaquer comme ils l'entendaient. L'ambiance du couloir avait le paradoxe d'être gaie et tendue à la fois.

Invités à prendre place dans une petite pièce, Michel et Martha s'assirent de part et d'autre de Magdalena qui choisit sa chaise la première. Les trois personnes qui les reçurent revinrent rapidement sur les documents relatifs à leur agrément, au statut adoptable de l'enfant et au respect de la procédure engagée. L'un des juges fit la lecture du rapport du Service des Adoptions puis un autre s'adressa directement à la fillette. L'audience qui prenait l'allure d'une simple formalité judiciaire se chargea instantanément d'une émotion, palpable de part et d'autre du bureau, lorsque l'enfant énonça la mort de sa mère et son souhait de porter le même nom que « papa et maman ».

En un quart d'heure, ils virent l'aboutissement d'un désir qui avait duré une éternité.

Magdalena n'était plus *placée chez eux,* mais elle était chez elle. Elle était leur fille, définitivement, sans retour en arrière possible.

Irrévocable ! attestait le Code civil.

Avec ce jugement d'adoption plénière, son acte de naissance ne mentionnerait plus aucune indication relative à sa famille d'origine, mais seulement le nom de Michel et de Martha, et le nouveau prénom qu'ils avaient tenu à lui donner. *Une nouvelle filiation se substituait à sa filiation d'origine,* spécifiait encore le Code civil. *L'adopté cessait d'appartenir à sa famille par le sang.*

En un tour de passe-passe, l'enfant de Sara devenait leur enfant légitime, sans distinctions particulières, née de leur union, le jour de sa naissance, en ce même hôpital. Le registre de l'état civil gommait l'histoire.

Seul « Magdalena », relégué à la seconde place, en deuxième prénom, témoignerait pour la vie que la petite n'avait pas eu tout à fait une destinée ordinaire dans ses premières années d'enfance. Magdalena devenait « Lucie » parce que depuis toujours, la petite fille de Martha ne pouvait porter d'autres prénoms. « Lucie » représentait l'enfance heureuse, les liens qui comptent et l'image de sa grand-mère.

Heureux tous les trois, ils sortirent du tribunal, assurés que la décision posait avec justesse un nouvel ordre des choses. Suite à ce dénouement, un bonheur immense les attendait sans que rien puisse l'entraver. Aucune ombre au tableau.

Lucie

1

Martha tentait péniblement d'amener un peu de sérieux dans le cours de « Conversations » alors que deux jeunes étudiants américains un peu potaches se laissaient aller allégrement à des diversions cocasses et saugrenues sur le thème du dîner au restaurant.

La secrétaire de l'Université Populaire vint l'interrompre pour un appel « urgent », lui avait-on dit, de l'infirmerie du collège de Lucie.

La montée d'angoisse fut directe. Jamais l'école ne contactait Martha. Les palpitations cardiaques et la sensation de froid qui irradièrent son corps s'amplifièrent lorsqu'elle prit le combiné. L'infirmière au téléphone semblait avoir du mal à contenir son affolement : Il fallait venir chercher Lucie, disait-elle, elle n'allait pas bien.

Sans poser de questions, Martha raccrocha. Sans prendre le temps de récupérer ses affaires dans la salle où elle avait laissé ses étudiants en plan, elle fila à sa voiture garée juste au bas du bâtiment. Avec de la chance, la circulation serait fluide à cette heure. Elle mettrait dix minutes, grand maximum, pour faire le trajet.

Jusqu'alors, Lucie était plutôt robuste, pensa-t-elle au volant.

« Une santé de fer » disait leur généraliste qui ne la rencontrait que pour le rappel des vaccins ou les attestations médicales de pratique sportive. Alors qu'elle-même était souvent enrhumée l'hiver, toujours contaminée par les uns et les autres, Lucie échappait aux refroidissements, aux angines, aux grippes et aux virus de sa mère. De ce point de vue, elle ne lui ressemblait pas.

Depuis les petites classes, Martha fournissait son emploi du temps précisant scrupuleusement les différents lieux où elle était joignable sans que personne ait eu besoin de la contacter. Jamais, on ne lui avait signalé une attitude inadaptée de sa fille dans le carnet scolaire. Jamais de demande de prise de rendez-vous non plus. Lucie était de ces enfants qui font le bonheur de leurs enseignants. Toujours la première, toujours intéressée, apprenant vite et bien. Très tôt, son vocabulaire avait étonné ses maîtresses lorsqu'elle parlait « d'écorchures » et de « gourmandises » alors que les autres disaient encore « bobos » et « bonbons ». Petite, il avait fallu calmer ses ardeurs pour qu'elle lève le doigt et qu'elle attende pour répondre. Ses enseignants devaient s'obliger à ne pas lui donner la première place qu'elle sollicitait.

Depuis son entrée à l'école, Martha suivait la scolarité de sa fille. Par extension, son souci de réussite pour Lucie avait gagné celui pour ses camarades de classe. Tout naturellement, elle s'était engagée en tant que parent d'élève.

Lucie le lui rendait bien : autonome dans la préparation de son cartable pour le lendemain, dans ses devoirs toujours faits, et dans ses exposés où elle se surpassait. Mère et fille discutaient ensemble des documents pertinents, des images illustratives et des bricolages utiles au sujet. Jusques aujourd'hui, seul un manque de soin était noté par périodes. Un détail négligeable à côté du reste, relevé par des enseignants plus pointilleux que les autres.

Alors, dans ce parcours sans anicroche, l'appel de l'infirmière mit Martha en ébullition. Sur le chemin du collège, son imaginaire déborda. Si on lui demandait de venir chercher Lucie, c'était forcément grave !

Nous étions au début du troisième trimestre de sa sixième et Lucie avait quitté sans encombre le cocon de l'école pour s'adapter rapidement aux rythmes et à cette nouvelle organisation qui en déstabilisaient plus d'un. Elle avait retrouvé sa copine de toujours,

Elsa, immanquablement présente à la table d'à côté, année après année. Lucie n'avait pas été contente de voir que d'autres élèves du primaire se trouvaient dans cette même classe. Elle préférait les nouvelles têtes. Tout au long de sa scolarité, un cercle de filles se formait spontanément autour d'elle. Lucie maniait son monde, avait la main pour décider des jeux, des discussions, mais aussi des sympathies et des inimitiés. À l'abri des regards, dans la cour ou dans la rue, elle flattait, semait des discordes tout en préservant son image de bonne élève à laquelle les enseignants s'attachaient. Quel attrait avait-elle pour les autres ? Peut-être les fascinait-elle, car elle avait toujours quelque chose d'extraordinaire à raconter, qu'elle avait de la répartie et semblait tout savoir sans apprendre ? Ou encore était-ce une question de regard qui se posait inéluctablement sur sa personne parce qu'elle était grande et ne leur ressemblait pas ?

Le cercle était mouvant. Il se transformait au gré des arrivées et des départs. Elsa était la seule qui finissait par revenir après les embrouilles. Parce qu'elle était peut-être plus timorée que les autres ou plus vulnérable, la fidèle Elsa restait alors que plusieurs filles se désolidarisaient, lasses de voir Lucie faire son cinéma, toujours au-devant de la scène. Elles étaient excédées d'être reléguées inévitablement aux seconds rôles. Lucie ne faisait pas grand cas de ces mésalliances, elle pensait vite jeter son dévolu sur les nombreuses inconnues du collège.

Elle se trompait et cela la contrariait depuis quelque temps. Lors du dernier interclasse, certaines filles l'avaient même clairement dédaignée. Elle l'avait très mal supporté.

En ce milieu de matinée, le cours de mathématiques abordait un nouveau chapitre de géométrie. Après les droites et les quadrilatères, ils attaquaient « le cercle ». Le professeur revenait sur la signification du vocabulaire associé : « centre », « rayon », « diamètre »… Lucie écoutait d'une oreille, son compas en main, impatiente que le cours s'oriente vers les exercices pratiques. Elle s'ennuyait. Un sursaut d'intérêt l'anima lorsqu'il fut question du nombre « π ». Elle connais-sait ce nombre très spécial et en aimait ses écritures, sa petite lettre grecque en forme de tabouret et sa mystérieuse suite de chiffres qui ne se terminait pas. Ce moment d'attention fut bref. Son esprit ne tarda pas à s'évader dès que la définition de l'arc de cercle fut abordée.

Le compas était l'instrument préféré de sa trousse, trop rarement utilisé à son goût. Celui-ci, encore neuf, datait de l'achat des fourni-tures scolaires nécessaires à son entrée au collège. Elle planta sa pointe fine et aiguisée sur la feuille de son cahier et tenta de faire tourner l'objet sur lui-même. Elle n'entendait plus la voix du professeur qui donnait maintenant la consigne de « tracer un point A, puis B et C… » tant elle était absorbée par la recherche de l'angle adéquat, formé par les bras articulés, qui permettrait une rotation la plus longue possible et transformerait son compas en toupie.

Son bras gauche maintenait le cahier pour qu'il ne glisse pas lors des essais. Sa peau était tendue, lisse, rebondie. Soudain, la pointe du compas quitta la feuille et perça l'épiderme d'un trou minuscule. Une fraction de seconde plus tard, une petite perle de sang, rouge et vive, surgit. Un deuxième trou, à trois centimètres du premier, produisit le même effet. Lucie ne pensait à rien, elle se contentait de regarder les gouttes apparaître successivement sur la face interne de son avant-bras. Puis, toujours à la pointe du compas, sa main traça une première incision sur la peau. Elle se sentait calme. Les perles se fondèrent dans un fin filet de sang qui épousa l'arrondi du bras pour finir sur la feuille blanche. À la quatrième estafilade, parallèle aux trois autres, sa voisine jeta un coup d'œil sur son cahier.

Le cri aigu et puissant d'Elsa sortit Lucie de sa bulle qui l'avait soustraite jusqu'alors à ce qui l'entourait.

Lorsque Martha arriva au collège, elle trouva sa fille allongée tran-quillement sur le lit contigu à l'étroit local de l'infirmerie encombré de dossiers, de produits pharmaceutiques et de matériel de soins d'usage courant. La présence d'une armoire à pharmacie, d'un frigo et d'un ordinateur rendait le lieu exigu.

Elle eut un mal fou à comprendre les premiers propos de l'infirmière. Seul un gros pansement blanc et rectangulaire s'affichait sous ses yeux. Il l'obnubila.

— Asseyez-vous, invita l'infirmière.

Elle était intervenue en cours dès que le conseiller principal d'éducation l'avait sollicitée, expliqua-t-elle. Elle avait soigné les plaies de Lucie qui n'étaient que superficielles sous ce pansement impressionnant.

Lorsqu'elle aborda le contexte, l'esprit de Martha s'enraya. Il était hors de sa pensée d'imaginer que sa fille puisse s'infliger, à elle-même, volontairement, une quelconque blessure.

— Lucie n'a rien pu dire de son acte, ajouta l'infirmière. Je vous propose de la ramener chez vous, de prendre le temps, de dialoguer.

Puis, suivirent ces quelques phrases qui terrifièrent Martha : Les scarifications à l'adolescence étaient souvent les premiers signes d'un mal-être. Peut-être avait-elle déjà repéré quelque chose ? La voyait-elle mal dans sa peau ? Il pouvait être utile de consulter un pédopsychiatre, de s'entourer d'un professionnel habitué à ces difficultés.

Dans la voiture, Lucie se montra très peu loquace, scandant un « je ne sais pas » à sa mère sans la regarder.

Alarmée, Martha ne cessait de répéter en boucle :

— Mais que s'est-il passé ?

Sitôt dans l'appartement, l'adolescente s'enferma dans sa chambre. Martha ne sut que faire. Impossible de se poser à un quelconque endroit. Elle vaquait du canapé à la cuisine, du couloir à la chambre de sa fille en des allers-retours répétés. Devant la porte close, elle s'immobilisait, sans pénétrer, à l'écoute des bruits, inquiète de ce qu'ils signifiaient. Les moments de silence n'étaient pas plus rassurants.

L'évènement eut l'effet d'une onde de choc subite et brutale.

Il fragilisait un solide édifice alors qu'aucune faille n'avait donné l'alerte et enclenché des mesures de prévention pour anticiper la catastrophe.

Sa fille n'était pas venue manger lorsqu'elle l'avait appelée. Elle n'avait pas répondu non plus.

Ne sachant comment réagir, Martha n'avait pas insisté. Elle éprouvait une totale incompréhension. Plus encore, elle ne pouvait penser que cet acte ait pu exister.

Comment était-il possible ?

« Un mal-être », avait suggéré l'infirmière…

Cela ne collait pas avec Lucie, avec leur vie non plus, réfutait Martha. Le mois dernier, ils étaient partis en Suisse pour un séjour à la neige. Depuis que sa fille était petite, les vacances d'hiver étaient ses préférées. Père et fille dévalaient les pentes des massifs alpins. À trente ans passés, Michel s'y était mis avec une persévérance remarquable dans l'unique but de partager ce plaisir avec Lucie. Martha les attendait en station, différente chaque année, faisant le tour des boutiques et repérant les restaurants qu'ils essayeraient à la nuit tombée. La dernière fondue lui revint en mémoire. Ils avaient ri ensemble des gaffes de chacun avec leurs piques, des fils entremêlés au sortir du caquelon. Un fou rire interminable avait pris sa fille à propos des chutes spectaculaires du séjour. Un rire explosif, communicatif, authentique ! Un réel instant de bonheur.

C'était hier, se dit-elle.

Dans la chambre, Lucie regardait son gros bandage blanc sans l'ombre d'une inquiétude ou d'un remords. Elle s'étonna du peu de douleur ressentie lorsque son compas avait strié son avant-bras. Maintenant sa peau tiraillait, sans qu'elle ait mal pour autant. S'attacher au bandage calmait l'énervement qui l'avait agitée dès que sa mère était apparue à l'infirmerie. Son empressement et sa panique avaient troublé son attente paisible, allongée confortablement aux côtés d'une infirmière qui avait repris ses occupations administratives. Pire que cela encore, dans la voiture, sa mère l'avait harcelée de questions qu'elle ne s'était même pas posées. D'ailleurs, à y repenser, d'autres choses l'agaçaient chez elle : ses sempiternelles remarques sur les devoirs à faire alors qu'ils étaient assurés depuis longtemps, ses rappels inutiles du jour où laver ses cheveux, sa façon d'être trop raisonnable et sa vie même, réglée comme du papier à musique.

En cet instant, elle ne voulut qu'une chose, que sa mère la laisse tranquille. Qu'elle ne s'avise pas, pensa-t-elle, de venir dans sa chambre et de vouloir lui parler !

Sa chambre était son espace privé.

Les marques de son enfance y traînaient encore aux côtés de celles qui révélaient qu'elle n'était plus tout à fait une enfant.

Son regard balaya les murs. Soudainement, des objets, auxquels il n'était pas question de toucher jusqu'alors, l'insupportèrent. Impulsive, Lucie décrocha les deux cadres qui avaient nourri son imaginaire dans les histoires qu'elle se racontait. Le temps du petit prince et des petites souris était révolu ! À terre, d'autres affaires s'accumulèrent pour former un tas d'objets hétéroclites à dégager : l'ensemble de ses poupées qu'elle continuait à coiffer il y a encore deux jours – toujours seule bien sûr, sans la présence des copines –, les livres illustrés même si certains portaient la mention « dès 10/12 ans », la totalité des déguisements ridicules aux strass qui reproduisaient grossièrement des pierres précieuses, des objets pour la seule raison qu'ils étaient de couleur rose, les barrettes et les serre-têtes qu'elle ne mettrait plus, car ils lui donnaient l'allure d'une gamine. Elle hésita longtemps pour les peluches et finit par choisir de les garder, hors de la vue, dans son grand bac à jouet. Elle y jeta le gros kangourou et son petit, « Flocon » et la ribambelle des autres animaux accumulés sur son étagère. À deux mains, s'y prenant à deux fois, elle pressa compulsivement l'amas mou dans le coffre. Les têtes et les corps se déformèrent, s'écrasèrent les uns contre les autres pour permettre enfin le rabat du couvercle.

Puis, de nouveau allongée sur son lit, elle contempla avec satisfaction le résultat.

Elle avait mis de l'ordre en créant un grand bazar.

Lucie entendait que sa mère n'avait pas quitté l'appartement. Que faisait-elle ? Toutes ces heures, elle n'avait pas passé la porte de sa chambre. Sans le savoir, une petite part d'elle-même l'avait attendue.

« Son adoption ? »

La question fusa un instant dans l'esprit de Martha avant de rejoindre aussitôt un champ hors de sa conscience. Avec le temps, Lucie avait pris ses traits. Beaucoup disaient qu'elle lui ressemblait. Mêmes attitudes, mêmes mimiques et même sourire.

Non ! sa fille allait bien, se raccrocha-t-elle. Tout montrait qu'elle était heureuse. Avec Claire, elles étaient restées les deux petites de la famille. Toujours ensemble aux cérémonies et aux fêtes familiales. La brune et la blonde, mises à l'honneur lors des mariages, habillées des mêmes robes pour l'occasion. Lucie suivait la trace de sa cousine et celle de l'ensemble des enfants de la famille, tous en réussite scolaire, sans fausses notes ni contestations qui auraient créé le désordre. Comme pour les autres, il y avait eu sa communion, l'apprentissage d'un instrument de musique, les cours d'équitation, le rituel des anniversaires et des Noëls en famille, des relations paisibles avec les parents. Lucie était aimée de tous et en particulier de sa grand-mère paternelle avec qui elle ne manquait pas de passer quelques journées à chacune des vacances scolaires. Michel la déposait alors au premier étage de l'étude et, avec sa grand-mère, l'enfant jouait aux cartes, faisait les courses, cuisinait, et prenait l'air de la campagne. Lucie s'y faisait câliner. Sur ses genoux, elle regardait des émissions de télévision, des bêtises au goût de Martha qui n'en disait rien.

Comment était-il possible ? se répétait-elle, bloquée sur l'acte, inconcevable et impensable, sans avancer sur la question ni saisir le moindre fil qui lui aurait livré un début d'explication rationnelle.

Après plusieurs heures, Michel rentra. C'est lui qui s'engagea dans la chambre pour réveiller sa fille avec douceur. Après vingt longues minutes, elle le suivit dans la cuisine, les cheveux en bataille, pour le repas pris sur le pouce ce soir-là.

— Lucie a des problèmes avec les autres filles, dit-il plus tard à Martha. Elle est rejetée par celles du primaire et elle n'arrive pas à se faire de nouvelles copines.

La bribe d'explication eut l'effet d'un soulagement relatif. Tout de même, en arriver là ?

Lucie passa deux jours sans se rendre aux cours et sans adresser la parole à sa mère. Deux jours, recluse dans le désordre de sa chambre.

Martha n'avait jamais imaginé que sa fille puisse se sentir malheureuse. Ses nuits furent courtes. Des années que cela ne lui était pas arrivé. Ceci dit, elle préférait souffrir d'insomnies plutôt que de plonger dans les cauchemars qui peuplaient son sommeil. Elle y avait vu Lucie amputée d'un bras, se vider de son sang jusqu'à la mort sans qu'elle puisse réagir. Une main gigantesque lui avait percé ses propres entrailles à l'aide d'un pieu finissant sa course planté au mur, entravant son corps cloué puissamment à la paroi.

Elle ne put trouver de tranquillité. Elle observait Lucie à son insu, guettait ses attitudes et les expressions de son visage, scrutait le moindre signe qui la rassurerait. Sa suggestion, réitérée, d'inviter Elsa resta sans réponse.

Le week-end mit fin au malaise lorsque Michel prit l'initiative de forcer l'entrée de la chambre encombrée. Père et fille firent disparaître les objets restés au sol dans de grands sacs plastiques et la vie reprit, dans un ordinaire apparent, comme si de rien n'était.

2

Par précaution, un rendez-vous fut pris chez un pédopsychiatre.

Michel y tenait. Pour lui, les enfants ne faisaient pas de distinction entre les petits et les grands malheurs. Il préférait s'acquitter de cette démarche plutôt que de voir s'enliser un problème qui n'en était pas un. Ils s'orientèrent vers l'un de ceux qui avaient pignon sur rue et, plus précisément, vers celui qui avait bien aidé le fils aîné de Christine lorsqu'il avait eu tendance à se replier sur lui-même et à s'isoler de ses copains à l'âge de quatorze ans. Aujourd'hui, ce garçon était épanoui. Il attaquait sa dernière ligne droite de terminale avant de passer le baccalauréat sans aucun stigmate d'une adolescence où il avait été mal dans sa peau.

Michel avait convaincu Martha et Lucie s'était laissé mener.

Le cabinet n'avait pas d'autre indication en bas de l'immeuble qu'une plaque signalant le *Docteur Franck, 2ᵉ étage*. Aucune allusion à une quelconque spécialité, comme l'assurance d'une discrétion garantie avant même de franchir le seuil. La salle d'attente était dépourvue de jouets. Juste des livres pour enfants et pour adultes. Pas de chaises, mais un canapé et deux fauteuils laissaient entendre qu'on se trouvait chez un médecin pas comme les autres.

Dès le début de la consultation, Michel s'empressa d'exposer la situation : l'acte de Lucie, leur incompréhension et leur désarroi. Un moment de crise ?

Le psychiatre écoutait avec un calme et une sérénité qui firent baisser la pression. Laissant Michel sans réponse, il se tourna vers Lucie. L'enfant était passive, peu encline à l'échange. Elle le fixait droit dans les yeux, sans un regard pour son père ou pour sa mère. Elle résumait les choses à un « je ne sais pas ». C'était venu comme ça, ajouta-t-elle sans aucune gravité ni inquiétude dans la voix.

Constatant qu'il ne servait à rien de poursuivre en cette voie, le pédopsychiatre lui proposa une feuille de papier. Elle saisit l'offre d'y dessiner ce qu'elle voulait, habituée à faire plaisir aux adultes, heureuse surtout qu'une occupation et une diversion pour qu'on la laisse tranquille se présentent.

L'attention du docteur Franck se tourna vers Martha.

Le feutre noir traça une silhouette féminine d'un trait épais. Des cheveux, hirsutes, démesurés en volume et en longueur, gribouillés brutalement, encadrèrent un petit visage. Puis, avec une application qui contrastait avec la façon de faire en début d'esquisse, une robe joliment dessinée. Le trait fin du feutre créa avec lenteur des courbes, en pleins et déliés, pour former des arabesques élégantes sur le tissu. Une foule de détails firent apparaître des seins, hauts et ronds, des bras longs et gracieux, des parures et la pointe des souliers sous un drapé qui tombait au sol. Le décor fouillé du vêtement soulignait le teint blanc du visage où les yeux et le nez étaient juste suggérés. Lucie termina par une bouche rouge, petite et ronde, seule touche de couleur dans l'ensemble.

Le docteur Franck ne livra aucune interprétation. Le personnage lui fit penser à une sorcière, pas à celles en haillons, au nez crochu et au dos vouté des contes d'antan, mais plutôt à celles, cruelles, belles, fascinantes et énigmatiques de certains longs métrages pour enfants. Un peu *Karaba* dans *Kirikou*, se dit-il, les couleurs chaudes en moins.

Il pensa alors avoir à faire quelque chose dans cette histoire de famille et il fixa quelques entretiens avec Lucie « pour faire le point ».

Au moment de quitter le bureau, l'enfant froissa son dessin. Du geste leste et précis d'une basketteuse, elle l'envoya dans la poubelle.

À la troisième séance, le pédopsychiatre proposa de poursuivre seul avec Martha. Le rendez-vous ne fut pas honoré.

« Un oubli », affirma-t-elle à Michel avec embarras. Sans faute, elle le recontacterait.

3

Au cours de l'été, une petite boule clôtura le chapitre.

La grosseur de deux centimètres qui apparut sur le flanc gauche de Martha envahit les esprits. La parenthèse des tourments du dernier trimestre se ferma définitivement pour en ouvrir une autre, subite, tonitruante.

Martha n'eut aucun mal à détecter l'intruse qui se greffait sur son corps plutôt maigre. Elle l'avait sentie au travers du gant savonné, elle avait touché sa forme ronde du bout des doigts, longuement, puis elle avait appuyé timidement. La texture était restée molle sous la pression. Cette chose parasitait son corps nu sous la douche.

Dès la première palpation, elle fut persuadée que c'était grave. L'évidence d'un dérèglement du corps s'imposa à son esprit. Elle était certaine qu'il se manifesterait violemment, par à-coups, toujours imprévisibles. Une logique implacable le déterminait, à couvert, imperceptible au discernement.

Malgré des prédictions médicales favorables, Martha ne put se défaire de l'idée d'une malignité qui avait décidé de la posséder. Elle serait sournoise et offensive. Affaiblie un moment par les attaques de la science médicale, la chose prendrait son temps, elle referait surface, armée de plus belle pour revenir à la charge. « Tumeur ». Le mot même, en dépit de toute référence étymologique, était pour elle porteur d'un dessein sombre et inéluctable. Une injonction à vivre avec la mort en sursis.

Michel, soucieux de l'état psychique de sa femme et préoccupé des effets pour sa fille, se raccrocha aux discours des médecins. C'était un coup dur pour Martha. L'inquiétude de Michel grandissait à la voir hébétée, ralentie et absente comme si elle s'était retournée en dedans d'elle-même. Il aurait voulu la soutenir sans savoir vraiment comment s'y prendre. Dire que leur famille venait juste de retrouver un équilibre, pensait-il. Après l'épisode du compas, Lucie avait montré le meilleur et le pire dans son travail scolaire, mais elle reprenait cet été un discours réfléchi, assurant les efforts nécessaires pour redresser la barre et recouvrer son niveau d'excellence dès la rentrée.

C'est lui qui parla à Lucie :

— Nous ne partirons pas en vacances au Pays basque comme prévu. Maman doit se faire soigner, elle guérira. D'ailleurs, beaucoup de personnes ont la même chose, pas besoin de s'inquiéter, les médecins savent quoi faire. Très vite, maman se débarrassera de sa petite boule.

Comme pour chasser l'épreuve qui les attendait, il ajouta qu'il y aurait d'autres vacances. De plus belles encore ! Pourquoi pas la Grèce ou le Maroc l'été prochain ?

Lucie ne se contenta pas des allusions vagues à la maladie. Elle voulait savoir. À son corps défendant, le mot « cancer » sortit de la bouche de son père qui s'empressa de réaffirmer le caractère banal, connu et guérissable de celui de sa mère. Dans le désir de la préserver, il reprit les mots rassurants du cancérologue sans livrer les détails des différents examens, ceux du protocole de soins envisagé et ceux de l'opération chirurgicale prévue dès le mois d'août.

Cet été-là, Lucie passa une quinzaine de jours au premier étage de l'étude, éloignée de l'ambiance délétère de leur appartement. D'un ton léger et enjoué, elle racontait au téléphone les péripéties de ses journées passées avec sa grand-mère.

À son retour, Michel l'inscrivit au stage d'été organisé par son club d'équitation, avec Claire. Chaque matin, il y véhicula les deux fillettes. Sitôt la voiture garée, elles s'envolaient dans les écuries. Michel se posait alors au club-house. De part et d'autre, de vastes verrières donnaient sur le manège et la carrière. Elles ouvraient la vue sur l'activité des cavaliers de tous âges et de tous niveaux. Michel traînait devant un café à regarder les deux cousines amener leur monture, se mettre en selle, s'échauffer lentement puis prendre les cadences crescendo, du trot puis du galop. Souvent, il s'attardait au club. La chaleur y devenait étouffante au fil de la matinée, et les odeurs s'y faisaient plus prégnantes, animales, mêlées de cuir, de paille et de sueur.

Claire ressemblait à Martha, pensait-il. Elle lui rappelait la fillette connue dans son enfance. Elle avait la caractéristique de ces préadolescentes grandies trop vite, extrêmement fines et longilignes, encore dépourvues des formes qui en feraient bientôt des femmes. Son corps semblait étiré en longueur et ses jambes qui n'en finissaient pas lui donnaient une allure de sauterelle. Bien différente, Lucie était musclée. Son corps ferme et tonique laissait imaginer une enfant sportive, au caractère vif et déterminé. Elle était plus jeune d'un an, pourtant la pointe de ses seins formait déjà de petites excroissances, présageant qu'elle ne tarderait pas à devenir une jeune fille aux formes généreuses et à la féminité affichée.

La baie vitrée retenait les bruits de l'extérieur. Seul l'usage d'un micro sur le comptoir du bar pouvait permettre de passer des informations aux cavaliers.

Michel avait du mal à quitter le fauteuil usé du club-house. Il était l'observateur de faits et de gestes, à distance, sans interférence dans la scène. Le stage alliait rigueur sportive et activités ludiques. Les deux fillettes étaient à leur affaire. Elles ne s'occupaient pas de lui et oubliaient sa présence. Il regardait Lucie et Claire réaliser des courbes larges ou serrées entre les plots colorés posés au sol et s'essayer au saut d'obstacle. Des moments sérieux de concentration et d'application pour un exercice alternaient avec des moments de rigolade. Leurs pitreries dans le dos de la monitrice et les signes qu'elles s'envoyaient l'une l'autre en disaient long sur leur connivence.

Il assistait de loin à ce qui faisait partie de leur vie en dehors de celle de leurs parents.

L'insouciance de Claire et de Lucie dégageait Michel de ses préoccupations.

Cela ne durait qu'un temps. Il finissait par s'extraire de son fauteuil pour rejoindre Martha, mettant un terme avec regret à ce qui lui apparaissait être une escapade. En quittant le club, il pensait à la charge bienvenue d'y revenir en fin d'après-midi.

4

Depuis le réveil, l'idée d'assister au cours d'anglais de l'après-midi hantait Lucie. La petite phrase qui avait accompagné le rendu des dernières copies au cours précédent, ne cessait de lui revenir en mémoire. Après avoir sinué entre les tables avec sa pile de feuilles, la prof avait marqué un temps d'arrêt à sa hauteur plus long que pour les autres. Puis elle avait lancé à la cantonade « 4 sur 20 ! ». Tous les élèves avaient tourné la tête dans sa direction.

Ce n'était pas tout.

— Si tu ne travailles pas, tu n'arriveras à rien ! avait renchéri la professeure.

Pour qui se prenait-elle ? s'insurgeait Lucie intérieurement.

Cette prof la jugeait sans la connaître, se permettait de lui prédire un avenir sans aucune idée de qui elle était ! Elle l'avait méprisée, elle, Lucie, qui pouvait quand elle voulait être sans effort en haut de l'échelle. Elle, qui n'était pas à assimiler à l'ensemble des autres, à la masse insignifiante et laborieuse : des tâcherons ! C'étaient juste des verbes irréguliers sur lesquels elle avait fait l'impasse, ce n'était rien. Rien qui pouvait l'assigner à ne valoir qu'un 4 sur 20. Sa personne méritait bien mieux que cela.

La prof ne s'était pas contentée d'une note sur la copie. Elle l'avait donnée en spectacle aux autres et ça lui restait en travers de la gorge. Elle avait écorné son image et Lucie n'avait pas vu que de l'étonnement dans les yeux qui s'étaient braqués sur elle. Le mouvement avait été général, synchronisé. Certains regards révélaient carrément une satisfaction à la voir rabaissée. Certains avaient triomphé comme s'ils avaient réglé leurs comptes. Mais petitement, lâchement, par procuration.

À la récréation de l'après-midi, Lucie écouta d'une oreille ce que racontait Elsa venue se serrer à ses côtés sur le muret. Les propos de son amie ne l'atteignaient pas. Elle ruminait pour elle-même son sentiment d'injustice et sa colère démesurée, cristallisés sur sa professeure d'anglais.

Cette prof ne l'aimait pas, continuait-elle à ressasser. Depuis le début d'ailleurs. Elle agissait comme si elle ne l'intéressait pas. En réalité, personne ne l'intéressait. Cette prof déversait son cours, accomplissait sa tâche, dans le souci des résultats du travail fourni, du vocabulaire et des règles de grammaire apprises par cœur. Aucune fantaisie ! Aucun propos ne débordait du cadre, l'évaluation était sa seule préoccupation.

D'ailleurs, attaquait Lucie de plus belle, avec son air frustré, sa vie entière ne pouvait être qu'inintéressante. Une petite vie, de petit prof… Elle s'attifait de fringues qui ne ressemblaient à rien. Elle s'emballait dans une étole en mohair qu'elle ne quittait pas. Son bonnet était ridicule, en laine bouillie. Ses couleurs, verdâtres, orangeâtres, brunâtres, associées curieusement. Aucun goût ! Même sa coupe, étrange, avec sa frange très courte, inégale et ses cheveux sans vigueur, en queues de rat dans la nuque, qu'elle donnait à voir lorsqu'elle écrivait au tableau.

Tout y passait. Tout et n'importe quoi alimentaient sa rancœur.

Silencieuse, elle était en guerre.

Lorsque la mélodie criarde des haut-parleurs qui scandait le rythme de chaque chose retentit, Lucie laissa Elsa en plan. Sur un coup de tête et sans un mot pour son amie, elle prit le chemin de la sortie pour se retrouver devant le portique de l'enceinte du collège.

Une respiration profonde chassa les cogitations de sa journée.

Seul le sentiment d'être libre et forte d'assumer le choix de ne pas se laisser faire l'occupa.

Elle partit droit devant elle, dans la direction opposée à l'appartement de ses parents. Sa marche était rapide, sans but précis. Son audace la surprit. Sortir sans l'autorisation de quiconque ! Enfreindre le règlement du collège ! Bien sûr qu'elle en avait conscience, c'est ce qui la grisait justement. L'évènement en était jouissif. Elle était capable et elle avait eu le cran d'aller au bout, de braver l'interdit. Une première dans sa vie ! Elle s'en félicitait, se retrouvait et même se restaurait après les ressentiments qui ne l'avaient pas lâchée de la journée.

Lucie marcha sans aucune idée de ce qu'elle ferait de ses deux heures de totale indépendance.

Après une vingtaine de minutes, son pas ralentit. Elle réalisa se trouver aux abords du grand parc qu'elle connaissait par cœur. Naturellement, elle y pénétra. L'allée principale était dépourvue de son public ordinaire, de ses enfants excités et de ses adolescents posés en groupe, libérés de leurs obligations scolaires. Elle ne croisa que quelques bébés emmitouflés dans leur landau ou s'essayant à leurs premiers pas. Et puis des vieux.

Après avoir emprunté le sentier sur sa gauche, elle enjamba la barrière qui délimitait les abords piétonniers pour rejoindre un rocher à proximité du rivage du plan d'eau. Elle s'assit en contrebas de l'amas rocheux reconstitué artificiellement pour donner le décor d'une île aux découpes abruptes. Une petite cascade et un pont complétaient la composition pour agrémenter les tours en barques qu'on pouvait louer à l'heure sur la plage de galets. En ce début mars, aucune barque en attente au ponton. Elles étaient toutes rangées pour l'hiver dans l'abri en bois à proximité.

Pas d'activités sur le plan d'eau, à part le passage de quelques colverts et quelques poules d'eau.

Le spectacle était pauvre, trop morne au goût de Lucie. Elle aperçut au loin trois jeunes de quinze ou seize ans, munis de leurs skates et d'une sono portative. À cette distance, trop grande pour entendre leur voix ou leur musique, fondue dans un décor que personne ne regardait, elle se sentit « de la communauté ». Comme eux, s'imagina-t-elle, elle choisissait la liberté, revendiquait la vie et l'absence d'entraves. Les sports de glisse symbolisaient bien cet état d'esprit, ils l'attiraient. C'était défier les éléments, flirter avec le risque. Une occasion de révéler l'adresse et la maîtrise des meilleurs.

Au départ des skateurs, l'absence d'intérêt reprit.

Lucie sortit son portable pour y faire défiler une à une les différentes sonneries du menu déroulant. Pour s'occuper, elle commença le tri de ses numéros enregistrés afin d'attribuer des sons spécifiques aux appels. Une sonnerie, la plus banale, pour son père, sa mère et le fixe de la maison. Une autre, la reprise d'un tube connu, pour Claire et Elsa mises dans le même sac. Une spéciale, la succession de notes au son de clochettes dissonantes et guillerettes, réservée à sa grand-mère.

Un frisson parcourut son corps. En cette saison, la fin d'après-midi se signalait par une fraîcheur qui tombait tôt. Abandonnant ses recherches, elle consulta l'heure affichée sur son téléphone et ne fut pas mécontente de constater qu'il était temps de rentrer.

Ragaillardie sur le chemin du retour, sans s'attacher au contenu de ces deux heures qu'elle avait déjà oublié, elle fit de cette première incartade l'un des moments extraordinaires de sa vie.

Lucie pénétra chez elle, comme à son habitude, à l'heure ordinaire du soir. Sans étonnement, elle aperçut Martha plongée dans l'une de ses lectures. Depuis que sa mère avait quitté son air hagard, on aurait pu croire qu'elle était redevenue celle d'avant si ce n'est qu'un discret détachement était apparu, ainsi qu'une boulimie – flagrante celle-ci – pour les livres. Au sortir de sa léthargie, elle avait chamboulé le salon pour prendre la place des plantes vertes. Elle ne s'animait qu'aux repas, livrant avec passion ses découvertes livresques qui n'intéressaient qu'elle.

Le changement chez Martha n'avait pas échappé à sa fille. Les sorties ensemble pour faire les boutiques ou se rendre à la médiathèque se faisaient plus rares. Parfois même, sa mère ne l'entendait pas rentrer ou s'étonnait de sa présence le mercredi après-midi alors qu'aucun cours n'avait jamais occupé ce créneau. Du coup, Lucie prenait ses aises. Elle s'étalait dans l'appartement, laissait traîner ses affaires et mangeait ce qui lui toquait, quelle que soit l'heure de la journée.

Seul son père lui faisait des remarques le soir, mollement :

— Enfin Lucie, tu pourrais faire un effort. Pour ta mère… Elle est encore en convalescence.

La réponse de Lucie était sage, elle contentait son père.

En fait, Martha ne l'intéressait plus beaucoup.

5

Une convocation chez la principale adjointe tomba le 5 mai, à dix heures.

Lucie traîna des pieds pour y accompagner sa mère. Un piège se refermait alors qu'elle s'était plutôt bien débrouillée ces deux derniers mois pour cloisonner les choses et laisser ses parents à mille lieues de ce qui se passait au collège.

Les deux femmes se connaissaient pour s'être rencontrées aux conseils de classe à chaque fin de trimestre. L'une les dirigeait, l'autre y représentait les parents d'élèves. Sous des airs un peu raides, Martha trouvait la principale adjointe droite, recentrant le débat sur les perspectives possibles pour des élèves aux résultats médiocres alors que certains enseignants se montraient cassants. Lors des réunions, chaque élève de la classe était passé en revue. Lorsque venait le tour de Lucie, le débat était toujours court, sans polémiques ni divergences. À chaque fois, elle s'en était sentie valorisée, un peu coupable, mais bienheureuse de ne pas être à la place de certains des autres parents.

Cette fois-ci, la principale adjointe présentait un autre visage. Dès le premier contact, Martha fut frappée par la dureté de ses traits et de son physique qui reflétait une exigence envers elle-même qu'elle attendait aussi d'autrui : des cheveux blonds, raides, impeccablement tirés en arrière en une courte queue de cheval à la terminaison nette, un maquillage graphique, une veste de tailleur cintrée sur un chemisier en lin blanc.

Sans préambule, la principale adjointe annonça qu'il était grand temps qu'elles se voient. La situation devait cesser immédiatement.

Lucie devait se reprendre. Il était hors de question que le collège accepte ses agissements.

Martha tomba des nues.

— Quinze demi-journées d'absence, une présence très irrégulière en cours d'anglais et, depuis deux semaines, trois absences en cours de physique, lut la principale adjointe sur le relevé de présence des élèves affiché sur son ordinateur.

Lucie regardait ses pieds.

Martha continuait à fixer la principale adjointe sans dire un mot. Était-ce bien de sa fille dont on parlait ? Les copies qu'elle lui donnait à signer montraient des résultats qui n'auraient éveillé l'inquiétude de quiconque. Les quelques appels du Service de la Vie scolaire de ces quinze derniers jours ne l'avaient pas alertée non plus. Les explications de Lucie sur ses absences lui avaient suffi. Il n'y avait aucune raison qu'elle imagine une réalité différente de ce qu'elle lui donnait à voir.

Consternée par le peu de réactions de la part de cette mère et de cette fille, la principale adjointe sortit « la fiche d'incident » de son imprimante pour la reprendre mot à mot :

Je signale un comportement inadmissible de Lucie lors du cours d'anglais du 30 avril à 16 h : l'élève refuse de sortir ses affaires nécessaires au contrôle prévu. Après trois rappels, elle se lève pour sortir de la salle de classe sans autorisation. Lorsque j'essaye de la raisonner, elle me bouscule et elle m'insulte de « poufiasse ». En sortant, elle claque la porte et continue à crier des insultes dans le couloir.

L'insulte résonna dans la tête de Martha. Rien ne collait. Ce mot ne pouvait être sorti de la bouche de son enfant. Bien sûr que Lucie était réactive, mais elle s'expliquait. Elle était sensible aux injustices, mais jamais grossière. Au contraire, son intelligence l'amenait à questionner et à livrer ses idées, toujours avec subtilité. Jamais frontale, sa fille restait respectueuse, polie, plaisante. Elle savait réajuster les choses, se réguler sans attendre l'insistance d'une remarque. Cela dit, elle lui parlait peut-être moins ces derniers temps, mais rien d'exceptionnel à douze ans. C'était plutôt naturel lorsque les enfants grandissent.

Un gouffre se creusa avec ce qui lui était rapporté.

Martha n'en dit rien.

Décontenancée, elle perçut dans l'attitude de la principale adjointe qu'elle n'aurait pas dû découvrir cet incident lors du rendez-vous. La multitude de ces absences non plus. Curieusement, elle se sentit fautive. Son seul mouvement fut de penser à Michel. Il l'apaisait, prenait le relais, intervenait toujours lorsqu'elle se trouvait en difficulté. En cet instant, il lui manqua terriblement.

Lucie avait levé les yeux et quitté son mutisme pour argumenter avec aplomb la justesse de sa réaction face à celle de la professeure d'anglais. Celle-ci ne l'aimait pas, se défendait-elle. Elle-même prenait toujours pour les autres. Cette prof l'avait harcelée pour qu'elle se mette au travail alors qu'il n'y avait jamais eu d'impairs. En quittant la salle, elle avait tenté de la retenir en la tirant par le bras.

Toutes ses explications ne produisirent aucun effet.

La principale adjointe ne s'attendait pas à ce que l'entretien prenne cette tournure. Cette mère lui paraissait fine et sensée lors de ses quelques interventions aux conseils de classe. Elle se montrait soucieuse des élèves en difficulté, jamais vindicative ou militante comme d'autres qui débordaient sur des terrains qui ne les regardaient pas. Là, elle était face à une femme tétanisée qui ne cessait de la fixer sans qu'elle puisse décoder ce que signifiait son attitude et face à une adolescente qui incriminait furieusement son enseignante sans l'ombre d'un regret ou d'une remise en question. Assurément, cette gamine avait bien besoin d'être remise à sa place ! s'exaspéra-t-elle intérieurement.

Le ton montait.

Prestement, elle coupa court aux plaintes de Lucie qui surenchérissait et s'emballait dans des propos de plus en plus rapides, vigoureux et abracadabrants. Avec intransigeance, elle mit un terme, fermement, à l'entretien : Le collège attendait des excuses écrites et un changement radical. Lucie échapperait pour cette fois à un passage en conseil de discipline, mais ce serait la seule et unique fois ! Au moindre écart à l'avenir, il y aurait des poursuites disciplinaires.

Puis, irritée par la teneur ahurissante de l'entretien et l'attitude nullement impressionnée de l'adolescente, elle s'adressa à Martha pour la sommer de faire entendre raison à sa fille.

Lucie se précipita hors du collège. Sans emprunter les allées goudronnées, elle coupa droit dans les espaces verts. Elle devançait sa mère qui peinait à la suivre. La distance qui les séparait s'allongeait au fil de sa course. Elle entendait Martha l'appeler au loin par son prénom.

Qu'avait-elle à lui dire maintenant, alors qu'elle n'avait pas ouvert la bouche pour la défendre ? Pour expliquer qu'il y avait un réel souci avec cette professeure d'anglais ? Elle ne l'avait pas protégée non plus de l'attaque froide de la principale adjointe qui ne l'avait pas écoutée et l'avait laissée sans droit de réponse.

Lucie ne voulait pas lui parler, ni même la regarder. Elle souhaitait juste qu'elle disparaisse et que s'arrête le malaise diffus qui commençait à l'envahir. L'idée d'avoir été découverte, prise la main dans le sac, avec la mise à nu de ses petits arrangements avec le collège, aurait pu l'amener à se sentir coupable si la colère envers sa mère ne l'avait pas submergée. Martha n'avait rien dit !

Sa mère tentait encore de l'appeler lorsque Lucie décida de partir. Aussitôt, l'émotion ressentie lors des premiers cours séchés resurgit. L'ivresse d'une liberté. Elle choisissait sa vie, ne se conformait pas à ce que les autres voulaient pour elle. Pour la première fois, c'est face à sa mère qu'elle le soutenait.

Sidérée, Martha mit vingt bonnes minutes à prendre conscience que Lucie s'était volatilisée. Elle se mêla aux collégiens attroupés à la station du tram juste en face du portail pour la chercher, elle se rendit à chaque angle de rue qui donnait sur cette grande place ovale pour l'apercevoir au loin puis elle regagna son appartement pour l'y retrouver. Elle voulait lui parler, comprendre ce qui était incompréhensible et retrouver sa petite fille. Le constat d'être seule dans l'appartement la fit paniquer.

Elle se précipita sur son téléphone pour entendre Michel. Lucie était partie !

Les heures et les minutes furent interminables, les messages envoyés incalculables. Le portable restait le seul fil auquel Martha se cramponnait. La teneur de ses textes changea au fil de la journée. Elle commença par lui demander de revenir pour se parler. Puis elle lui reprocha d'être partie et de ne pas entendre son inquiétude. Et en fin d'après-midi, elle la supplia de lui donner de ses nouvelles.

Michel rentra plus tôt qu'à l'ordinaire.

Pendant de longues heures, ils partagèrent la même angoisse, envahissante, de ne pas savoir où leur fille se trouvait ni ce qu'elle faisait. Elle n'avait pas encore treize ans. Elle restait une enfant. Et ce soir, une enfant seule dans la nuit de la ville.

Sur les coups de vingt-trois heures, Lucie rentra. Elle avait ses clés, ses affaires et l'air de ne pas être éprouvée par sa soirée. Martha n'eut pas le temps de l'enlacer, Lucie se précipita dans sa chambre pour s'y enfermer.

L'important était qu'elle soit là, disait Michel à sa femme. Ils verraient plus tard. Ils se reparleraient. Soulagé, ce n'est pas maintenant qu'il entendait remettre les pendules à l'heure. Il n'en avait pas l'envie d'ailleurs, l'essentiel était son retour, sa présence. Pour la reprendre, ils attendraient le bon moment. Celui où Lucie serait disposée à les entendre. Les grandes vacances n'étaient pas loin. Une occasion pour se retrouver et attaquer ensemble le fond du problème, affirmait-il encore à Martha.

Cela faisait un moment qu'ils n'avaient pas reconstitué leur bulle, uniquement à trois. La lourdeur de l'été passé lui restait en mémoire. Les vacances de cette année la chasseraient, telle était sa conviction. Ils iraient à Amorgos dans une petite maison cycladique loin des complexes hôteliers où s'entassaient les foules. Une destination déterminée selon le souhait de leur fille. Leur location se situerait à dix minutes à pied de la plage où une base sportive permettrait à Lucie de s'essayer à la plongée avec bouteille. Sur le prospectus, la maison avait le charme typique de ces petites bâtisses aux murs étincelants de blancheur et aux volets bleus. Une terrasse donnait une vue panoramique sur la mer. Ils seraient ailleurs. Ils seraient entre eux, se retrouveraient. Il serait plus facile alors de se parler.

6

Lucie traînait devant le présentoir des cosmétiques. L'extrémité de son doigt tournait lentement dans un blush *Corail n° 3*. Il ne lui restait plus que l'annulaire et l'auriculaire de sa main gauche de disponibles, la pulpe de ses autres phalanges était déjà colorée d'ombres à paupières bleus, verts et orange irisés. Elle aimait le contact avec les textures poudrées, crémeuses ou soyeuses. Elle testait l'effet des couleurs sur sa peau en traçant des lignes successives. Ensuite, elle contemplait, comparait. Ses mains ressemblaient à celles bariolées des enfants qui quittent leur feuille pour s'essayer aux traces de peinture sur leur peau.

Les couleurs vives, toniques et acidulées étaient ses favorites. Rien à voir avec les produits de maquillage de sa mère. Plusieurs fois, elle les avait sortis du panier en osier posé sur l'étagère de la salle de bain. Sa mère en avait peu. Le panier contenait plus de crèmes hydratantes que de maquillage : un fard à joues, une palette d'ombres à paupière rose-parme, du mascara basique, un anticernes, une crème teintée. Seuls les rouges à lèvres étaient en nombre, déclinés en fonction de ses pulls et de ses chemisiers pour créer une harmonie de couleur. Comme ses vêtements, ses fards étaient pastel et discrets.

Enfermée dans la pièce, Lucie les avait essayés un à un.

Le reflet dans le miroir avait été surprenant. Au premier abord, la jeune fille qui lui faisait face avait gagné deux ou trois ans, ce qui n'était pas sans lui déplaire. Ensuite, elle n'avait vu qu'un masque blanc, fade et blafard, comme une face plate de poupée de cire posée sur sa figure. Le contraste avec le hâle naturel de son cou était saisissant. Son visage avait perdu ses couleurs. Alors, elle avait forcé sur la dose, ajouté du noir en paquet sur ses cils déjà naturellement fournis, augmenté maladroitement les aplats sur ses paupières jusqu'à se piquer les yeux, et enfin elle avait exagéré la couleur de ses joues et de ses lèvres. Puis elle s'était à nouveau regardée longuement, de face, de profil, faisant la moue, des sourires et une multitude d'expressions forcées avant que sa mère ne vienne interrompre ce temps bien trop long passé dans la salle de bain. Avant d'en sortir, elle avait fait disparaître rapidement toutes traces de son occupation avec le goût d'avoir touché au fruit défendu.

Décidément, s'était-elle dit, elle ne ressemblait en rien à sa mère, même affublée de ses attributs.

Depuis cet été, elle avait maintenant sa taille. Ça lui plaisait de pouvoir lui parler sans lever les yeux et d'avoir la certitude de la dépasser prochainement. Leur même hauteur renforçait leurs différences. Elle n'avait rien de son physique, rien de son allure filiforme sans fesses ni seins. Elle n'avait pas ses cheveux châtain clair ni ses yeux vert eau. Au contraire, son corps déjà formé présageait une femme plantureuse et sensuelle. Elle attirait déjà l'attention des hommes. Les regards des jeunes gens au corps athlétique et bronzé qui fréquentaient la base de plongée où elle avait passé ses vacances ne lui avaient pas échappé. Et lorsqu'elle avait marché aux côtés de sa mère en bord de plage, les têtes s'étaient retournées et ce n'était pas pour regarder Martha.

Le plus flagrant dans leurs différences était le teint de leur peau. Lucie n'avait pas la carnation claire, fine et presque translucide de sa mère qui laissait apparaître le sillon des veines de son cou et de ses mains. Les expertes de la boutique de beauté du centre-ville le lui avaient confirmé.

Ce grand magasin à l'allure d'une caverne d'Ali Baba avait été son lieu de prédilection de ces derniers mois. Elle avait saisi sans hésiter l'occasion de s'y faire maquiller lorsqu'une professionnelle, savamment apprêtée et manucurée, l'avait accostée. Attirée par la beauté atypique de cette jeune fille, la vendeuse avait vu l'opportunité de booster les ventes de la gamme dont elle faisait la promotion. Un curieux mélange aux origines ethniques difficiles à déterminer, avait-elle repéré.

Lucie ne s'était pas fait prier pour prendre place sur le fauteuil. En ce fameux samedi après-midi, elle avait trôné plus de trois quarts d'heure sur la petite estrade du cabinet d'esthéticienne miniature, installée au milieu du magasin bondé. Entourée d'une multitude de produits, de palettes colorées, d'accessoires, de pinceaux et de brosses en tout genre, elle s'était abandonnée aux mains expertes de la démonstratrice. Les remarques de la jeune femme et l'attention des clientes qui s'attardaient, spectatrices de sa transformation, l'avaient comblée. Un moment de pur bonheur !

— Vous avez un teint peu commun, avait entendu Lucie, plutôt foncé aux nuances dorées, ambrées, à l'éclat naturel. Vous avez la chance de pouvoir tout vous permettre, y compris les fantaisies.

Elle pouvait laisser courir son imagination, oser les couleurs vives, intenses et richement pigmentées.

— Va pour la fantaisie ! avait-elle répondu à la démonstratrice.

Lucie avait découvert alors tout un univers aux multiples étapes, techniques et produits insoupçonnés. La jeune femme expliquait, conseillait tout en s'attachant successivement aux différentes parties de son visage. Ses gestes étaient précis, assurés et délicats. Ils soulignaient, sculptaient sa bouche, redessinaient ses sourcils, relevaient ses pommettes hautes. Ses réponses aux questions des clientes agglutinées ponctuaient le processus. Le miroir qu'elle présentait à Lucie sur son bras articulé marquait chaque étape et illustrait son propos.

Ses yeux furent l'objet d'un soin tout particulier.

— Ils sont magnifiques, lui avait dit la professionnelle, des yeux à faire des envieuses !

Pas moins de cinq produits illuminèrent son regard qui, déjà naturellement, ne laissait pas indifférent. Un violet « électrique », choisi par Lucie, en fut la tonalité dominante.

Lorsque la dernière touche – un voile de poudre ensoleillée – marqua la fin de la séance, Lucie aurait voulu tout acheter. Comme toujours, elle n'avait pas un sou. L'argent lui filait entre les doigts sans qu'elle puisse dire réellement où il passait. Pourtant, ses parents ne lésinaient pas sur l'argent de poche. Au contraire, ils cédaient toujours quand elle mendiait une rallonge.

La maquilleuse était heureuse de sa démonstration qui l'avait sortie de la routine. Elle avait magnifié un visage et cela lui était peu commun. La plupart du temps, elle tentait de rectifier les disgrâces de ses cobayes. Prise dans l'élan, elle donna pour cette fois un maximum d'échantillons.

En quittant le magasin, Lucie avait pris les rues passantes, la démarche chaloupée, la tête haute, l'œil attiré par les vitrines des boutiques à l'affut de son reflet. Elle rayonnait. Le sentiment d'être belle, spéciale, remarquable, objet du regard des hommes et des femmes, l'emplissait. L'air absorbé par une hypothétique réflexion, ou un pseudo-message à écouter sur son portable, elle s'était attardée face aux terrasses où du monde s'attablait encore dans la douceur persistante. Elle jouissait d'attendre les regards, de les sentir se poser sur elle, sans en accrocher aucun. Puis, avec nonchalance et théâtralité, elle poursuivait sa route. Elle parcourut de nombreux kilomètres concentriques pour ne pas s'écarter de la foule, différant au maximum son retour chez ses parents sachant qu'il mettrait un terme au moment magique et intense de son après-midi.

Lucie aurait volontiers réitéré cette expérience esthétique proposée très fréquemment dans la grande parfumerie du centre-ville, mais récemment, elle avait dû changer d'enseigne. Une cheffe de rayon lui en avait violemment interdit l'accès. Jusque-là, elle n'avait pas tenu compte des remarques des jeunes vendeuses exagérément maquillées. Avenantes et à sa disposition les premiers temps, elles étaient devenues insistantes, tendues, sur le qui-vive à force de la voir quasi journellement traîner dans les allées sans jamais rien acheter. Lucie avait continué son manège en les qualifiant avec mépris de « clones au discours formaté ».

Contrainte, elle jetait maintenant son dévolu sur la boutique d'une grande chaîne au centre commercial à proximité de la gare. C'était sa première visite et elle réitérait ses expériences ludiques et créatives, aucunement futiles à ses yeux.

Lorsque Lucie fut à court de doigts, elle contempla longuement ses mains. Elle aimait ces couleurs, toutes, sans pouvoir hiérarchiser de préférence : du bleu indigo, du fuchsia, du pourpre métallisé, de l'orange clémentine, du vert prairie et de l'or. Elle se retrouvait dans les noms : le *Cococo*, la *Dolce Vita*, la *Papaye gourmande* ou le *Jet-set*. Ils spécifiaient son caractère, si différent de celui de sa mère, estampillé de *Porcelaine* et de *Bois de Rose*. Les coffrets et les palettes portaient en eux-mêmes un secret et une promesse, celle d'y découvrir un objet précieux à l'image de la perle logée dans la nacre de son huître, bien à l'abri, dissimulée à l'intérieur de son écrin somptueux, visible et accessible qu'à son ouverture. Elle manipulait les boîtiers dorés, laqués ou incrustés, les caressait, les ouvrait, jetait un œil dans le petit miroir, s'extasiait de la petite brosse et du petit pinceau qu'elle y dénichait. Les odeurs aux goûts d'agrumes, de vanille, de pivoine l'enivraient.

Limitée par l'accumulation de poudres et de crèmes, elle saisit une lingette à disposition sur le haut du présentoir pour faire disparaître les innombrables traces sur ses mains. Ceci fait, toute son attention porta sur les rouges à lèvres. Parmi les quatorze teintes, le *Hot Cherry* sortait du lot. Un rouge pur, évocateur de vivacité et d'absolue féminité. Pile-poil, la couleur de son tempérament qu'elle aimait qualifier de « volcanique ».

Le vigile n'était pas dupe. Il avait repéré cette jeune fille dès son entrée dans le magasin. Seule dans les allées en cette heure matinale, il ne lui serait pas difficile d'observer ses manœuvres et de la prendre la main dans le sac au premier geste.

Il se montrait, grand et baraqué. Son uniforme en costume noir lui donnait l'allure d'un personnage avec lequel on ne joue pas. Il l'épiait, gêné par la longue tignasse qu'elle utilisait délibérément comme paravent. Alors il se déplaça, chercha le bon angle qui ne laisserait aucune chance à sa proie.

À l'observer, il la trouva plutôt curieuse.

Un drôle d'oiseau, pensa-t-il. Elle était seule, rare à cet âge ! Il était tôt. Encore plus rare !

Il avait l'habitude des gamines qui débarquent en bande, excitées et papillonnantes dans le magasin, pas toujours faciles à gérer et à prendre en flagrant délit. Elles étaient rapides et bruyantes, alors que celle-ci semblait très calme. Elle ne s'occupait pas des vendeuses ni de ce qui se passait autour d'elle. Et surtout, elle s'éternisait.

Elle avait tout de même l'allure de ces fillettes de cité qui jouent aux femmes, constata-t-il, avec son court débardeur fuchsia sous son blouson tout aussi court, ses trois colliers dorés, épais et clinquants qui tombaient sur son décolleté. Mais quelque chose clochait. La découpe de son jean ? La marque de ses chaussures ? Ou ses cheveux dont la brillance et le soyeux révélaient une qualité dans le soin apporté ?

Pressentant que le moment attendu était imminent, il quitta ses pensées pour se concentrer entièrement sur les mains qui manipulaient les rouges à lèvres.

Lucie n'avait jamais volé de maquillage. Tout au plus avait-elle fourré dans sa poche quelques perles de bain lors de ses allées et venues au magasin précédent. Elle avait glané aussi une planche de tatouages éphémères glissée rapidement sous son pull-over. Rien qui ne coûtait, que des babioles, à disposition des clientes, dépourvues de barrettes d'antivol de protection.

Dans un plaisir solitaire, elle avait savouré les produits subtilisés.

Le tatouage en particulier – trois plumes d'Indien, noir et or – qu'elle avait placé au-dessus de son nombril par décalcomanie, la même technique que celle des tatouages trouvés dans les emballages de chewing-gums. Elle s'était sentie fière, porteuse d'un trophée dont elle seule connaissait l'existence, caché aux autres et surtout à ses parents. Son sentiment avait été tout aussi éphémère. En à peine quatre jours, les plumes s'étaient effritées.

Devant les rouges à lèvres, Lucie n'avait pas l'intention d'en voler un. Elle n'avait pas calculé son coup ni déterminé une quelconque stratégie pour minimiser les risques.

C'est sa main qui décida.

Le vigile aperçut une inclinaison de tête vers la gauche qui entraîna un mouvement lent et ample des cheveux en direction du présentoir. Dans la rotation, la main empoigna la petite boîte noire du rouge à lèvres.

Lucie détala comme l'éclair. À soixante-dix mètres du magasin, une porte latérale lui permit de s'échapper du centre commercial. L'alarme stridente du portique de sécurité résonnait dans ses oreilles. Elle courut à perdre haleine. Vive, sportive. La montée d'adrénaline était puissante. Elle déjouait ses traces, faisait des crochets, s'engageait dans des ruelles comme si l'ensemble de la Police nationale était à ses trousses. Ce n'est que lorsqu'elle atteignit la rue peu fréquentée à l'arrière de son collège, après trois kilomètres environ, qu'elle s'assit sur le bord d'un trottoir.

Encore essoufflée, elle sortit *Hot Cherry* de sa petite boîte abimée par la pression de sa poigne. À l'aveugle, elle passa le bâtonnet généreusement sur ses lèvres en regrettant de ne pas avoir de miroir.

7

Contrairement à son habitude, Lucie n'avait pas filé dans sa chambre dès le franchissement du vestibule. Elle s'était posée bien en vue sur le canapé blanc du salon.

Martha ne pouvait que détourner le regard de son livre.

Immédiatement, elle fut obnubilée par la couleur des lèvres qui s'affichait avec insolence devant elle.

Un rouge puissant, écarlate.

Un rouge indécent.

Agressée par ces lèvres, Martha réagit au quart de tour pour les chasser hors de sa vue et évacuer le plus rapidement possible cette vision intolérable.

Lucie s'imposa sur le canapé, satisfaite de son effet. Elle avait déjà testé son rouge à lèvres au collège et s'était prise en retour quelques remarques de professeurs et de surveillants qui l'avaient confortée dans son audace. Mais là, pour la première fois, elle affrontait sa mère. Finis les ménagements et les dérobades ! Elle montrait, assumait et marquait délibérément qui elle était. Dans un plaisir manifeste, elle observait Martha monter dans les tours et multiplier les injonctions. Plus cette dernière la fustigeait, plus Lucie se renforçait.

Ce n'est que lorsqu'elle entendit « Dégage ! » sur un ton méprisant et sans appel, qu'elle ressortit de l'appartement en claquant la porte.

Martha n'en revenait pas.

Pendant une fraction de seconde, elle n'avait pu accorder les lèvres au visage pour y reconnaître sa fille. Le détail avait chamboulé ses sens et bouleversé ce qui lui était familier. Elle ne s'était jamais emportée de cette manière contre Lucie et elle n'arrivait pas à retrouver son calme après son départ.

Quelle lubie ! continuait-elle à penser.

Elle n'avait pas mâché ses mots sous l'impulsivité qui l'avait dominée. Lorsque Lucie s'était opposée à enlever cette couleur et à lui remettre l'objet de son méfait, elle avait crié qu'elle se donnait « mauvais genre », qu'elle ressemblait à une traînée, à une fille des rues. Sa colère était montée d'un cran quand elle avait perçu un sourire pour toute réponse. Alors elle avait hurlé que ce n'était pas possible, que personne ne se le permettrait, sauf les aguicheuses, les dépravées.

Que se passait-il ?

Avec Michel, ils avaient toujours négocié. L'éducation de leur fille valorisait l'échange et les discussions. Cet été, encore, ils avaient pu se parler, revenir ce qui n'allait pas au collège, lui faire entendre l'importance de l'instruction – passage obligé pour se construire un avenir qu'ils projetaient prodigieux. Elle en avait les moyens et ils avaient confiance en elle, lui avaient-ils affirmé.

Lucie avait adhéré. Elle s'était repentie et avait assuré qu'on ne l'y reprendrait plus.

Ensuite, leurs vacances avaient été formidables. Lucie avait ri à nouveau. Elle était rentrée de ses séances de plongée émerveillée par les trésors cachés de la mer Égée. Elle avait partagé ses surprises, les drôles de noms d'animaux à l'existence imperceptible à la surface de l'eau – les poissons Trigger, Demoiselles ou Scorpions – et les couleurs extraordinaires, jaunes, roses et même bleu vif des éponges, des gorgones et des coraux. Chaque plongée avait eu le goût d'une nouvelle aventure que Martha et Michel vivaient par procuration. Comme avant, leur fille avait été curieuse et intéressée par les histoires et les créatures fantastiques de la mythologie grecque que sa mère contait. Elle avait souscrit avec enthousiasme à la découverte de cette petite île, les devançant sur les sentiers escarpés aux vues époustouflantes sur les falaises abruptes et le bleu profond de la mer. Elle les avait suivis sans rechigner dans leurs visites de monastères perchés à flanc de montagne.

De nouveau, ils avaient été trois. Ils avaient partagé le plaisir d'être ensemble et retrouvé les liens qui leur importaient. Leur complicité et leur bonheur étaient revenus.

Le chaud et le froid, se disait Martha aujourd'hui.

Bien d'autres auraient relativisé l'usage d'un rouge à lèvres. Ils y auraient vu un jeu, le prolongement du maquillage des petites filles, avec leurs paupières bleues et leurs ronds rouges aux joues, qui s'essayent à la féminité supposée des grandes. Ou encore, ils y auraient perçu une première question, celle d'un début d'une adolescence où le corps bouscule celui de l'enfance.

Mais pas Martha.

Lucie partie, ce rouge continuait à l'agresser. Démesurément. Comme une fausse note à laquelle on s'attache. Un détail qui sort du lot, qui prend de l'ampleur et aveugle toute perception d'ensemble. Un simple trait qui se mue en pièce maîtresse. Le signe d'une féminité empreinte de sexualité, de séduction et d'excès. Martha y voyait la couleur du feu, de la passion et de l'interdit. Rien qui ne lui ressemblait, ni aux femmes de sa famille. Une aberration pour les mères et leurs filles. Aucune d'elles ne l'aurait même imaginé. Les quelques dérogations aux us et coutumes familiales étaient rares. La cadette de son frère avait bien tenté de se marier en robe qui montrait avec impertinence ses genoux. Une robe, immaculée néanmoins, et à la coupe sobre et sophistiquée, qui avait heurté le « comme il faut » partagé par la famille. Devant l'évènement qui avait pris les allures disproportionnées d'un drame non mesuré par la jeune mariée, celle-ci avait consenti à rallonger sa robe par le truchement d'un large volant de taffetas blanc. Avec l'habileté de la couturière, personne n'avait pu imaginer la petite robe originelle le jour du mariage à l'exception des initiés bien sûr, qui n'avaient vu que ça.

Martha ne contestait pas cette emprise familiale, elle la constituait.

Il y avait des valeurs qu'elle avait faites siennes. Il ne pouvait en être autrement dans ce qu'elle transmettait à sa fille.

Un rouge anachronique.

Une bouche de femme sur une enfant, se dit encore Martha.

Elle se remémora la petite fille qu'elle était au même âge. Sa naïveté, ses intérêts et son adhésion totale à ce qu'on attendait d'elle. Ça allait de soi ! Elle n'aurait jamais eu l'idée de le remettre en question. Ce n'est qu'étudiante qu'elle avait perçu sa mutation. Et ce n'est qu'avec Michel qu'elle s'était sentie devenir une femme. L'opération avait été progressive, lente et toute en finesse. Pas de heurts.

Encore une fois, les temps s'entrechoquaient. Ils créaient le désordre et morcelaient les images. Déjà que Martha avait du mal avec le corps de sa fille… Une puberté bien avant l'heure, bien avant Claire ou Elsa, et l'apparition de ses règles alors que parler de sexualité lui était apparu incongru. Elle avait ressenti un trouble cet été face à ce corps sur la plage, moulé dans un petit maillot de bain deux pièces. La vision de ces seins, hauts, fermes et rebondis, avait induit un sentiment de malaise. Le temps filait trop vite et trop fort. Ce corps n'était pas celui de sa petite fille, et les lèvres rouges n'étaient pas celles de Lucie.

Ce n'était pas le premier évènement du genre. Depuis que Lucie était petite, les choses cavalaient. Martha freinait, voulait ralentir. Elle aurait même voulu retourner en arrière, loin en arrière, avoir été là en cette fin juillet où Lucie était née. Plus loin encore, avoir été là au tout premier moment, celui de l'alchimie extraordinaire de la vie qui aurait blotti l'œuf originel au creux de son corps.

Elle ne se souvenait pas avoir crié avec sa fille. Même excédée par ses agitations et ses débordements qui la rendaient brusque et bruyante, elle n'avait pas élevé la voix. Il y avait eu des objets cassés, quelques-uns auxquels elle tenait particulièrement. Et aussi les colères de Lucie qui exigeait, toujours vite, sans attendre. Mais l'amour absolu de Martha pour son enfant avait toujours pris le dessus. Elle ne se fâchait pas, elle expliquait et cédait. Il n'y avait pas eu de punitions, mais des excuses. En vérité, Martha l'avait ménagée, avait fui les conflits et arrondi les angles. Elle n'avait pas voulu la heurter parce qu'au fond d'elle-même elle évitait le risque de ne pas en être aimée.

Il y avait bien eu l'épisode du compas, de fines cicatrices visibles sur son bras gauche en témoignaient encore. Puis, l'année dernière, l'altercation de Lucie avec sa professeure d'anglais et les cours qu'elle avait séchés. Mais, la sidération et l'angoisse qui avaient saisi Martha, n'avaient pas laissé place à de la colère.

Pour la première fois, avec cette histoire de rouge à lèvres, Martha ne se reconnaissait pas. La violence avait été à la hauteur de son incompréhension. Phénoménale. Sa réactivité et les mots avaient surgi sans aucune réflexion ni aucun contrôle. Elle venait de lui dire des horreurs. Et là, étonnamment, la question de perdre son amour ne se posa pas. L'idée de s'en vouloir non plus.

Lucie ne manquait de rien, pensa-t-elle. Ils lui faisaient plaisir, l'écoutaient et ne souhaitaient que son bonheur. Elle avait l'attention et l'amour de ses parents. Alors ?

Ayant retrouvé son calme intérieur, elle ne repérait pas encore qu'un sentiment d'ingratitude commençait à germer.

Sans que Martha le sache, une longue descente aux enfers s'amorçait. L'épisode du rouge à lèvres apparaîtrait plus tard comme un premier évènement mineur et insignifiant. Les années passant, on aurait pu s'en rappeler avec humour s'il n'avait été suivi d'autres, bien plus inquiétants.

8

Lucie pleurait. Avoir des larmes ne lui ressemblait pas.

Depuis toute petite, elle méprisait ces filles qui chouinaient pour un oui ou pour un non. Elle les trouvait idiotes et ridicules à geindre à la moindre contrariété, au premier jouet pris de force, à la première bousculade ou au premier intérêt de leur amoureux pour l'une de leurs copines. Verser des larmes lui était rare, y compris face aux douleurs physiques. À tel point que suite aux chutes et aux blessures, on n'avait pas manqué de relever son courage.

Elle qui était dure, se mit à pleurer dès qu'elle quitta l'appartement. Des larmes de rage.

La tête baissée, fuyant le quartier comme une furie, elle grondait des insultes sans se préoccuper de qui l'entendrait. Les larmes et les mots exprimaient une haine qui venait tout juste d'éclore. Ce qu'elle avait entendu de la bouche de sa mère continuait à l'agresser violemment. Le « Dégage ! », plus que tout autre de ses propos, ne la lâchait pas.

L'atteinte était profonde. Tout en marchant, elle se voyait comme un papier griffonné que sa mère froissait avec frénésie avant de le lancer avec empressement dans la corbeille. Puis comme un déchet tenu du bout des doigts tellement il était nécessaire d'en réduire le contact, un détritus à l'aspect putride, à faire disparaître au plus vite dans la poubelle.

Une rage violente s'exprimait au travers des larmes.

Martha la jetait !

Impossible de s'apaiser.

Elle marchait jusqu'à épuisement, sans but ni destination à atteindre. Ses propos étaient confus, scandés d'insultes beuglées à haute voix envers celle qui n'était plus là pour les entendre. Certains anonymes qui la croisèrent s'arrêtèrent, interloqués. D'autres changèrent de trottoir.

Lucie attaquait.

Résolue, elle partait. Elle ne remettrait plus les pieds dans cet appartement !

Sans le vouloir, elle gagna un quartier périphérique de la ville. Un lieu invisible à ceux qui ne s'y aventuraient pas. Y régnaient la verdure et le calme. Face à cet étonnant contraste, son pas ralentit.

Ce surprenant quartier de la métropole conservait un aspect rural et paisible. Des maisons en bois, serrées les unes aux autres, attenantes à un bras de rivière, en faisaient un endroit à part, privilégié, hors du temps et de l'agitation. Un petit coin de paradis aux portes de la ville, se disaient les habitants qui se connaissaient pour la plupart et y demeuraient depuis longtemps. Un quartier particulier, construit dans l'après-guerre pour y loger des familles nombreuses, et devenu très prisé avec le temps. Les fenêtres donnant sur les jardinets laissaient deviner l'intimité des maisonnées. Lucie pouvait y apercevoir des fragments de vie ordinaire : le retour des occupants après le travail, les premières activités du soir. Un quotidien banal et chaleureux.

Loin du bruit du monde, elle se tut. Les larmes s'arrêtèrent. Les images quittèrent son esprit et laissèrent place à un grand vide. Pas d'inconfort ni d'angoisse, juste du rien. L'emballement stoppa brutalement.

Sa marche, automatique, se poursuivit au-delà du quartier. Lucie aurait été bien en peine de décrire l'itinéraire emprunté. Ses pas prenaient la courbe d'un trottoir lorsqu'elle se présentait, contournaient les ronds-points puis suivirent une longue rue droite qui l'éloigna de la ville. Son corps était porté par le mouvement de la circulation qui se dirigeait vers les villages environnants en ce début de soirée. Dès le panneau de sortie de l'agglomération, le paysage se fit plus campagnard. La voie, bordée d'arbres, ne laissa plus de place aux piétons. Lucie longea de rares maisons aux allures forestières et commença à gagner les champs.

Les pleins phares qui surgissaient dans son dos et les klaxons des automobilistes effrayés par sa silhouette sombre aperçue au dernier moment la laissaient insensible. Son poids l'emporta en bas du talus qui côtoyait la route. Elle continua sans s'arrêter sur un terrain rendu boueux et collant par la pluie de la veille.

Rien ne troublait son esprit. Elle restait dans cet état d'absence à elle-même, calme et indifférente.

Dans une logique machinale, elle emprunta la petite route qui bifurquait sur sa droite. Après six cents mètres, elle traversa la prairie, longea la clôture en bois des paddocks puis pénétra dans la grande cour encerclée de box. Leurs portes battantes à deux vantaux avaient été fermées pour la nuit.

Par la sellerie, elle rejoignit l'écurie intérieure.

Sa présence dans le long couloir central faiblement éclairé troubla la quiétude des chevaux. Rien n'échappait à leurs sens, toujours aux aguets. Le silence fut perturbé par le mouvement des corps lourds, deux ou trois coups de sabot et un hennissement soudain. De part et d'autre, des yeux se levèrent au travers des barreaux pour apercevoir l'intruse inhabituelle à cette heure. Des oreilles se couchèrent en arrière. Des têtes se balancèrent de bas en haut. L'un des chevaux tenta de mimer une morsure.

Lucie ne s'intéressait qu'à Orion.

Elle se dirigea droit au fond de l'allée. Sans hésitation, elle ouvrit les deux verrous de la porte coulissante, s'engouffra dans le box et s'y enferma.

Nullement effrayé, tout au plus curieux, Orion se retourna d'un pas lent pour lui faire face. L'autorité naturelle avec laquelle la jeune fille pénétrait dans son intimité, sa détermination et son absence d'incertitude le rassuraient. Peut-être avait-il perçu avec acuité l'absolue nécessité de sa présence ?

Il faisait bon dans le box.

Joue contre joue, Lucie ressentit le souffle chaud qui sortait des naseaux du cheval. Sa main glissa lentement le long du chanfrein puis du nez. Elle nicha les lèvres d'Orion au creux de sa paume et s'attarda sur cette douceur extrême. Puis son visage s'enfouit dans l'encolure aux poils courts et soyeux. Ses poumons s'emplirent d'odeur animale. Ses épaules, son buste, ses hanches et ses jambes se plaquèrent tout du long du corps de la bête. Elle puisa sa chaleur.

Les premiers frémissements de peau passés, Orion resta parfaitement immobile, comme s'il comprenait très exactement ce que Lucie attendait de lui.

Les deux corps, collés et confondus, se figèrent.

Le temps s'arrêta.

Progressivement, l'écurie retrouva son ambiance feutrée. L'incongruité d'une présence humaine en ce milieu de nuit disparut. Seuls quelques souffles, bruits de mâchoires, de paille froissée, et le bruissement d'une chauve-souris se firent entendre.

9

Le vieux Stanislas était toujours le premier à l'écurie, bien avant l'heure, bien avant l'arrivée de son jeune collègue qui commençait son service à six heures.

Les chevaux emplissaient et rythmaient toute sa vie. Depuis plus de trente-cinq ans, ses journées s'organisaient pour eux, été comme hiver, jours de semaine et jours fériés. À tel point qu'il n'avait jamais pensé que sa vie puisse changer ni qu'elle s'arrêterait le jour où la vieillesse aurait raison de son corps abimé.

Dès son arrivée, il ouvrait grand les vantaux supérieurs des box extérieurs, les lourdes portes de l'écurie et du manège, et l'ensemble des vasistas pour que pénètre l'air vivifiant de la nuit. Il aimait ce premier moment qui amenait une fraîcheur et une douce clarté dans l'écurie. Lors des mois d'été en particulier, il assistait, seul avec les animaux, aux premières lueurs de l'aube qui faisaient briller leurs robes. Les puits dans les faitages du toit apportaient une lumière naturelle et faiblement bleutée. Il fallait attendre le lever du soleil pour que les couleurs apparaissent comme par magie.

Puis il faisait son premier tour : une manière de reprendre contact avec chacun après la séparation de la veille.

Il se jouait une histoire sans paroles entre le vieux Stanislas et les chevaux. Peu de mots, comme avec les hommes d'ailleurs, mais beaucoup de regards, de postures et de touchers. Il avait la connaissance juste et intuitive de leur tempérament et accommodait spontanément son attitude selon leur émotivité, leur nervosité ou leur coopération. Le moindre changement chez l'un ou chez l'autre ne pouvait lui échapper. Il savait décrypter les variations dans l'excès ou l'effacement, même subtiles, qui donnaient l'alerte ou appelaient une mesure d'urgence. Parfois même, il les pressentait.

De leur fréquentation quasi continue, sans jamais les monter, naissait un accordage mutuel.

Arrivé à la hauteur du box d'Orion, il plaqua sa main contre les barreaux. L'immense cheval vint délicatement humer son odeur. Le vieux Stanislas tenait à cette bête, confiante et sensible, avec laquelle il se permettait moins de prudence qu'avec certains plus jeunes et plus fougueux. Neuf ans qu'ils se connaissaient. Une bête magnifique ! Ce matin, les rayons rasants du soleil illuminaient le reflet fauve et chaud de ses poils. Le seul de cette couleur à l'écurie. Sa robe noire pangarée, sans taches ni en-têtes, était particulièrement belle, remarqua-t-il.

Avant de s'atteler au nettoyage quotidien des litières où il retirerait les souillures puis rempaillerait, il ferait son second tour pour la distribution de la première des trois rations de la journée.

Ce n'est que lorsque le vieux Stanislas pénétra dans le box avec son foin et son seau de granulés qu'il aperçut le corps recroquevillé de Lucie endormie à même la paille au pied de l'imposant animal. La masse du cheval, ses cuisses musclées et ses jambes interminables la rendaient minuscule.

Il connaissait cette gamine pour l'avoir repérée parmi les nombreux cavaliers qui fréquentaient le centre. Elle venait souvent, depuis longtemps, se dit-il. Elle ne passait pas inaperçue. Lorsqu'elle faisait irruption dans l'écurie, elle apportait une vivacité, un élan et une joie de vivre communicatifs. Elle faisait partie de celles qui étaient restées au-delà d'une tocade, au-delà du rêve éphémère des petites filles pour l'équitation. Il l'avait vue grandir, passer des poneys aux chevaux et s'enhardir sur des obstacles aux barres de plus en plus hautes. À l'observer de loin, il la voyait longuement chuchoter aux animaux, les caresser sans crainte ni retenue et les panser sans compter son temps. Il l'apercevait encore en fin d'après-midi, entourée de quelques autres, perchée sur les rambardes en bois de la carrière, le rire haut, ne quittant pas des yeux les quelques chevaux qu'il ramenait de la prairie après un moment de détente. Il lui attribuait, sans la connaître, un intérêt pour ces bêtes plus que pour l'équitation. Un peu à son image. Une part de cette jeune fille lui ressemblait.

Impossible de se rappeler son nom.

Peut-être ne l'avait-il jamais su comme celui de la plupart des cavaliers, hormis de quelques propriétaires, ceux qui avaient à redire, ceux qui pinaillaient pour un rien, souvent les mêmes, pas toujours les plus présents pour leur cheval ? Avec eux, il écoutait les doléances, gêné, sans comprendre ni pouvoir répondre. Avec les autres, ce n'était jamais lui qui cherchait le contact contrairement à son jeune collègue Loïc qui, pris dans ses vingt ans, avait bien d'autres sujets de discussion que le club ou les chevaux.

À l'inverse, peu de personnes auraient pu nommer le vieux Stanislas. Son prénom, peu banal pourtant, ne s'inscrivait pas dans les mémoires. Lorsqu'on avait besoin de parler de lui, on disait juste « le vieux palefrenier ». De prime abord, les nouveaux adhérents étaient frappés par le physique de ce petit homme, sec, ridé, au teint buriné par les travaux extérieurs et aux mains calleuses, larges et épaisses. Puis rapidement, ils le fondaient dans le décor. Les gens le voyaient manier la fourche ou le balai, charrier le fumier, soulever des sacs de fourrages et entretenir les cuirs, ce qui n'empêchait pas qu'ils l'oubliaient. Les propriétaires n'imaginaient pas leur cheval en relation étroite, essentielle et affective avec cet homme si présent à leur insu.

Le vieux Stanislas était fondamental et invisible pour tous.

Orion s'écarta pour laisser passer le palefrenier. Sans le quitter des yeux, il regarda sa main se poser sur l'épaule de la jeune fille. Lucie résistait corps et âme au réveil comme s'il n'était pas dérangeant que les choses en restent là et que ce sommeil, finalement, soit le dernier.

D'instinct, le vieux Stanislas fit ce qu'il savait faire. Comme avec les nouveaux pensionnaires effarouchés par un premier contact humain, ceux qui faisaient tout en désordre, encore non débourrés, il imposait sa présence. Patient, il prenait le temps nécessaire au jeune cheval pour se risquer à la relation.

Il s'assit aux côtés de Lucie.

Il attendit.

Un long mutisme succéda au sommeil. À sa sortie, elle livra un numéro de portable.

10

Dès l'appel, Michel s'en voulut terriblement.

Pourquoi n'avait-il pas pensé au centre équestre ? Que Lucie s'y réfugiât lui parut maintenant une évidence.

Savoir enfin où était sa fille chassa son inquiétude qui avait pris des proportions colossales lors de sa nuit blanche. Il avait marché, couru, roulé, scruté les rues, les places, les abords des bars et de la gare, les jardins de la ville et les berges des cours d'eau. Guidée par l'angoisse, sa recherche n'avait pas été rationnelle. Son élan l'avait porté jusque dans des quartiers où il n'avait jamais mis les pieds, dans des impasses et des ruelles étroites dont il avait eu du mal à s'extirper, piégé par les sens circulatoires.

Martha n'avait pas été en état de l'accompagner.

Lucie n'avait donné aucune réponse à ses messages.

Au fil des heures, son imaginaire avait torturé Michel. Ne rien savoir avait déclenché l'idée du pire. Des scénarios les plus fous lui avaient traversé l'esprit. Lucie, au fond d'une cave, agressée, blessée, esseulée, tapie dans un recoin improbable, impossible à secourir. Sa fille, naïve, séduite par un beau parleur qui lui aurait voulu du bien avant que le masque ne tombe et qu'il ne se révèle un prédateur redoutable. Ou encore, son enfant, perdue, dans l'illusion d'une entraide et d'une chaleur humaine trouvées dans un squat délabré au sol jonché de seringues souillées et de bouteilles cassées.

Le capitaine à l'hôtel de police s'était montré rassurant. Il avait affirmé à Michel, statistiques à l'appui, que la plupart des jeunes étaient retrouvés dans les quarante-huit heures et que beaucoup rentraient spontanément chez leurs parents. Tout de même, ce policier n'avait pas été tranquille, touché par ce père qui ressemblait peu à ceux qu'il rencontrait en de telles circonstances. Quelqu'un de bien sous tous rapports, avait-il pensé, quelqu'un qui faisait partie du même monde que le sien.

À y réfléchir, peu de pères venaient, c'étaient plutôt les mères qui se déplaçaient. Des mères effondrées, aux larmes qui entravaient les mots ce qui brouillait le recueil des informations. Certaines à l'immaturité déconcertante, avec lesquelles il pouvait déborder dans des jugements à l'emporte-pièce. Quelques autres vindicatives, violentes envers la police ou leur enfant.

Et puis cette fillette, treize ans et trois mois, avait-il calculé très exactement, presque l'âge de ses enfants. Sur la photo, elle ne ressemblait pas aux fugueuses habituelles, à ces jeunes à la dérive. Pas plus aux délinquantes. Certaines en étaient à leur énième fugue. À force de les côtoyer, le capitaine finissait par les connaître et parfois il perdait patience. Mais elles ne l'inquiétaient pas de la même manière.

Pris d'empathie, il avait noté scrupuleusement la description de Lucie, les coordonnées des proches où elle aurait pu trouver refuge, celles des parents d'Elsa, de Claire, de Christine, mais aussi celle de la grand-mère dont le domicile était pourtant à quarante kilomètres. On ne savait jamais, avait-il commenté. Il avait l'expérience de certaines fugueuses retrouvées à l'autre bout de la France. Et avec ses collègues, il s'était étonné, à chaque fois, qu'elles n'aient pas été interpellées au cours de leur long périple.

Le contexte ne lui avait pas permis de déclencher la procédure d'une « disparition inquiétante » ni celle « d'une alerte enlèvement », mais il s'était empressé de saisir le parquet. Le capitaine avait fait le maximum en son pouvoir : la transmission de son signalement aux patrouilles de nuit.

Malgré cela, il n'avait pu se résoudre à laisser ce père seul. Avec insistance, il lui avait demandé d'être prévenu personnellement à la moindre nouvelle. Il lui avait assuré de le recontacter dès le lendemain matin.

Savoir que Lucie se trouvait au centre équestre coupa court au drame. Pas de réelle rupture ! Elle était restée en un lieu familier, elle ne s'était pas écartée de son univers. Michel en était rassuré. La fugue perdait de sa force et se transformait en un découcher à la résonance moins alarmante.

Il sauta dans sa voiture. Le trajet, maintes fois emprunté, prit moins de temps que d'habitude. Il trouva Lucie dans le box d'Orion qu'elle n'avait pas quitté.

Lorsque sa fille franchit la porte de l'appartement, Martha garda ses distances. Elle ne sut que dire ni comment réagir. Tout au plus comprenait-elle qu'il n'était pas le moment de se parler.

Fantomatique, Lucie avait le visage inexpressif, le regard éteint, les cheveux défaits. Elle était sale et sentait mauvais. D'un pas lourd, elle rejoignit sa chambre pour se coucher sans prendre la peine de se déshabiller.

L'odeur des dernières heures l'enveloppa deux jours et deux nuits. Une odeur âcre et acide. Une odeur de suint, de foin et d'ammoniac. Une odeur animale qui la rassemblait.

11

On aurait pu voir un acte initiatique dans l'évènement du rouge à lèvres s'il n'avait pas été autoproclamé. Pour Lucie, il signa un virage fondamental. L'épisode du compas et les démêlés avec la prof d'anglais n'avaient été que des détours qui l'avaient écartée un temps du chemin tout tracé. La route empruntée aujourd'hui était vierge. En seul maître d'œuvre, Lucie frayerait une voie, pas-à-pas, jamais au-delà, sans plan et sans itinéraire. Maintenant, elle franchissait une porte. Ce premier pas annonçait que tout autre deviendrait possible et se réaliserait avec une facilité déconcertante. L'acte insignifiant et déterminant bousculait les places qui ne seraient jamais pareilles. Tout retour en arrière serait définitivement perdu.

Lucie ne voyait plus sa mère qu'en surface : un détail, une attitude, un souffle, un regard détourné, une moue. Sa maniaquerie, plus que tout autre de ses travers, l'horripilait. La réaction de Lucie était immédiate, épidermique. Elle ne loupait pas la façon de lisser sa robe lorsque Martha s'asseyait, de positionner le photophore sur la table du salon et les trois coussins sur le canapé – deux à gauche, un à droite –, d'ordonner ses livres sur l'étagère afin que leurs dos s'alignent très exactement, à l'endroit, pour faciliter la lecture des auteurs et des titres, de retoucher l'arrangement des fleurs, sa paume épousant délicatement chaque corole en s'y attardant, d'aérer pièce après pièce dans un ordre immuable chaque jour, de soigner le cuir des chaussures mêmes impeccables, d'entretenir les boiseries de la maison avec du baume d'antiquaire les dimanches matin…

Lucie relevait tout et n'importe quoi avec moquerie et mépris sans accepter aucune remarque en retour. Non seulement elle était aux aguets des faits et gestes de sa mère, mais elle attisait les tensions. Elle semait le désordre. Dans la salle de bain en particulier, elle touchait aux crèmes, déplaçait les flacons sagement disposés sur la petite étagère et arrosait sans ménagement le carrelage. Elle semblait chercher l'irritation de Martha, la provoquer, viscéralement, non sans un certain plaisir.

Cette dernière restait figée dans une incompréhension qui l'empêtrait. Les mots et les actes de sa fille la blessaient. Elle n'y voyait que des attaques. Tout au plus, elle n'y répondait pas et pensait prendre sur elle pour préserver leur relation dans l'attente d'un jour meilleur. En réalité, elle l'évitait.

Martha n'était pas seule à subir. Les filles de la classe en prirent pour leur grade. Finies la séduction, la recherche de fausses connivences et les discussions aux allures de joutes verbales où Lucie excellait. Elle était passée au dédain, au jugement et à l'humiliation. Pour elle, les autres étaient devenues banales, stupides et infantiles.

Seule Gabrielle se démarquait du lot. Cette jeune fille, admirable et sage, cristallisa la haine de Lucie. Brillante, déléguée de classe sur trois années successives, Gabrielle avait un don inné pour proposer, organiser et rallier les élèves, les enseignants et la direction du collège à ses idées. Spontanément à l'aise, elle n'était aucunement impressionnée par les adultes contrairement à d'autres qui restaient encore en proie aux relations dissymétriques de leur enfance. Elle osait, interpellait, faisait des courriers, bref elle manageait sans jamais s'écarter du politiquement correct.

« Une future DRH, comme sa mère » s'était dit Lucie.

Gabrielle et sa mère se ressemblaient.

Toutes deux, grandes, fines et blondes, des cheveux épais, une coupe plongeante en pointes tombant sur les épaules, des vêtements conformes à leur statut social. Le même style branché, urbain et la même assurance.

« Des clones », avait conclu Lucie avec mépris lorsqu'elle les avait croisées dans les couloirs à la rencontre parent/prof. Les bribes de complicité qu'elle avait cru percevoir entre elles lui étaient détestables.

Mais chacune de ses attaques glissait sur cette fille. À défaut d'atteindre sa cible, sa rage enflait.

Une grande solitude résulta de ses manœuvres. Même Elsa, le chien fidèle, s'écarta lorsque Lucie tenta de lui faire goûter l'ivresse d'une transgression.

Une supérette venait d'ouvrir à proximité du collège, emportée par la vague de reprise des petits commerces de proximité. Les propriétaires avaient pressenti une affaire porteuse dans ce beau quartier où les habitants fuyaient les supermarchés. Ils accueillaient avec plaisir les collégiens comme une part non négligeable de leur chiffre d'affaires. Il y avait ceux qui échappaient à la cantine et ceux, régressifs, qui se jetaient sur les sucreries en tout genre.

Lucie mit Elsa au défi d'y chaparder un paquet de cookies. Les conditions étaient favorables. Un flot d'élèves, bruyants et agités, emplissaient le magasin. La caissière se trouvait fortement occupée par une queue qui ne cessait de s'allonger à la sortie des cours et l'employé réapprovisionnait les rayons clairsemés en cette fin d'après-midi.

Fascinée par Lucie, Elsa osa.

Au coin de la rue, elle paniqua.

Lorsqu'elle dévoila le paquet dissimulé sous sa veste, elle fut d'abord surprise d'être en possession de l'objet interdit. Ensuite, bien loin du plaisir attendu, une bouffée de culpabilité l'envahit, intense et incoercible. Aucun biscuit ne put franchir sa gorge. L'évènement n'allait pas être anodin pour elle. Il ne passerait pas facilement pour un faux pas ou une simple expérimentation adolescente. Elsa continuerait quelque temps à en payer le prix. Sa mémoire ne remplirait pas sa fonction d'oubli et elle ne serait jamais totalement tranquille en y songeant. Qu'en auraient pensé ses parents ? se disait-elle. Eux qui prônaient des valeurs humaines. Sans rigidité, mais avec intégrité. L'acte gratuit ne pouvait être toléré dans sa famille même si l'empathie pointait envers ceux pour qui le vol était un moyen de survie.

Son propre acte produisit la fracture.

Elsa n'eut pas peur d'elle-même, elle eut peur de Lucie.

À cette période encore, Lucie quittait peu le collège où elle passait une grande partie de son temps à l'infirmerie. Les enseignants perdaient leur crédit, à l'exception, peut-être, de madame Gravelle chargée des « Sciences de la Vie et de la Terre ». Cette prof lui avait affirmé à la fin d'un cours, sans détour ni témoins, les yeux dans les yeux, qu'elle comptait sur sa présence alors que ses collègues ressentaient du soulagement lorsqu'ils constataient sa chaise vide. Madame Gravelle l'attendait, Lucie en était persuadée. Pour cette femme, elle n'était pas une fille parmi d'autres, une élève fondue dans la masse, l'élément d'un tout, mais quelqu'un d'unique, une personne au statut à part. Pour le reste, l'adolescente se permettait des écarts à son emploi du temps. Ne pas avoir l'envie de se coltiner l'enseignant ou sa matière suffisait. La décision se prenait sur l'instant.

Sans quitter les lieux, elle allait alors accrocher l'oreille sensible de l'infirmière.

Celle-ci entendit d'abord des horreurs. La mère de cette élève la questionna. Une mère si peu concernée par sa fille, aux propos blessants, empêtrée dans des préoccupations qui occupaient son temps sans réaliser que la vie était ailleurs ? Une mère aveugle et sourde à la détresse de son enfant ?

L'infirmière savait que les drames familiaux, parfois glauques, n'étaient nullement réservés aux familles « à problèmes » comme on disait rapidement, à ces familles prises dans la nécessité d'assurer le minimum des besoins fondamentaux avec des parents en marge d'une place sociale ou d'une attitude parentale attendue. Ces familles cabossées étaient juste plus visibles que les autres dont les souffrances restaient facilement cachées. Elle en avait l'expérience.

Dans son petit local où l'intimité était de mise, elle avait souvent été la première à entendre. Il y avait eu le cercle infernal des sévices portés à un jeune homme par des parents aux exigences de réussite scolaire démesurées ; la terreur d'une adolescente, confuse et tremblante, au lendemain d'une nuit d'insomnie où elle s'était faite toute petite dans sa chambre, aux aguets des cris de sa mère sous les coups de son père ; les mots déchirants d'une autre sur un divorce sans ménagement… Des parents notables, médecins ou chefs d'entreprise. Des universitaires ou hauts fonctionnaires. Pas d'enfance dorée garantie à ces élèves, l'infirmière le savait.

Elle avait même recueilli les révélations d'un inceste. Cet évènement s'était inscrit dans sa carrière, ineffaçable et perturbant. D'abord prise dans l'irreprésentable des faits, qui aurait voulu qu'elle enfouisse les mots dans une construction imaginaire, elle avait fait son travail et porté secours à ce jeune élève qui n'était qu'en sixième. Elle avait encore l'exacte mémoire de son nom et des mots qui avaient fini par surgir avec lenteur et peine. Depuis, elle s'était dit qu'aucune protection des enfants n'était assurée par un brillant parcours parental et leur statut social. Le drame intime y était juste, plus qu'ailleurs, difficile à entendre. Beaucoup d'adultes ne cherchaient même pas à y pénétrer.

Qui était la mère de Lucie ?

L'infirmière pensa à une femme animée de rejet, encombrée par sa fille et ses devoirs de mère. Une longue histoire peut-être ? Une enfant reléguée à une seconde place, accessoire et gênante en grandissant ? Une enfant perçue comme une rivale, une autre à détruire parce que l'adolescence rimait avec l'éclosion d'une féminité ?

Puis elle eut l'idée moins dérangeante d'une folle. Une femme qui souffrait de troubles mentaux qui gangrénaient la vie de sa fille. Des obsessions prenaient le dessus sur toute autre préoccupation. Un souci omnipotent de l'ordre, de la juste place des choses et par extension des autres. Un rapport dément aux objets qu'elle caressait plus qu'elle ne les rangeait et les époussetait. Une continuelle activité absurde et vaine qui l'empêchait d'être mère, qui contaminait ses relations aux autres, réduits à leur désordre.

« Ma mère ne m'aime pas. D'ailleurs, elle n'est pas ma mère » furent les phrases de Lucie qui révisèrent radicalement le jugement de l'infirmière.

Pour la première fois, elle entendit parler d'une adoption. Évidemment, cela pouvait perturber la fille. La mère aussi. Tout un champ d'hypothèses et d'interprétations s'ouvrit.

L'infirmière se souvint de les avoir rencontrées toutes les deux, il y a bien longtemps déjà. Cette mère avait été affolée par les scarifications de sa fille. Puis, plus rien jusqu'à aujourd'hui avec cette adolescente maintenant en quatrième et la résurgence d'un mal-être.

Touchait-on enfin le fond du problème ?

Il fallait de nouveau qu'elles se parlent, décida-t-elle.

12

Il y avait un moment que Martha n'avait pas mis les pieds dans l'enceinte du collège. Ses dernières venues lui avaient rappelé les manquements, les égarements et les attitudes inadmissibles de Lucie. Lors des derniers rendez-vous, les enseignants avaient changé de ton. Un discours jugeant et injonctif avait remplacé la reconnaissance des atouts de leur élève et la recherche de solutions.

Depuis, toute remarque la blessait, l'atteignait dans son corps et dans ses tripes, la laissait sans mots dans l'échange. Dans les mises en cause, Lucie et elle-même se confondaient. En sortant des entretiens, le poids avait été un peu plus lourd à porter.

Dans un tel contexte, Martha ne s'était plus représentée comme parent d'élève aux conseils de classe. Elle ne pouvait assumer le risque d'entendre une fois de plus les entorses et les transgressions, les reproches et les plaintes. À sa dernière réunion, elle s'était sentie dévisagée par ceux qui, avec curiosité ou suspicion, s'interrogeaient sur la mère de cette gamine. Elle ne pouvait plus entendre non plus les réussites et les efforts des autres élèves. Cela aussi l'agressait.

Le statut de l'infirmière, en marge du collège et décalée dans sa fonction, suscitait moins de réticences. Le lieu même, avec son entrée directe dans un bâtiment sans salles de classe et l'étroitesse du local qui créait une intimité, facilitait la démarche. Martha se souvenait de cette petite femme sensible et avenante qui avait soigné sa fille. Celle-ci n'avait pas dramatisé une situation qui ne s'était plus reproduite depuis.

La question de l'adoption fit son effet.

L'infirmière était diplomate.

Sans reprendre les mots durs de Lucie, elle parla de son « impression » de ne pas avoir suffisamment d'affection, puis d'un « sentiment » lié peut-être à son parcours d'adoption. Elle apprit à Martha que Lucie était confuse, qu'elle ne livrait que des bribes d'histoire difficiles à comprendre, désordonnées et fractionnées par des pans de vie exempts de souvenirs. Lucie ne savait ni le nom de sa mère biologique ni l'âge auquel elle avait été adoptée.

De l'épisode du rouge à lèvres à sa rencontre avec l'infirmière, Martha était restée en suspens. Une torpeur l'envahissait au point de paralyser sa pensée. Avec ce qu'elle venait d'entendre, un petit mouvement devenait possible. Ces phrases produisirent l'effet d'une lueur perceptible dans l'obscurité. Un premier point aperçu, une direction où s'orienter, une route à suivre dans une nuit noire et compacte comme pour le marcheur perdu, seul et isolé en haute montagne. Un signe pour reprendre corps et esprit. Enfin, Martha pouvait s'accrocher à un bout de fil, pensant qu'il mènerait à un début de compréhension.

Toutes ces années, l'adoption n'avait pas été un sujet tabou, un évènement à cacher, comme on aurait pu l'imaginer pour d'autres parents en crainte qu'une hypothétique souffrance ne se réveille chez leur enfant, ou inquiets de se sentir illégitimes à ses yeux. Simplement, l'adoption s'était effacée de leur réalité. La mémoire de cette histoire n'émergeait pas. Ni Lucie, ni Michel, ni elle n'avaient eu l'idée d'en parler. Il y avait eu tellement d'amour et de satisfaction dans ce qu'ils avaient construit à trois que le temps d'avant, celui de leur vie menée en parallèle, sans se connaître ni se croiser, avait perdu de son existence.

Il en restait des petits signes qui n'eurent pas une fonction de rappel. Le jour d'arrivée de Lucie à leur domicile s'était confondu avec celle de sa naissance si proche en date. Et « Magdalena » passait pour une originalité, un deuxième prénom donné par des parents qui l'auraient pensé difficile à porter en première place.

Ils n'avaient pas nié. Mais, tout naturellement, la question s'était évaporée.

Martha n'avait jamais imaginé que pouvait s'y loger un problème.

Elle se souvint des cartons empilés des mois dans le bureau de Michel. Après leurs années d'oubli, elle se remémora avec précision le mal-être qu'ils avaient suscité. Un malaise responsable de son indécision à savoir qu'en faire. Ces cartons l'avaient encombrée.

Prise dans l'installation de sa fille à la maison, Martha avait tenté un rangement dès son arrivée. Après le premier carton des affaires scolaires, un autre renfermait une housse de couette aux couleurs bariolées à l'effigie d'un personnage de dessin animé, une paire de bottes vertes à têtes de grenouille, et une dizaine de tee-shirts aux couleurs vives et aux motifs enfantins. Certains étaient pailletés. Les objets l'avaient mise mal à l'aise alors que Lucie avait explosé de plaisir à la vue de cette housse de couette au point qu'il avait fallu changer les draps dans la foulée. Sans la moindre remarque, prenant sur elle, Martha l'avait suivie dans la chambre pour refaire le lit. Puis, elle avait refermé le carton sur les affaires.

Après les grandes vacances, elle s'était attaquée à un autre des cartons. Seule, cette-fois, dans l'attente de la sortie des classes : encore des habits, puis des DVD.

Le premier qu'elle avait visionné montrait Lucie avec trois ou quatre gamines du même âge dansant face à l'objectif, gros pompons de fils bleus et blancs en main. Chacune des fillettes avait l'air de faire sa propre chorégraphie, certaines observaient les autres pour tenter d'imiter leurs mouvements. On distinguait des barrières, certainement un stade… Une compétition sportive ou une fête de village ? s'était interrogée Martha. Lucie, qui semblait avoir quatre ou cinq ans, tournoyait, nullement impressionnée par la caméra ni par la foule qu'on apercevait en arrière-plan. Elle était radieuse, le sourire éclatant.

Fin de la scène.

Ensuite, les images d'un méchoui. Lucie attablée avec un groupe d'enfants et d'adultes qui paraissaient bien se connaître. Lucie toute en rires, affichant des grimaces à l'attention du caméraman.

Curieuse expérience pour Martha !

Elle avait arrêté le lecteur pour y introduire un second DVD. Elle y avait vu un bébé, tout juste en âge des premiers pas. Le corps pataud, la marche balancée de droite à gauche et les coudes relevés à la recherche d'un équilibre, Lucie s'éloignait en direction d'un mur où apposer ses deux mains potelées. Une voix hors champ l'encourageait et s'extasiait. Une voix de femme. Lucie s'était retournée pour faire demi-tour vers celle qui lui parlait. Du même pas tanguant, souriante, babillant, et visiblement fière de son exploit, elle s'était approchée de la caméra pour y poser un gros doigt et obstruer une partie de l'objectif.

Alors Martha avait appuyé sur « stop ». Elle n'était pas allée plus loin. L'enfant était sa fille et elle n'était pas sa fille. Étrange et douloureux sentiment.

Après cette journée, les cartons étaient restés en sommeil. Toujours dans le bureau de Michel, ils avaient fini par se fondre au décor. Le grand déblaiement n'avait eu lieu qu'au début de l'été suivant, après le jugement, après une année d'immobilisme tenace. C'est Michel qui avait poussé à la tâche et alors, à deux, ils s'y étaient attelés.

Chaque carton contenait pour moitié des habits afin d'en alléger le poids. Les chaussures et les vêtements avaient eu une destinée facile. Le temps passant, Lucie, ne pouvait de toute façon plus les mettre. Leur bon état avait permis un don à la Croix-Rouge.

Ce fut plus compliqué avec les jouets. Ils étaient nombreux, pour beaucoup plus en rapport avec l'âge de leur fille. Même deux, trois de premier éveil.

Des souvenirs ? s'étaient-ils demandé.

Carton après carton, ils étaient tombés sur une boîte à chaussure emplie aux trois quarts de petites figurines et de minuscules jouets trouvés dans des œufs en chocolat, sur les déguisements de plusieurs fées, puis sur tout un ensemble de babioles dans des enveloppes et des coffrets : des coquillages, des chouchous à cheveux, de la colle à paillette, un galet et des cailloux, des bricolages en pomme de pin ou en pâte à sel.

Des petits trésors d'enfant ?

Martha avait été remuée. Michel avait décidé.

Ils avaient fait le tri pour ne conserver qu'un carton de jouets et de petits riens au cas où leur fille les réclamerait. Un autre fut spécifiquement dédié aux affaires scolaires : une grande pochette format A3 confectionnée avec une chute de papier peint au motif fleuri qui portait la mention dans une écriture ronde de la *Petite section de maternelle*, le classeur et les feuilles libres des années suivantes aux exercices et aux dessins plus élaborés et trois photos de classe. Les deux cartons avaient été descendus à la cave où ils devaient être encore.

Ils avaient terminé le rangement en réfléchissant un bon moment à ce qu'il convenait de faire des DVD, des deux albums photos, annotés de dates, de lieux et d'anecdotes qui montraient leur fille grandissante avec sa famille d'accueil, mais aussi avec d'autres personnes qui leur étaient inconnues. Et surtout, que faire de cette boîte à chaussure estampillée de « Souvenirs » ?

Les albums et DVD rejoignirent l'étagère du bureau de Michel, et la « Boîte à Souvenirs » fut placée dans le tiroir bas de la commode de la chambre de leur fille.

Ils n'avaient rien jeté de ces traces d'histoire.

Pour ces objets pas comme les autres, Martha se souvint s'être appuyée sur les conseils du Service des Adoptions.

Ils n'y étaient jamais retournés.

À cet instant, la remémoration des cartons fila et un nom resurgit à sa conscience : « Madame Lecourt ! ». Elle s'étonna de l'acuité de sa mémoire. Ce nom lui revenait avec précision, sans hésitation, sans avoir été prononcé depuis si longtemps. Sept années d'oubli, calcula-t-elle. Leur dernière rencontre datait d'avant le jugement d'adoption. Cette assistante sociale leur avait lu son rapport et leur avait réaffirmé verbalement son avis favorable. Elle et Michel avaient eu l'oreille distraite en entendant l'offre de se revoir au cas où une quelconque question se poserait, pour eux ou pour leur fille. Les propos se référaient si peu à la réalité du moment.

Madame Lecourt, se répéta Martha. C'est elle qu'il fallait contacter.

Non seulement elle détenait une piste pour s'extraire des tourments, mais elle avait aussi un nom, une personne, un point de départ qui concrétisait, enfin, quelque chose à faire.

De retour dans son appartement, elle se précipita sur le téléphone posé sur la sellette du salon. Elle n'y trouva pas de numéro enregistré. Le répertoire rangé dans le tiroir du meuble ne le contenait pas non plus. C'est dans le bureau qu'elle tomba sur une petite carte de visite à l'entête du Service des Adoptions. Elle était glissée dans la grosse pochette que Michel avait réservée aux documents officiels de l'époque, sagement conservée depuis, en haut de la grande étagère.

13

Pourquoi pas ? s'était dit Lucie lorsque ses parents lui parlèrent de la consultation de son dossier au Service des Adoptions. L'idée rencontra une curiosité plus qu'une nécessité. Elle n'avait alors en tête ni questions, ni désir de savoir, ni crainte de devoir faire face à des révélations.

C'est en affichant du détachement qu'elle avait accepté de suivre sa mère.

Madame Lecourt avait vieilli. Son visage avait gardé une peau rebondie et des expressions que conservent étonnamment toute leur vie ceux qui s'occupent des bébés. Mais son corps s'était épaissi.

Il ne fallut que quelques minutes pour que madame Lecourt se souvienne de cette situation. Les adoptions tardives ne couraient pas les rues et la petite fille de l'époque avait été particulièrement attachante et drôle. Curieuse de savoir ce qu'elle était devenue, l'assistante sociale tenait à la croiser. Un peu anxieuse aussi de cette démarche, sept ans plus tard, que beaucoup n'entreprenaient jamais.

L'assistante sociale ne resta que dix minutes au rendez-vous, car elle venait d'apprendre le matin même qu'une femme s'était présentée dans une petite maternité sans décliner son identité. Elle avait de la route à faire et déjà les clés de la voiture de service en main. De toute manière, la procédure prévoyait la présence de sa collègue psychologue, madame Arnaud, pour tout mineur en demande de consultation de son dossier.

Avec déception, Martha vit madame Lecourt quitter les lieux.

Mère et fille prirent place autour d'une petite table ronde.

Pas de bureau, mais une proximité qui déplut immédiatement à Lucie. D'un mouvement brusque, elle éloigna sa chaise.

Martha parla sans silences, le regard braqué sur la psychologue. Les vannes grandes ouvertes, ses phrases sortaient en continu : son incompréhension, un grand bonheur toutes ces années, sa fille qu'elle ne reconnaissait plus, les mots de l'infirmière, le sabotage de son avenir, le besoin de Lucie de connaître ses origines…

Lucie ne laissa paraître aucune émotion. Ses yeux ne quittaient pas la grosse pochette cartonnée rouge posée sur le bahut bas de la pièce. Elle y déchiffra son nom. Bien huit centimètres d'épaisseur ! jaugea-t-elle. Huit centimètres qui parlaient d'elle.

Mme Arnaud entendit une mère qui prenait toute la place, qui parlait à la place de sa fille et ne disait rien d'elle-même. La plus grande prudence s'imposait.

Martha sortit de ce premier contact, emplie d'espoir. L'ordre dans les choses et dans la tête de sa fille pourrait revenir. Les démons qui animaient Lucie reprendraient leur juste place, celle d'un passé qui n'avait rien à voir avec elle. Sa fille pourrait se ressaisir.

Lucie en ressortit la curiosité attisée par cette pochette rouge qui n'avait même pas été ouverte. L'attrait pour l'objet avait chassé l'agacement ressenti en voyant sa mère s'épancher. Sans cet intérêt qui venait tout juste d'apparaître, elle ne serait peut-être pas restée. Les précautions de la psychologue qui avait parlé « du temps à prendre » et « de la nécessaire digestion des informations qui pouvaient remuer » avaient amplifié le phénomène. Ces écrits devaient être exceptionnels ! Elle se voyait un personnage au parcours mystérieux, sortant de l'ordinaire, à l'existence marquée d'évènements et de rebondissements qu'on avait pris soin de retranscrire feuille après feuille. Un personnage à la hauteur de l'épaisseur de la pochette. Elle n'avait jamais imaginé que, petite, son histoire ait pu susciter un tel intérêt.

La mère et la fille allaient remonter le temps, peu à peu, pas à pas, à rebours, côte à côte faute de réellement se croiser. Martha redécouvrirait des évènements aux souvenirs enfouis. Lucie connaîtrait ce qu'elle pensait ignorer.

Au second rendez-vous, le jugement d'adoption, les procès-verbaux du conseil de famille et les rapports sociaux et psychologiques du Service des Adoptions n'intéressèrent pas Lucie. Elle écouta d'une oreille les observations des uns et des autres relatant *un couple à la démarche réfléchie, au projet qui avait cheminé et persisté sur de nombreuses années, aux conditions matérielles et affectives réunies. Des parents attentifs. Un accordage à l'œuvre. Une petite fille prête à s'attacher. Des liens qui se créaient...*

Seule une image occupa son esprit. Elle revit précisément la façade de son immeuble telle qu'elle lui était apparue la première fois. Une façade immense. Cinq à six niveaux. En pierre de taille. Des ornements décoratifs sculptés. Une frise haute de tulipes reliait une fenêtre à l'autre. Une tête de femme surplombait la porte d'entrée. Avec ce doux et jeune visage et cette longue chevelure qui épousait la courbe de la porte de ses ondulations, Lucie avait été convaincue à ce moment-là que cette demeure logeait une princesse. L'émerveillement premier de ses cinq ans resurgit alors que ces détails architecturaux ne la frappaient plus. Ils étaient tombés dans une banalité qui n'attirait plus son œil depuis bien longtemps.

L'image s'arrêta à la façade sans franchir l'entrée pour laisser place à une autre, très brève celle-ci, la plus intrigante de son enfance. Un Égyptien de grande taille peint sur une fresque monumentale du rez-de-chaussée au dernier étage d'un l'immeuble. Il tenait une croix ansée dans une main, les pattes d'un vautour protecteur dans l'autre. On apercevait la femme du pharaon en arrière-plan, belle et gracieuse, dans un drapé blanc. Petite, Lucie s'était mise à rêver à la vie fantastique des occupants de cette demeure.

C'est à la troisième image qu'elle pénétra l'intérieur d'un édifice. C'était celui des bains municipaux, avec ses deux femmes en pierre qui accueillaient le visiteur à son arrivée. Enfant, leur nudité l'avait fait rire. Ensuite, son esprit circula de salle en salle. Chacune portait son lot de surprises : de petits chérubins potelés qui demandaient à lever la tête, des mosaïques dorées, des carreaux de faïence, bleu de Prusse, des décors en coquillages, le masque sculpté à l'air peu engageant qui marquait jadis l'entrée du territoire réservé aux hommes, une grosse vague représentée sur un vitrail.

Nulle âme qui vive dans ses images. Seuls des détails en pierre et en couleurs qui avaient suscité de l'étonnement et nourri son imaginaire sur la vie extraordinaire des habitants de la ville.

Pourtant, Martha avait été là. Leur complicité aussi. La mère avait partagé ces découvertes et ses connaissances dans un plaisir absolu face à l'intérêt et l'enthousiasme de sa fille.

Dans le bureau de madame Arnaud, Lucie était ailleurs, entière dans ses images. Elle avait déserté la table ronde où la revue des premiers documents se poursuivait.

Face à la mère tout ouïe et la fille distraite, la psychologue posa une question directe qui capta subitement l'attention de la jeune fille :

— Y a-t-il une chose qui te préoccupe plus qu'une autre ?

— Pourquoi j'ai été adoptée ? s'entendit dire Lucie.

Une question en guise de réponse. Immédiate. Sortie dans l'instant, sans le préalable d'un questionnement.

C'est alors que Sara refit surface.

14

Sara refit parler d'elle au moment où elle n'était plus.

Un peu comme à l'époque, où l'annonce de sa mort l'avait fait revivre parmi les siens. Elle avait remobilisé Rita sa mère, même si elle était très loin d'elle, au point de ne l'avoir pas vue pendant des années.

Entre Rita et Sara, c'était comme si rien n'avait été en phase entre elles, et ceci jusqu'au bout. La mère avait appris que le corps inerte de sa fille se trouvait à la morgue, sans identité et sans manifestation de sa famille depuis une quinzaine de jours – temps nécessaire aux recherches policières pour remonter jusqu'à elle.

Malgré tout, la mort de Sara rencontra une préoccupation que Rita n'avait pas lâchée contrairement à beaucoup d'autres principes qui lui venaient de sa famille et de sa culture : on ne laissait pas un mort et l'on avait le souci de ses funérailles. Quelles que soient les circonstances de sa disparition. Quels que soient les liens du temps du vivant.

Mais ce qui s'était passé entre Sara et sa mère, personne n'en savait rien dans le bureau de madame Arnaud. Dans un rapport social de cinq pages, seulement trois phrases relataient un contact avec un membre de la famille.

Une semaine après l'enterrement, un certain « Jimmy » avait donné l'information de la mort de Sara au Service de l'Enfance. « Je pense que vous devez savoir » avait-il dit au téléphone. L'écrit précisait qu'il s'était présenté comme étant le frère de la défunte, sans autres indications si ce n'est que sa voix était visiblement celle d'un jeune homme.

À cela s'ajoutait un article de journal découpé dans un quotidien local, glissé dans la pochette rouge. Un jugement au tribunal correctionnel y était annoncé pour le lendemain. Sur trois colonnes, l'affaire décrite mentionnait *les circonstances opaques du décès d'une jeune femme de vingt ans. Des éclaircissements étaient attendus au procès de la part des deux inculpés, âgés de 24 et 32 ans.* En quelques mots, l'article résumait un drame qui s'était déroulé dans l'appartement du plus âgé des deux hommes. La jeune femme était déjà décédée depuis au moins trois heures à l'arrivée des secours. Une forte dose de stupéfiants assortie d'une consommation d'alcool était relevée dans l'expertise médico-légale. *Quelle responsabilité pour chacun des deux inculpés présents dans ce même appartement depuis la veille ?* interrogeait le journaliste.

On pouvait lire aussi que leurs explications avaient été confuses et contradictoires. Leur état semi-comateux à l'intervention du SAMU n'avait pas arrangé la reconstitution des évènements de la nuit. *Ils se renvoyaient la balle.* Le plus âgé tentait de sortir son épingle du jeu et soutenait avoir fait son possible dans un moment de lucidité, *sur les coups de dix heures du matin, voyant que la jeune femme n'allait pas bien.* C'est lui qui revendiquait l'appel au service des urgences.

Dans le bureau, Martha eut du mal à entendre la lecture de l'article. Elle connaissait pourtant les circonstances de la mort de Sara. Elle en savait aussi son dénouement judiciaire : seize mois d'incarcération pour chacun des protagonistes pour non-assistance à personne en danger, faute d'avoir pu clarifier leurs rôles respectifs lors de cette nuit fatale.

C'est la toxicomanie qui ne la laissa pas tranquille.

À elle seule, elle symbolisait un monde à des années-lumière du sien, une femme radicalement différente d'elle-même avec sa vie marginale, semée de drames sordides. Une histoire aux antipodes de la sienne.

De son côté, Lucie avait toujours su que Sara était morte.
Elle savait, c'est tout.

Cette mort était un fait connu, une information plus qu'un évènement. Aucun souvenir du moment de sa mort ne lui revenait à la conscience. L'article lui en apprenait les circonstances. Elle les entendit comme on écoute une histoire ou comme on visionne un polar. Elle assistait, spectatrice, sans être prise dans la fiction.

La mort de Sara expliquait son adoption. Cela, elle le savait aussi.

— On ne laisse pas les enfants seuls, disait la psychologue. Ils ont tous besoin d'adultes sur qui compter.

« Curieux » pensa Lucie en sortant de ce second rendez-vous. Du plus loin qu'elle se souvînt, elle ne s'était jamais sentie seule.

Cette nuit-là, Lucie prit la boîte à chaussure dans le dernier tiroir de sa commode. Pour la première fois, l'inscription mentionnée sur le couvercle suscita une bizarrerie. « Boîte à Souvenirs » lui parut étrange alors qu'elle n'en avait aucun d'elle-même petite, aucun de Sara non plus. En revanche, les objets qu'elle contenait lui étaient parfaitement connus. Elle en avait fait l'inventaire à plusieurs reprises, seule dans sa chambre, à distance de Martha et de Michel. Elle avait manipulé les objets, les uns après les autres, sans vraiment s'interroger et s'émouvoir. Leur particularité était alors de n'appartenir qu'à elle. Des objets à part, un peu cachés, un peu secrets et, par là même, précieux.

Alors qu'il y avait un moment que cela ne lui était plus arrivé, elle procéda comme à l'accoutumée. Un à un, les objets sortirent de leur boîte pour prendre place sur le lit.

La photo de Sara en premier lieu. Un buste et un visage, cadrés de blanc, dans un format A6 obtenu vraisemblablement par la fonction « grand format » d'une photo-cabine. Un cliché que Sara avait certainement pris elle-même en se donnant un air de star, comme Lucie pouvait s'y essayer avec son téléphone. Des yeux de biche, un air mutin, une bouche qui embrasse l'objectif. Lucie la trouva belle, d'une jeunesse troublante. Sa ressemblance et leur proximité en âge la frappèrent. La racine foncée de ses cheveux blonds laissait supposer une couleur similaire à la sienne. Leur longueur qui s'étendait au-delà du cadrage restait indéterminée. Sa chevelure était rassemblée savamment du côté gauche du visage, dégageant l'oreille droite et sa boucle créole, un anneau doré d'au moins six centimètres.

Rien à voir avec Martha, qui lui apparut vieille et laide tout d'un coup.

Il n'y avait que deux photos dans la boîte. La seconde était celle d'une tombe. Pas de pierre tombale, mais un monticule de terre sur lequel étaient posées des fleurs, surmonté d'une croix sobre avec une inscription illisible. La photo était difficile à lier à la première, tout comme il avait été difficile à Lucie de trouver du sens à ses visites au cimetière. Elle se souvenait de quelques-unes, de la traversée d'une longue allée, du bouquet apporté, sa main dans celle d'un adulte. « Pat ? » se demanda-t-elle, étonnée brusquement de voir resurgir un prénom après tant d'années. Elle n'en était pas sûre.

Elle posa la tombe à côté de Sara puis se saisit d'un petit ours, minuscule, blanc, le cou enserré dans un nœud rouge. Il restait de tout temps enfermé dans cette boîte sans avoir rejoint la collection de peluches dormantes du coffre à jouets. Pourquoi ? Elle ne sut le dire.

Lucie s'intéressa ensuite aux lettres.

Au nombre de cinq, chacune dans son enveloppe. Elles renfermaient des phrases emplies d'amour et de cœurs dessinés. Cinq courriers sensiblement identiques avec, dans certains, quelques regrets suivis de promesses. L'écriture de Sara et sa signature portaient l'empreinte de son âge. Peut-être moins même.

Au fond de la boîte, Lucie trouva encore une petite croix dorée et sa chaînette. Puis, en dernier, un bracelet en plastique rose. À côté d'un code-barre, on pouvait y lire : *Magdalena – née le 25/07/2000.*

Les objets restèrent longtemps sur la couette. Lorsqu'ils reprirent place dans leur boîte et dans le tiroir, le jour n'allait pas tarder à se lever. Seule la petite croix sortit de sa cachette pour gagner le cou de Lucie et s'exposer au grand jour.

Cette fois, la revue des objets conservés depuis toujours n'avait pas été tout à fait pareille. Ils devenaient les morceaux d'un puzzle que Lucie assemblerait à sa manière. L'image qu'elle créerait serait iné-dite, non prédéterminée. Jusque-là, celle de Sara avait été pauvre, vide, constituée de bribes de ce qu'on avait bien voulu lui dire. Maintenant, elle allait devenir un personnage.

Dans sa construction, elle en entraînerait une autre, celle de Magdalena.

15

Un détail accrocha Lucie. Trois mots déterminants, enfouis dans la multitude de documents rassemblés dans le gros dossier rouge. Elle les capta lorsqu'il fut question, là encore, d'une recherche policière. Décidément, on n'avait pas cessé de chercher Sara. Insoumise, elle échappait. Bravant l'ordre, elle s'affranchissait. Et mystérieuse, elle n'était jamais là où on l'attendait.

Dans le bureau de madame Arnaud, il s'agissait alors de la procédure engagée pour retrouver une jeune mère qui avait quitté l'hôpital en y laissant son nourrisson.

Pas un lâchage ou un abandon pour Lucie, mais une femme qui s'était acquittée de son devoir, celui d'avoir enfanté. Le signalement du personnel hospitalier étayait d'ailleurs cette idée en mentionnant des regards et des gestes de cette mère envers son bébé. Cette seule observation suffisait. Pas de désintérêt ni d'indifférence de la part de Sara. Non seulement elle avait été capable d'accoucher, mais l'enfant qu'elle avait produit était en parfaite santé.

Lucie n'alla pas au-delà. Elle ne s'intéressa pas aux procédures engagées et aux documents à l'entête du ministère de la Justice qui notifiaient les décisions prises jusqu'au moment où il fut question d'une lettre.

Elle en reconnut l'écriture.

C'était un long courrier de Sara envoyé sept mois après sa naissance. Celle-ci expliquait sur deux feuilles à grands carreaux le souhait de voir sa fille, ses regrets à ne pas s'être manifestée jusque-là et l'espoir qu'on entende sa souffrance de mère. Sara détaillait sa situation actuelle où, en maison d'arrêt, elle construisait un projet de sortie pour un changement de vie qu'elle voulait avec sa fille. Les mots étaient touchants, la détresse palpable et poignante.

Martha aurait parié que sa fille avait connaissance de l'incarcération de Sara pour la première fois. Un peu inquiète, elle jeta un regard dans sa direction. Lucie ne semblait pas s'y attacher, elle n'avait pas l'air perturbée.

Pour Lucie, l'idée que Sara n'avait pas abandonné son enfant se confirmait.

Non seulement ce premier courrier avait répondu à une question, celle de l'identité de ce bébé laissé seul à trois jours de sa naissance, mais aussi, il en avait ouvert d'autres : *celle d'un contact possible ? Un ancrage peut-être ? Une nouvelle destinée encore embryonnaire ?* L'espoir de l'éducatrice du Service de l'Enfance était perceptible dans le rapport au juge des enfants où elle argumentait l'ouverture d'un droit de rencontre entre la mère et l'enfant.

À sa lecture, Lucie tomba sur les trois mots qui, à eux seuls, infléchiraient sa vie.

L'écrit reprenait les propos de la jeune femme. On y lisait une description de celle qui apparaissait encore une adolescente d'à peine dix-huit ans : *un physique effacé, maigre, un corps portant les stigmates d'un parcours où elle avait dû être bien malmenée (...) Sa reconnaissance à être entendue, mais aussi à être visitée alors qu'aucune personne n'avait sollicité de parloir.* Perdue dans sa vie et dans la jungle carcérale, elle désirait infiniment que l'avenir lui réserve enfin d'autres cieux. « *Une vie normale, avait-elle dit. Avoir la paix et de l'amour* ». La fin d'une spirale infernale qui lui collait à la peau depuis ses quinze ans.

« *Son origine gitane* » apparaissait dans le rapport alors que l'éducatrice revenait sur son départ de la maternité. C'était l'argument qui avait empêché Sara de prendre ses responsabilités. Une origine sans concessions. On l'avait mise au ban de sa famille. Cela n'avait pas été une nouveauté, cela faisait longtemps qu'elle en était rejetée. Mais, assumer un enfant dans les circonstances du moment aurait été le coup de grâce en quelque sorte. Il aurait signé la rupture irrémédiable d'avec son clan.

Aujourd'hui, était-il rapporté, *elle voyait les choses autrement. La prison la faisait réfléchir. De toute façon, là encore, personne ne s'était manifesté. L'important était maintenant de penser à elle et à sa fille et surtout de lui donner ce qu'elle n'avait pas eu.*

Lucie ne retint pas la pauvre fille au parcours chaotique, abimée par la solitude et la drogue, mais « la Gitane ».

Sara avait été une mère qui avait pris soin de la fabriquer comme il se doit, avec l'attention qu'elle naisse correctement, sans tares, sans imperfections du corps et de l'esprit. Elle l'aimait, prévoyait de s'occuper d'elle et d'être encore à ses côtés si la mort ne l'avait pas fauchée trop vite, trop tôt.

À ce rendez-vous, Lucie réalisa que le sang de Sara coulait dans ses veines. Plus tard, elle en ferait secrètement une héroïne, en prison parce qu'elle se moquait des lois et des conventions sociales. Le personnage prendrait corps. Fort, puissant, ardent.

Martha était rassurée. L'adoption prenait tout son sens.

Sa fille peu loquace au premier abord, posait maintenant des questions à madame Arnaud. Le tableau dressé par cette dernière menait logiquement au constat d'une adoption qui avait indubitablement été une chance pour Lucie. Une autre vie, un autre avenir que celui qu'on pouvait s'imaginer sans le décès de Sara. Cette pensée raviva une pointe de culpabilité qui ne l'avait pas laissée tranquille tout au début de leur rencontre. D'une adoption motivée par la mort d'une autre au désir de sa mort, on n'était pas très loin. Vite, elle s'interdit d'y penser.

Pour l'heure, les choses avançaient même si Lucie lui parlait peu. Les phrases blessantes n'étaient plus si vives.

Dans cet élan, Martha ne comprit pas pourquoi son corps refit des siennes. Bien que la petite grosseur apparue sur son flanc gauche ne fût qu'un évènement fugace, elle ne s'étonna pas d'apprendre qu'un dérèglement de ses cellules recommençait. C'est le moment choisi qui la surprit.

Pas maintenant, freina-t-elle. Pas en cet instant où elle s'engageait dans une démarche, où elle allait de l'avant avec sa fille, où elle la retrouverait. Il n'était pas question qu'elle vacille.

Après deux ans de calme plat, le mal sournois changeait de lieu et de tactique. Le nodule quittait la peau pour se loger cette fois-ci à l'intérieur du corps et plus précisément en son sein gauche. Il ne se contentait plus d'effleurer la surface, mais la pénétrait.

Sa petite taille, inférieure à deux centimètres, pesa dans la balance pour décider une première intervention chirurgicale afin de prélever et d'analyser de petits ganglions au plus près du sein. Ils permettraient d'évaluer l'ampleur des dégâts. Leur nom même de « ganglions sentinelles » la préservait, avait-elle envie de croire. Leur attribut guerrier symbolisait une défense de son corps, une possible lutte à mener pour ne pas étouffer son sursaut d'optimiste.

Martha ne voulait surtout pas entacher ce qu'elle voyait se dégager.

Lucie – Magdalena

1

Madame Skalowky prit le dossier sur le haut de la pile qui encombrait son bureau. Avant tout premier rendez-vous pour une admission, elle aimait se remettre en tête les évènements marquants des situations, leur déroulement et l'histoire de leur cheminement jusqu'à elle.

Elle ouvrit la pochette des documents transmis par la Cellule de Recueil des Informations Préoccupantes pour une rapide lecture en diagonale :

Lucie, 15 ans. Fille unique... encore un placement tardif, pensa-t-elle immédiatement. *Un père notaire, une mère au foyer, des études universitaires.* Une adresse, celle d'un beau quartier de la ville.

Dans le jugement de placement, elle lut entre les lignes l'exaspération du juge face à cette gamine qui était restée butée et fermée en première partie d'audience avant de quitter le bureau sans y être invitée, claquant la porte de surcroît. Elle devinait aussi une certaine compassion du juge pour les parents.

Un premier clignotant en sixième... Deux ans plus tard, un signalement de l'Éducation nationale pour une déscolarisation perlée, une attitude insolente et irrespectueuse envers les enseignants. Après sept mois, un second signalement, toujours de l'Éducation nationale, pour un décrochage scolaire total. Le redoublement de la classe de quatrième. Une élève absente du collège depuis la rentrée de septembre. À ce jour, une année pleine de déscolarisation.

Pourquoi avoir attendu si longtemps ?

Pour madame Skalowky, bien d'autres situations avaient soulevé cette question : des partenaires frileux ? Une difficulté à traiter face à des parents dont le statut social pouvait impressionner ? Une proximité qui rend complexe le soutien d'un regard professionnel ?

Le document suivant datait du mois dernier. Une éducatrice d'Action Éducative à Domicile donnait des éléments sur l'ampleur du problème. Son rapport de fin de mandat reprenait son année d'intervention dans la famille.

Une situation qui se dégrade depuis deux ans et demi. Une histoire familiale marquée par une adoption tardive, à l'âge de cinq ans (...) Une absence de difficultés scolaires, éducatives, relationnelles et psychologiques décrite par les parents jusqu'en cinquième. Une élève brillante jusqu'alors. Une chute des résultats au collège et une déscolarisation progressive depuis. Un premier signalement qui a motivé une proposition d'Action Éducative à Domicile, acceptée par les deux parents.

L'hypothèse d'un père pris entre deux feux, celui de protéger sa femme, celui d'aider sa fille. L'attitude d'une mère sur laquelle il n'a pas été possible d'avancer : lâchage ou indisponibilité consécutive à une santé délétère ? (...)

Après une année d'exercice, le constat d'une insuffisance de la mesure au regard d'une absence d'évolution, des tensions massives et persistantes au domicile et des mises en danger récurrentes de l'adolescente.

La demande d'une judiciarisation dans l'espoir que la confrontation à une autorité forte puisse avoir des effets sur la jeune.

Une absence de rencontre, un constat d'impuissance, pensa madame Skalowky. L'éducatrice n'avait pu croiser l'adolescente qu'à trois reprises durant l'année. La jeune fille s'était soustraite aux rendez-vous et avait multiplié les conduites d'évitement. Par ailleurs, la violence envers sa mère et ses fugues allaient crescendo.

Cela n'allait pas être simple, se dit-elle. Les difficultés semblaient installées depuis des années. Lucie avait déjà 15 ans. Elle serait majeure dans trois ans. C'était bien court pour travailler des liens familiaux construits depuis des lustres sur le terreau d'une adoption. Qu'allait-elle pouvoir proposer ?

La sonnerie du téléphone interrompit ses pensées.

Les parents et leur fille se trouvaient déjà en salle d'attente.

Très vite, madame Skalowky reprit l'ordonnance. *Le juge concluait à une séparation familiale. Il demandait un éloignement de la ville et des fréquentations toxiques pour l'adolescente.*

Au moins, se dit-elle avec satisfaction, il n'envisageait pas un placement immédiat, mais il leur laissait trois mois pour tenter de travailler le projet.

Dossier sous le bras, elle fit un détour par le bureau de Marion. Toutes deux descendirent au rez-de-chaussée, espace dédié à l'accueil du public au Service de l'Enfance.

En entrant dans la salle d'attente, madame Skalowky s'étonna. À les voir tous les trois, personne n'aurait imaginé un couple avec leur fille. Rien ne faisait famille, pensa-t-elle. Aucune harmonie. Des styles vestimentaires opposés. Un physique, des traits et des attitudes dépourvus de ressemblances.

Elle n'alla pas plus loin et se reprit instantanément. Elle se méfiait de ses premières impressions qui avaient pu être tenaces par le passé. Certaines avaient même biaisé son abord des situations un bon moment avant qu'elle ne puisse lâcher ses a priori et constater qu'elle s'était trompée. L'expérience n'empêchait pas qu'elles surgissent, mais maintenant au moins, elle pouvait plus facilement les dompter.

Le bureau était exigu, la chaleur étouffante en ce début août.

Les parents avaient pris place côte à côte, la jeune à distance, du côté de son père et de la porte.

Elle se balançait, en déséquilibre, sur les pieds arrière de sa chaise.

Immédiatement, madame Skalowky avait ouvert la large fenêtre pour tenter d'amener un peu d'air dans le local où ils se serraient à cinq. Une fois de plus, la climatisation défectueuse la mettait en colère – un problème constaté chaque été depuis des années. À chaque fois, elle déplorait les conditions dans lesquelles on recevait les familles, des conditions qui ne favorisaient pas l'accueil. Elle y menait des entretiens parfois tendus, lourds, douloureux et, pour beaucoup, chargés d'émotion. Alors la chaleur n'arrangeait rien.

Madame Skalowky et Marion tournaient le dos à la fenêtre qui donnait sur un arbre et quelques buissons.

Lucie vit un premier oiseau se poser sur la branche basse de l'arbre. Elle reconnut sans hésitation une mésange charbonnière. Un oiseau commun, d'une banalité qui ne l'empêchait pas d'être beau avec sa calotte noire, sa cravate le long de sa poitrine et son ventre jaune.

La mésange zinzinule, se remémora soudain Lucie. Elle avait adoré ce drôle de terme lorsque, petite, elle s'était intéressée aux verbes qui spécifiaient les cris et les chants des animaux. Chacun le sien…

L'oiseau ne tarda pas à se faire entendre. Sa phrase aux deux notes aiguës, rythmées et fortes attira davantage l'attention de l'adolescente hors du bureau. Puis, dans un froissement d'aile, la mésange quitta la scène.

Madame Skalowky tentait un contact. Ça ne prenait pas.

Lucie restait mutique, croisant son regard de temps à autre d'un air méprisant et hautain. Elle semblait dans les starting-blocks, prête à cracher des mots à la moindre étincelle qui mettrait le feu aux poudres. Puis elle détournait les yeux. Elle paraissait alors calme, non concernée, comme si elle avait décroché.

Le père parlait volontiers. On entendait son désarroi et son désespoir. La mère, maigre et effacée, restait silencieuse et immobile, posée comme une petite chose sur sa chaise. Comme elle semblait fragile, constata madame Skalowky !

De nouveau la mésange dans l'encadrement de la fenêtre.
La même ? Pas sûr, pensa Lucie.
Deux congénères la rejoignirent sur les branches. À trois, elles captèrent plus encore son regard et son oreille. Une légère brise fit bruisser les feuilles et révéla leur face cachée, plus claire. L'infime mouvement d'air invita les oiseaux à poursuivre leur exploration ailleurs.

Madame Skalowky venait de dire que tous étaient soumis à la décision d'un juge :
— Les parents, les enfants, le service. Et vous et nous. À partir de là, nous avancerons ensemble.
Au même moment, Lucie enjambait la fenêtre d'une jambe puis de l'autre, sportivement, le corps tonique et le geste précis, comme l'athlète au passage d'une haie.
Seule avec Marion et les parents, madame Skalowky se garda de dire ce qu'elle pensait. L'accompagnement n'allait pas être de tout repos. Il y avait du boulot ! D'abord apprivoiser cette jeune un peu sauvage… Heureusement qu'ils avaient trois mois.

2

Martha avait honte.

Honte d'être dans ce bureau, dans ce service. Le Service de l'Enfance, une nouvelle fois. Celui qui s'était occupé de Lucie avant qu'elle et Michel ne partagent sa vie.

Un retour en arrière.

Plus encore, la négation de la vie qu'elle aurait voulue sans histoire.

Précédemment, il y avait eu la honte de s'être retrouvée devant un juge, une deuxième fois, sans l'excitation de la première, sans leur joie à la sortie et leur foi en l'avenir. Huit ans de cela… Lors de cette seconde audience, dans une autre aile de ce même tribunal, l'intimité de leur famille avait à nouveau concerné la justice. Depuis, le couperet d'une décision les séparait d'un enfant après une autre qui les avait unis.

La honte écrasait Martha depuis longtemps.

Un poids. L'atteinte était profonde aujourd'hui, elle s'était creusée petit à petit.

Elle avait eu honte de sa fille avant d'avoir eu honte de ce qu'elle lui faisait subir. Avec ses vêtements courts, moulants et provocants, son maquillage excessif et vulgaire, Lucie dénotait aux fêtes de famille. S'y rendre avec elle s'était transformé en calvaire. Dans le groupe, Lucie paraissait l'élément discordant, celui qui brisait l'harmonie familiale. Martha assistait, impuissante, à ses provocations qui bousculaient les conventions. Elle l'entendait prendre le contre-pied systématique des avis des uns et des autres, toutes générations confondues, avec une assurance qui n'était pas de son âge et un plaisir non dissimulé de se donner en spectacle. On ne voyait qu'elle ! Tous semblaient embarrassés de sa présence, hormis Claire peut-être.

Impossible pour Martha de parler de ce qui se vivait dans le secret de leur appartement. Elle maintenait les espaces étanches afin de ne pas s'exposer davantage au regard de sa famille et s'épargner les jugements faciles qui auraient écorné plus encore son image et accru sa souffrance. Elle se comportait comme si la faute lui revenait et que sa dissimulation avait le pouvoir de la protéger. Ainsi, dans les grandes tablées, il n'était jamais question de la scolarité catastrophique de Lucie, de sa désertion du collège et de ses résultats plus que déplorables. Les avertissements, les blâmes, les exclusions et ses fugues ne franchissaient pas leur microcosme, leur vie à trois.

Martha ne pouvait faire autrement.

Elle souffrait du fossé qui se creusait avec la jeune génération. Ses neveux et nièces avaient des projets plein la tête et se donnaient les moyens à la hauteur de leurs rêves. La famille se réjouissait, avec une fierté qu'elle s'attribuait à elle-même, de l'admission de l'un dans une grande école d'ingénieur ou de l'accès d'un autre en deuxième année de médecine. Et Claire poursuivait ses années de lycée, tranquille et confiante, dans l'espoir d'intégrer la prestigieuse école du Louvre après son bac littéraire. Autant de destinées agressaient Martha. Autant de coups supplémentaires qui l'enfonçaient un peu plus dans son mal-être.

Alors qu'elle éludait les questions, Michel ne disait rien.

Préoccupé par le moment présent, son souci était d'éviter les vagues et les débordements.

Tout fonctionnait décalé, surfait, artificiel. Les non-dits enflaient. Personne n'était dupe. Lorsque Lucie était absente, on se contentait des courts prétextes avancés sans livrer à voix haute les interrogations qu'ils suscitaient tout bas. Sans l'avouer, on était plutôt soulagé par la journée détendue et insouciante qui s'annonçait.

De la fausse note dans le jeu de la partition, Lucie devenait une incohérence dans le tableau, peut-être même une intruse dans le cercle.

Le point d'orgue fut l'anniversaire de la mère de Martha. Ses soixante-quinze ans se fêtèrent dans un lieu cosy, à la décoration délicate et au chef réputé pour sa créativité et le soin porté au dressage de ses assiettes.

Du coin de table réservé à la jeunesse, l'oreille de Lucie capta deux phrases de sa mère dans le brouhaha animé de la salle. Laurence, la jeune sœur de Martha, s'enquérait de la scolarité de sa fille. Martha ne pouvait se rappeler l'exactitude de sa réponse. Très certainement, avait-elle dû évacuer le sujet par un « ça va » ou avait-elle arrangé la réalité en parlant « d'efforts et de progrès » pour ne pas s'aventurer sur un terrain qu'elle voulait fuir. Rien de particulier, juste des propos tenus à maintes reprises qui, cette fois, déclenchèrent un cataclysme.

L'insulte claqua. Haute et brutale. Par-dessus la table et au-delà.

« T'es qu'une pauvre conne ! » coupa net les conversations, les mouvements des serveurs et l'intimité des autres tables.

Lucie était debout, le visage dur, les yeux noirs de haine. Le temps s'était immobilisé. La sidération marquait chaque visage et la violence des mots résonnait dans chaque oreille. Les gestes s'en trouvèrent suspendus et les corps figés.

Dans la scène devenue un arrêt sur image, Lucie quitta la table, le restaurant et ses clients.

Le long, lourd et pesant silence qui s'ensuivit fut rompu par la grand-mère qui, froide, calme et cinglante, lança à la cantonade que « Lucie pourrissait leur vie ». Puis, elle adressa directement à Martha le reproche méprisant de ne pas tenir sa fille.

La réaction de Lucie était incompréhensible pour Martha, celle de sa mère lui apparut tout aussi violente. Elle prit, coup sur coup, deux attaques qui accéléreraient l'effondrement de leur famille et l'entraîneraient dans sa chute. Les insultes étaient sorties de leur huis clos pour s'étaler au grand jour. Plus de faux semblants possibles. Leur enfer avait gagné la scène publique.

L'évènement précipita la fracture. Depuis, Michel et Martha déclinaient les invitations. Personne n'insistait. En faisant tomber le masque, l'insulte qui s'était imposée à l'anniversaire avait balayé les connivences de tous pour maintenir une pseudo-solidarité familiale. Seule Laurence s'était rendue quelques fois dans leur appartement et Claire avait tenté un contact avec sa cousine.

Dans le bureau de madame Skalowky, Martha avait non seulement honte, mais elle était lasse. Une série de professionnels de l'éducation s'étaient succédé sans pouvoir lui ramener sa fille. Leur nom n'avait pas laissé de traces. Celui imprononçable, de cette responsable qui lui faisait face, en laisserait certainement moins encore.

À chaque reprise, elle et Michel étaient revenus sur leur histoire, avaient répété les évènements, les transgressions et les violences de Lucie comme un disque rayé. Martha vivait un perpétuel recommencement qui, à force, l'enlisait dans un malheur qu'elle aurait voulu voir disparaître. À défaut d'avancées, elle souhaitait maintenant le voir porté par d'autres.

Son dernier espoir remontait aux entrevues avec madame Arnaud. Martha n'avait pas entendu à l'époque que le conflit s'alimenterait par des revendications de plus en plus affirmées de Lucie piochées dans le fantasme de ses origines. Elles s'étaient quittées après trois rendez-vous seulement, avec l'idée d'un temps de pause et la perspective de reprendre contact d'ici six mois.

Elles ne s'étaient jamais revues.

Les insultes s'étaient installées après la démarche.

Ensuite, il y avait eu cette éducatrice que Lucie n'avait pas voulu rencontrer. Dans les étapes pour que ce suivi se mette en place, leurs signatures, à elle et à Michel, apposées sur le contrat officiel de demande d'aide, avaient été vécues comme l'attestation d'un désaveu parental. Cette étrangère était venue à leur domicile. Elle s'était assise sur le canapé du salon, avait exigé qu'elles discutent et que son mari soit présent régulièrement, alors qu'aucun travail ne se menait avec leur fille. Rien ne bougeait. Au contraire, les difficultés prirent un coup d'accélérateur. Avec Martha, l'éducatrice s'était enhardie sur le terrain de son histoire personnelle, de son enfance, de son rapport à sa propre mère et de l'enfant qu'elle n'avait pu concevoir. Martha n'avait vu aucun sens à ces interventions psychologisantes qui se trompaient de sujet. Elle s'était refermée comme une huître, désappointée qu'on ne s'attèle pas au fond du problème.

Alors, l'idée irrationnelle d'un héritage biologique commença à germer dans son esprit. Défiant toute intelligence, Martha se mit à penser qu'il y avait chez Lucie une part qui échappait radicalement à ce qu'elle avait pu lui transmettre et lui offrir : la part de celle qui l'avait conçue. En lui donnant la vie, cette autre femme lui avait donné de son corps et de ses gènes, et peut-être aussi de son goût du risque, de son attrait pour la marginalité et la destruction. Le sentiment d'impuissance de Martha redoubla avec l'hypothèse folle d'une destinée qui ne faisait qu'accomplir ce qui était déjà écrit.

Aujourd'hui, le temps des projets et de l'espoir était révolu. Martha fonctionnait dans l'instant, celui des présences et des absences de Lucie et celui de ses humeurs.

Elle ne l'avait pas choisi. C'était venu, poussé par une nécessité.

Elle n'allait plus dans la chambre de sa fille pour la réveiller afin qu'elle se rende aux cours ou qu'elle se décide à partager leur repas. Pareil pour les nuits. Lucie était ou n'était pas là, Martha ne l'attendait plus. Elle ne lui faisait plus de remarques non plus. Elle obtempérait à ses demandes, lui donnait des billets sans discuter, achetait les aliments exigés et pouvait lui préparer à manger en milieu d'après-midi.

Leur fonctionnement s'enkystait.

Les insultes étaient quotidiennes.

Lucie attaquait sa blessure, sa maternité avortée. Avec brutalité, son incapacité, son inutilité, sa médiocrité et le ratage de sa vie lui étaient envoyés en pleine face, crûment. L'atteinte devenait physique. Les mots touchaient ses entrailles. Lucie la malmenait comme une poupée de chiffon, de préférence lorsque Michel était absent.

Martha ne répondait plus. Elle tentait, tout au plus, de se soustraire à la violence. Elle quittait alors la pièce pour se réfugier dans les livres de son oriel. Mais ses efforts pour se constituer une bulle étaient mis à mal par d'incessantes intrusions sonores et visuelles. Lucie tapait dans les murs, claquait les portes, envahissait l'appartement d'une musique hypnotique, répétitive, au tempo d'un rythme cardiaque qui s'emballait. Un chaos de vêtements et de détritus contaminait les pièces communes.

Le seul sursaut de cette mère fut de cliver sa vie. Le rythme décalé de Lucie et ses réveils tardifs dans l'après-midi ne furent plus un souci. Ses absences, qui pouvaient compter plusieurs jours sans signes de vie, devinrent des respirations et des moments de paix.

Depuis peu, l'angoisse de Martha avait disparu. Elle menait, consciencieusement, une autre bataille, avec elle-même cette fois, depuis que les ganglions sentinelles s'étaient révélés inopérants dans leur défense.

Aujourd'hui, son silence dans le bureau du Service de l'Enfance n'avait rien d'étonnant. Le placement n'était peut-être qu'un clivage de plus, un soulagement inavouable.

Face à madame Skalowky, Martha ne dit pas un mot de ce qui s'était installé entre elle et Lucie.

3

Par-delà la fenêtre, Lucie s'engagea sur la petite bande d'herbe qui contournait le Service de l'Enfance. L'air était plus respirable à l'extérieur. L'idée que quelqu'un la suive pour la rattraper ne lui traversa pas l'esprit. Arrivée sur le parking, elle jeta un œil sur le bâtiment qu'elle venait de quitter. Le Service de l'Enfance, un cube qui ne ressemble à rien, inachevé. Un endroit improbable, juxtaposé à un garage, une zone sans commerces ni habitations. Un lieu incongru où elle ne remettrait plus les pieds, s'assura-t-elle.

Tranquille, elle sortit de l'enceinte grillagée.

Le tram n'était pas loin.

En route, elle reconnut les environs. Un plan d'eau existait dans ce quartier excentré de la ville, caché, insoupçonnable pour qui se cantonnait aux grandes artères, accessible uniquement par un sentier. Lisa le lui avait fait découvrir.

Sous le coup de la chaleur qui restait caniculaire, elle laissa la station de tram sur sa gauche. Il lui fut impératif d'aller se baigner.

Lucie s'assit sur la plage aménagée, sans serviette de bain et sans maillot. Ce n'était pas un problème, le shorty noir qu'elle portait sous son jean ferait l'affaire. Son tee-shirt posé au sol protégeait sa peau du sable cuisant que les rayons du soleil rendaient intolérable. Assise, elle minimisait tout contact avec la plage. Elle saisit ses baskets en toile pour y loger ses talons sous l'effet mordant du sol sous la plante des pieds.

À demi nue, elle se regarda.

Son corps prenait chaque été la couleur du pain d'épice.

Jamais de coups de soleil ! Dès le retour des beaux jours, sa peau changeait de couleur, et rapidement se magnifiait. Pas de traces de bronzage disgracieuses cette année contrairement aux étés de son enfance où Martha, obnubilée par les mesures de prévention, exigeait qu'elle garde son tee-shirt en protection des UV.

Son corps lui plaisait, ses seins en particulier. Ronds, fermes, aux tétons foncés, elle les trouvait parfaits. En sortant de l'eau, avec la peau tendue et leur masse crispée sous la variation de température, ils se révélaient d'autant plus un atout. Elle adorait les exhiber. Ils attiraient des regards qui lui renvoyaient qu'elle n'était plus une gamine.

Sur les hauteurs de la plage, un groupe d'enfants s'agitait. Leur effervescence contrastait avec l'apathie des adultes assommés par la chaleur. À cinq ou six, ils s'interpellaient, se bousculaient, couraient jusqu'au rivage pour se jeter dans l'eau et s'essayer à un maximum d'éclaboussures. Ils jouaient, se cherchaient, se chamaillaient. Des rires, des cris, des pleurs et des insultes s'entremêlaient. Le plus grand, à sept ans peut-être, jouissait de sa supériorité en mettant les autres au défi. Le plus petit, à peine deux ans, chouinait. Un bébé était resté dans une poussette aux côtés des adultes.

Le groupe occupait une place de choix à l'ombre des arbres, un emplacement convoité qu'il fallait conquérir tôt dans la matinée. Il s'étalait sur un maximum d'espace. Deux tables pliantes, des fauteuils de camping, de grands sacs, plusieurs glacières et un réchaud à gaz sous une grosse Cocotte-Minute délimitaient leur territoire transformé en véritablement campement. Une vieille dame somnolait à proximité de la poussette. Plusieurs hommes, debout, fumaient. Leur discussion était vive, animée et démonstrative. Elle semblait d'importance. L'un d'eux s'écartait par moments pour une conversation tout aussi vivante et sonore avec son portable. Des femmes attablées riaient de ce qu'elles se disaient à l'oreille tout en jetant vaguement un œil sur le groupe d'enfants.

Deux préadolescentes, aux plis du ventre moulés par des tee-shirts trop petits, paraissaient attendre le temps qui passe.

Une tribu à l'image de la mienne, se dit Lucie.

Lorsque Sara était sortie de sa tombe, elle avait fait apparaître toute une série de personnages qui n'avaient eu aucune existence jusque-là. Rita, la première. Puis Jimmy. À eux deux, ils créaient une famille à laquelle Lucie n'avait jamais pensé. À partir d'une grand-mère et d'un oncle, la construction s'étoffa. D'autres oncles, des tantes aussi. Des vieux, des jeunes. Des cousins, des cousines de tous âges. Du monde, beaucoup de monde… serrés les uns aux autres, serrés dans leur clan. Ils constituaient une famille où l'on n'était jamais seul parce que les liens étaient étroits, la vie partagée et l'intérêt d'un des leurs toujours défendu par tous. Le malheur d'un des leurs aussi.

C'était une famille à la mode gitane, caricaturée par ses lectures d'enfance et le peu que Lucie en connaissait, une famille aux antipodes de celle qu'elle fréquentait où les regroupements s'organisaient sur de l'évènementiel jamais spontané, laissant chacun dans sa solitude en sortant d'un restaurant ou d'une salle de réception. Parfois même avant d'en sortir.

Ce n'est qu'ensuite que Lucie se construisit une fratrie. En premier lieu, un grand frère était apparu. Elle l'avait imaginé proche, rassurant, soucieux et fier de sa petite sœur, investissant sa place d'aîné comme il se doit, prenant le relais des parents lorsque ceux-ci n'ont plus rien à dire et garantissant un avenir où elle ne serait jamais seule. L'image ne résista pas longtemps au raisonnement logique de sa conscience. L'âge de Sara au moment de sa naissance – dix-sept ans, se souvenait-elle – rendait ce grand frère caduc. Elle en fut déçue. Très vite, l'idée surgit que Sara avait très certainement eu le temps de faire d'autres enfants : un second, peut-être même un troisième. Une petite sœur prit forme. Pas vraiment petite d'ailleurs, elle la talonnait en âge. Cette sœur était celle des confidences absolues, l'alter ego face aux parents et celle qui permet qu'à deux on se sente plus fort.

Un double en quelque sorte.

Lucie se soutenait de cette autre vie si différente. Elle oscillait. Par moments, ses certitudes avaient raison de son imaginaire et elle se mettait à croire avec conviction être celle qui avait été soustraite au clan, celle qui y conservait sa place parce que, depuis toutes ces années et pour tous, elle n'était pas tombée dans l'oubli.

Ça pulsait la vie, se dit Lucie en observant la famille sur la plage. Pas de détours, les choses se disaient. Pas de retenues ni de préoccupations du « qu'en dira-t-on ». Les propos étaient vifs, réactifs et bruyants. Une femme avait quitté précipitamment les autres pour gifler le garçon qui se prenait pour le chef de bande. Il n'avait pas bronché, pas même pleuré. Petits et grands jouissaient du temps sans se soucier de ce qu'il fallait faire, de ce qu'il faudrait faire et de ce qu'ils avaient à faire. Aucun empressement. Seule comptait la journée passée sur la plage. Personne ne se préoccupait de l'heure et du début de soirée qui approchait. Des assiettes en plastique garnies de restes de nourriture étaient encore sur les tables. Les petits visitaient régulièrement les sacs pour y dénicher des chips ou un soda sans aucune remarque des adultes.

Ils sont libres et heureux, pensa-t-elle.

Soudain, Lucie perçut l'intensité d'un regard hors de sa vue. Une onde forte et puissante lui parvenait du rivage pour l'envahir. Elle se détourna de la famille à l'ombre des arbres.

Le garçon sortait de l'eau, le corps ruisselant, les muscles fins, gainés par la jeunesse de sa peau. Immobile en bord de plage, il ne voyait que Lucie. Une mèche mouillée sur le visage lui donnait un air rebelle. Ses yeux, noirs et perçants, livraient un regard d'une acuité singulière.

Lucie se leva.

Arrivée à la hauteur du garçon, elle s'engagea lentement dans l'eau. Ils poursuivirent tous deux leur marche vers les profondeurs, côte à côte, sans mots et rapprochement des corps. Ce n'est que lorsque leurs épaules furent immergées que leurs peaux entrèrent en contact. Le shorty à peine baissé, le sexe du garçon pénétra en elle pour une étreinte rapide. Leur sexualité aux yeux de tous, dans le secret du plan d'eau, n'avait ni pour l'un ni pour l'autre le goût d'une transgression. Pas davantage celui d'une exhibition cachée qui aurait pu susciter un gain d'excitation. Les autres n'existaient plus. Les pensées non plus. Seuls l'acte et les sensations du corps s'éprouvaient dans l'instant.

Lucie n'en fut pas surprise. C'est ce qu'elle connaissait des rapports sexuels. Depuis le premier, elle les vivait comme la confirmation de son attirance. Plus encore, elle s'y voyait digne d'attention d'autrui. Il y en avait eu beaucoup. Souvent des histoires sans paroles et sans conséquences. En fait, même pas des histoires, mais juste des rencontres de corps. Le désir de l'autre suffisait, elle ne se posait pas de questions.

En sortant de l'eau, la suite l'étonna. Le garçon vint étendre sa serviette de bain à ses côtés et lui tendit une bouteille de vodka aromatisée au pamplemousse. Ce n'est qu'après la consommation de la boisson, que Lucie sut son prénom.

C'était Erwan. Il avait dix-neuf ans et le groupe à l'ombre des arbres était sa famille.

Lucie lui annonça avec aplomb ses dix-sept ans.

4

Depuis quatre jours, Marion tentait sa chance. Les messages laissés sur le portable de Lucie ne portaient pas leurs fruits. Sa mère ne répondait pas à ses appels, seul son père restait en contact. Il l'informait jour après jour que sa fille n'était pas revenue au domicile depuis leur rendez-vous au Service de l'Enfance.

Pour l'heure, Marion ne se précipitait pas, elle ne s'affolait pas non plus. Elle réfléchissait. Ce qui comptait était le fil à tendre, infime et mince dans un premier temps pour ne pas effaroucher, mais suffisamment solide pour que cette jeune fille s'autorise à le saisir. L'alchimie subtile d'une présence non harcelante. Un point de départ à la suite duquel les choses se tisseraient.

Le silence de Lucie n'était pas un échec, Marion savait que l'avenir réservait des surprises. Elle était la plus jeune éducatrice de l'équipe, un mélange de fraîcheur liée à sa jeunesse et de maturité qui étonnait ses collègues. Madame Skalowky l'avait vue travailler dans une situation fort complexe où une adolescente, bien abimée, alternait ses errances avec des séjours d'hospitalisation en service de psychiatrie adulte tant elle malmenait les soignants et les autres petits patients en pédopsychiatrie. Elle avait alors estimé que Marion avait fait ses preuves, elle lui avait confié Lucie.

À dix-huit heures le quatrième jour, Lucie décrocha à la seconde sonnerie.

« J'ai besoin de te voir », entendit-elle.

C'était Marion. Lucie se rappela d'emblée la jeune femme et son prénom. Pourquoi ? s'étonna-t-elle. Elle n'avait croisé qu'une fraction de seconde cette éducatrice qui n'avait quasiment rien dit. D'habitude, elle ne faisait pas grand cas des autres. Les personnes ne faisaient que passer, elles disparaissaient sitôt la rencontre close.

Là, la netteté de son image était surprenante. Marion était jeune, vingt-cinq ans tout au plus, une petite brune aux mèches auburn, un sourire aux dents blanches impeccables et une tunique à l'encolure large et fluide qui découvrait un grain de beauté au-dessus du sein. Son teint l'avait questionnée. Doré par le soleil, tirant vers l'ocre. Une origine asiatique peut-être ? Même si ses yeux marron et clairs n'étaient nullement bridés. L'originalité du sautoir autour de son cou l'avait intriguée. La fine chaînette cuivrée se prolongeait jusqu'au nombril. S'y accrochait une succession d'anneaux, de bâtonnets aux terminaisons arrondies et de petits rubans rappelant la couleur de ses yeux. Aucune symétrie et nul ordre défini dans leur agencement.

Au téléphone, Lucie se surprit encore :

— Ne vous inquiétez pas pour moi, répondit-elle à Marion.

Elle conservait le vouvoiement avec les éducateurs et les responsables, avec les enseignants et les policiers aussi. Pas pour témoigner du respect envers ses aînés ou leurs fonctions, mais pour marquer une distance, refuser une proximité qui risquait une relation. Le tutoiement ne surgissait que lorsque la fureur faisait jaillir des mots, sans prise ni maîtrise d'elle-même.

Non seulement le souvenir de Marion lui était très présent, mais elle lui disait de ne pas s'inquiéter. Double étonnement !

L'appel était court. Alors que Lucie était sur la défensive dès les premiers mots, la suite de la conversation la désarçonna. Cette éducatrice ne cherchait pas à savoir où elle dormait ni ce qu'elle faisait. Elle ne lui demandait pas non plus de réfléchir à sa situation et au projet de placement. Elle avait juste « besoin de la voir » et l'informait qu'elle serait sur la terrasse du café qui occupait une partie de la grande place du centre-ville, le lendemain, à quinze heures. Marion ne voulait rien pour elle, elle n'avait pas sorti les éternelles rengaines sur un avenir à construire, les difficultés qu'elle se préparait pour sa majorité, les dangers supposés auxquels elle s'exposait et la protection qu'on cherchait à lui imposer. Cette chanson, Lucie l'avait entendue de tous, non seulement de Martha ou Michel, mais de tous ces étrangers qui, sans la connaître, savaient déjà ce qui serait bon pour elle. Un incessant refrain qui n'avait aucune résonance.

Rien de tout cela dans l'appel de Marion.

Mue par la curiosité, Lucie ne fit pas faux bond le lendemain.

Elle s'engagea sur la grande place par le côté opposé à la terrasse, celui du glacier ambulant établi à demeure.

Marion se repérait au loin, minuscule, assise au soleil alors qu'une majorité de clients s'agglutinaient à l'ombre des vastes parasols de la terrasse du café. Cent dix mètres les séparaient.

Plutôt que de la rejoindre, Lucie s'installa dans la file pour une glace sans quitter de l'œil celle qui l'attendait. Comme bien d'autres fois, elle choisit les parfums melon et yaourt qu'elle appréciait depuis toujours. Cornet en main, déjà en retard, elle prolongea le temps, postée à distance. Alors que petite, elle avait été rigoureuse, souvent prête et en avance, il n'en était plus ainsi aujourd'hui. Les évènements l'embarquaient au-delà des contingences horaires. L'instant prévalait. Sans s'en vouloir ni ressentir un soupçon de gêne, elle oubliait ses rendez-vous ou elle s'y rendait systématiquement en retard.

Sur la place, Lucie était dans son élément.

Dans son dos se trouvait le grand bâtiment moderne, anachronique parmi les autres, qui renfermait la vaste parfumerie au rez-de-chaussée où elle avait récemment remis les pieds. Trois étages étaient occupés par une enseigne nationale de vente de matériel hi-fi, de livres et de disques. Elle passait beaucoup de temps aux espaces dédiés à la libre écoute des CD.

Un maximum de personnes traversait la place, cœur de la ville par excellence. Plusieurs s'attardaient sur les bancs ou sur les rebords des bassins. Pieds nus, ils se rafraîchissaient. D'autres s'asseyaient à même le sol – des touristes, des habitants de la ville, et des groupes de jeunes. Lucie connaissait bien ces derniers. Il y avait ceux postés sous le porche du bâtiment moderne. Là, on y comptait aussi des vieux, aux mines ravagées et à la clairvoyance brouillée par l'alcool. Et les autres, posés aux pieds de la statue centrale, un glorieux général de trois mètres de haut, figure historique locale de renommée nationale qui avait donné son nom à la place. Ces jeunes se vautraient au pied du général sans se soucier de ses cendres déposées dans le caveau sous le socle. Lucie y avait fait des rencontres cosmopolites. Le temps d'un soir, elle y avait croisé avec Lisa des étrangers de passage, en route depuis leur pays pour une destination décidée au jour le jour. Des jeunes gens aux dreadlocks et à l'hygiène douteuse, avec un sac à dos pour tout bien personnel et leurs chiens pour seuls compagnons. Souvent, l'un d'eux faisait rythmer l'ensemble de la place au son chaud de son djembé. Des échauffements, des coups portés et des sorties de couteaux n'étaient pas rares. Un fourgon de police, stationné en permanence aux côtés du glacier, faisait partie du décor.

Toujours avec sa glace, méfiante, Lucie se préparait.

Pas question d'ouvrir la moindre brèche à qui que ce soit pour l'entraver ! Elle ne se laisserait pas faire. On ne la ferait pas quitter sa ville de force, et l'on ne viendrait pas troubler sa nouvelle vie où Erwan était devenu la personne la plus importante au monde depuis le partage de sa serviette. D'ailleurs, elle ne parlerait pas de lui. On pouvait toujours y aller pour lui tirer les vers du nez, elle ne se laisserait pas piéger !

Ainsi s'armait-elle avant d'entamer sa traversée.

L'heure tournait.

Lucie se mit en mouvement.

Elle longea le vaste palais de style néoclassique qui bordait toute la longueur du flanc gauche de la place. Son assurance se remarquait.

Avant de rejoindre la terrasse, elle jeta un œil sur les trois angelots ailés aux mines joufflues et moqueuses, sculptés sur la façade de l'édifice. Machinalement, comme à chacun de ses passages, elle vérifiait qu'ils étaient toujours en place. Une présence rassurante. Martha les appelait « les petits putti ».

C'est à ses yeux que Marion la reconnut. Il avait fallu que l'adolescente parvienne jusqu'à sa table pour qu'elle se dise que cette grande fille qui traversait la place de bout en bout était Lucie. Avant d'arriver à sa hauteur, elle n'avait repéré qu'une coiffe qui surplombait la foule et s'en démarquait. Elle avait été happée par la couleur qui se dirigeait vers elle. Un embrasement, une teinte flamboyante qui redoublait de puissance sous l'effet des rayons du soleil. Un rouge au pigment pur !

L'ensemble des cheveux de Lucie étaient tirés et rassemblés sur le sommet du crâne pour former un épais chignon, une grosse boule rouge, haut perchée, volumineuse. Une frange très courte tombait nette et droite sur son front, rouge elle aussi.

Marion pensa intérieurement qu'elle avait soigné son effet.

Sans relever la demi-heure de retard, elle se contenta d'un « Bonjour Lucie ». La jeune fille refusa la main tendue. Elle ne répondit pas au sourire.

« Ne m'appelez pas Lucie » furent ses premiers mots.

— Je suis Magdalena.

Ne sachant quoi penser, Marion ne fit, là encore, aucun commentaire. Après quelques secondes d'un silence qu'elle ne voulait pas voir s'installer, elle s'enquit du produit utilisé pour obtenir une teinture si éclatante. C'est alors que Lucie s'assit à sa table.

Leur rencontre dura presque une heure. Des propos futiles, un badinage, entrecoupés de silences où l'une et l'autre jouissaient des rayons du soleil.

Pas de prise de tête, s'étonna l'adolescente.

Une longue heure. Un record ! Seul le dernier quart d'heure changea de tonalité lorsqu'elle parla spontanément de Martha.

Marion écouta, simplement, sans chercher à contredire les propos incendiaires ou s'en offusquer. Pourtant, la personne même était critiquée, allégrement. Ce qui avait fondé leur histoire aussi. Une attaque sur tous les plans, jusqu'à remonter à l'autoproclamation de Martha comme étant sa mère :

— Plus qu'une maldonne, une usurpation, une tromperie, de trop longues années à mettre entre parenthèses, entendit-elle.

Prenant conscience brusquement du programme de sa fin d'après-midi, l'éducatrice se leva précipitamment de table. Elle partit en laissant un billet pour régler les consommations et un petit carton avec son numéro de portable aux côtés des verres.

Situation inhabituelle pour Lucie-Magdalena qui décidait de la longueur d'un rendez-vous et quittait les lieux toujours la première.

Elle resta seule un moment, attablée à la terrasse. Elle s'était laissé aller, mais ne le regrettait pas. Le sujet de Martha était somme toute un sujet mineur depuis qu'Erwan existait. Et de cela, elle était fière de ne pas en avoir parlé.

Depuis quatre jours, ce garçon emplissait sa vie.

Au-delà de leur contact charnel, c'est sa serviette et la boisson reçues comme des cadeaux qui avaient fait basculer les choses. Pour la première fois, elle avait ressenti l'attention d'un garçon qui marquerait à jamais le cours de sa vie. En quelques heures, Erwan était devenu la personne la plus précieuse à ses yeux, tout pour elle : son petit copain, son meilleur ami, son frère, sa famille, son double.

Depuis quatre jours, elle vivait une autre vie.

Le changement était radical. D'un coup de baguette, « Magdalena » avait fait surface. Une Magdalena bouillonnante, jouissive et puissante à l'image de sa crinière de feu qui signifiait et soutenait à la fois son personnage.

Elle avait posé le pied dans une autre vie, une vie où Martha perdait de son existence. Lucie aussi.

Tout naturellement, elle avait suivi Erwan lorsqu'il avait quitté la plage pour rejoindre sa famille sous les arbres qui s'affairait à rassembler les objets éparpillés et les enfants qui résistaient à ce que leur après-midi se termine. Elle les avait accompagnés sur le petit sentier qui menait à la rue, prenant part à la procession où chacun avait son lot de barda à rapatrier. La poussette chargée à bloc de sacs accrochés aux poignets et de jeux de plage sous la nacelle était poussée par les deux adolescentes, le réchaud porté à deux par les hommes, et le reste des affaires – tables, chaises, cabas et petits – par les autres.

On lui avait mis la grosse Cocotte-Minute entre les mains.

Tout naturellement, elle avait rejoint l'appartement au rez-de-chaussée du grand bloc qui donnait directement sur la route. Il suffisait de la traverser au terme du sentier. Et tout naturellement encore, elle avait pris place dans le lit d'Erwan.

Tout s'était déroulé comme allant de soi. Elle s'était sentie prise en compte, reconnue dans ce qu'elle était vraiment, et accueillie sans contrepartie à une place, d'emblée, inconditionnelle.

Ce n'était pas la première fois qu'une mère l'accueillait. Avant celle d'Erwan, il y avait eu la mère de Lisa. Peu de points communs entre les deux femmes si ce n'est que ni l'une ni l'autre ne s'étaient préoccupées de son âge et de l'existence d'éventuels parents qui l'attendaient. Moins encore, la question de leur responsabilité ne s'était pas posée dans leur accueil qui potentiellement pouvait les mettre en porte-à-faux avec la loi.

Elvira, la mère d'Erwan, plaisait à Magdalena. Pas comme celle de Lisa qui ne parlait jamais, qui ne regardait rien au point de ne pas remarquer les allées et venues dans son appartement.

Pas comme Martha non plus. N'en parlons pas. En cet instant, elle n'était plus rien.

Toujours attablée, seule au départ de Marion, Magdalena ouvrit la coque de son portable pour y glisser le petit carton resté sur la table. Puis d'un même geste elle rangea son téléphone et le billet dans la poche arrière de son pantalon.

Brusquement, elle quitta la terrasse, avec une rapidité qui ne laissa aucune chance aux serveurs, et s'engouffra dans la ruelle étroite à proximité. Le quartier historique autour de la cathédrale était noir de monde en cette journée d'été. Tous les guides, en toutes les langues, décrivaient ce lieu de passage incontournable pour les visiteurs. Magdalena s'y fondit pour disparaître. Elle slaloma entre les touristes qui, guide en main ou nez en l'air, lui faisaient obstacle. Certains s'attroupaient aux devantures des nombreuses boutiques gastronomiques ou des échoppes raffinées. D'autres stationnaient en groupe devant l'affichage des cartes des restaurants. Magdalena traça telle une anguille. Elle épousa les courbes des ruelles, prit des chemins de traverse et des angles abrupts pour clore l'évènement de la terrasse.

Lorsqu'elle ralentit, elle dépensa les dix euros de Marion. Elle en mangea une partie et s'acheta de grandes lunettes de soleil à un Africain qui étalait sa pacotille sur une couverture à même les pavés. Le marchandage porta pile-poil sur ce qui lui restait de monnaie.

Les lunettes lui mangeaient le visage. Le plastique des verres lui teintait la vision d'un rose fuchsia.

Plus loin, elle s'assit sur l'herbe au centre de la grande place circulaire entourée d'immenses bâtiments administratifs. Elle avait changé de quartier. Dans sa course, elle se retrouvait à proximité de l'appartement de Michel et Martha.

Pas question d'y passer ! Elle ne s'en était pas souciée ces quatre derniers jours. Même si son portable lui avait signifié les nombreux messages de Michel et les SMS encore plus nombreux de Lisa, elle n'avait pas pris le temps de les consulter. Elle avait différé.

En cet instant, elle s'attarda sur le dernier texto de Lisa. Son amie l'attendait au parc, une fois de plus, comme ces derniers jours. Elle se trouvait à l'endroit précis de leur première rencontre, il y a plus d'un an déjà, au pied des rochers du petit îlot du plan d'eau.

La vie avec Lisa datait du temps où Lucie existait.

5

Lorsque Lisa s'était présentée, Lucie y avait vu l'occasion d'occuper ses journées.

Au moment de leur rencontre, sa présence aux cours de quatrième devenait sporadique. Elle s'y rendait çà et là, selon son humeur et à cette époque encore, la matière de son emploi du temps. Lucie faisait ses choix, pressentant qu'elle ne pourrait sûrement pas tenir à ce rythme parce qu'à quelques reprises déjà, des évaluations avaient révélé ses manquements. Les notes minables qui en résultaient l'avaient fortement agressée. Se retrouver parmi les derniers de la classe lui était insupportable et correspondait si peu à son image. L'immensité du travail qui lui aurait permis de quitter cette place n'avait pas tardé à tuer les quelques efforts qu'elle fournissait pour tenter de raccrocher. Son doigt était pris dans un engrenage infernal qui la mènerait à une défection totale.

Les cours séchés, elle tuait le temps régulièrement au bord du rivage dans le grand parc à un quart d'heure de son collège. Plus que flâner, elle traînait. Quelques tentatives pour s'acoquiner avec les groupes de jeunes présents n'avaient rien donné. Rien que de l'éphémère. Quelques heures passées ensemble tout au plus. Quelques bières, quelques premières bouffées de joint aussi, et quelques rapprochements sexuels sans lendemain, à l'abri des bosquets, dont son premier rapport, furtif et maladroit, avec un garçon de dix-sept ans qui ne l'avait plus regardée par la suite. Rapidement, les autres l'avaient mise à distance, lassés par ses intrusions, son parasitage et ses attitudes bruyantes.

Aussi, Lisa était tombée à pic l'année passée.

Lorsque cette jeune fille quittait sa cité constituée d'une multitude de « mailles » aux prénoms féminins, c'était pour respirer. Elle n'avait pas franchement choisi de faire l'école buissonnière, mais parfois « c'en était trop ». On l'avait orientée en cinquième SEGPA après un redoublement qui n'avait pas fait décoller ses résultats scolaires. Ce n'est pas qu'elle ne voulait pas travailler. Au contraire, elle aurait tellement aimé apprendre et mémoriser toutes ces connaissances qui promettaient une vie meilleure, mais ses efforts ne donnaient rien. Elle en souffrait tout en rêvant encore à devenir médecin ou avocate. S'ajoutaient à cela les réflexions des uns et des autres qui la heurtaient avec douleur, au collège et au quartier, lorsqu'ils l'assimilaient à « la bande de gogols de sa classe ».

Plus encore que sa vie au collège, la vie avec sa mère l'étouffait. Une morte-vivante, hors-jeu, omniprésente dans son esprit. Alors quand elle n'en pouvait plus, elle partait. Pour un temps, elle se transposait ailleurs, loin de sa cité et de ce qui la minait. Ses venues au centre-ville avaient valeur de survie. En prenant le tram, elle mettait un pied dans cet « autre monde » qui n'était pas le sien. Un monde qu'elle imaginait facile, heureux, léger et idéal pour ceux qui avaient la chance d'en faire partie.

C'est Lisa qui s'était assise aux côtés de Lucie sur l'amas de rochers au bord de l'eau. Au premier abord, cette dernière ne vit aucun intérêt en cette fille maigre, au teint gris et aux cheveux filasse, qui portait les stigmates de sa condition sociale. C'est le sujet redondant de sa mère qui l'en rapprocha.

Animée d'une souffrance débordante, Lisa pouvait en parler des heures. C'est pourquoi elle s'était tournée vers l'assistante sociale qui tenait sa permanence les jeudis matin dans un petit local situé au rez-de-chaussée de son immeuble. Mais elle s'était vite ravisée lorsqu'elle avait senti qu'avec quelques mots de plus un signalement aux services sociaux se déclencherait.

Dès le premier contact, Lucie s'intéressa au monologue de cette jeune fille qui lui ressemblait si peu, dans l'illusion naissante de trouver un alter ego. Elle-même savait bien de quoi il en retournait. La principale adjointe de son collège avait fait cette même démarche avec, pour résultat, une éducatrice d'Action Éducative à Domicile qui lui collait maintenant aux basques ! Toutefois, Lucie riait de voir cette jeune femme s'évertuer désespérément à lui arracher un mot. Elle multipliait ses dérobades dans un jeu du chat et de la souris où elle menait la danse. Un bras de fer où elle ne concédait aucune part de terrain. Cela amusait Lucie, ça la confortait même.

Lisa, elle, ne riait pas.

Lorsque l'assistante sociale s'était trompée de personne en s'intéressant à la fille plutôt qu'à la mère, elle avait retrouvé sa lourde solitude à devoir porter secours à celle pour qui elle avait cherché de l'aide.

Cette mère n'était plus qu'une ombre, recluse dans sa chambre, en prise à ses addictions et à sa dépression. Elle disparaissait certaines nuits. Parfois plusieurs nuits de suite. À son retour, de l'argent apparaissait dans la poche de son manteau. Une période faste s'annonçait alors. Lisa s'octroyait une partie des billets sans que jamais ni sa mère ni elle ne fassent de réflexion. De toute façon, elles ne se parlaient pas. Ça criait dans l'appartement. La fille, du fond de sa douleur, malmenait sa mère. Elle aurait voulu la bousculer, trouver les bons mots qui feraient électrochoc pour qu'elle se sorte enfin du pétrin. C'en était violent, et ça glissait. Plus rarement, lorsque sa mère quittait sa léthargie, elle avait quelques brefs sursauts de répartie. Elle lançait en hurlant quelques phrases mal placées dans le moment et à la teneur franchement décalée :

— Va donc sur le trottoir si tu ne m'aimes pas ! explosait-elle face à Lisa. Tu penses à rien, ta tête est vide. Dire que j'ai accouché durant sept heures pour ça !

Lisa n'y comprenait rien. Les mots embuaient son cerveau et enfonçaient plus encore sa tête sous l'eau. Au bout du compte, elle en était venue à préférer ses absences.

Lucie accompagna Lisa chez elle dès leur première rencontre. Elle reconnut le chemin de l'hôpital. Martha l'y avait conduite plus d'une fois, réactive à chaque bosse enfantine ou douleur abdominale qui déclenchait immanquablement son angoisse. Seule une entorse au poignet – l'idiotie d'une main mal positionnée lors d'un saute-mouton sur un billot de bois – avait réellement nécessité des soins.

Arrivées à la station de tram, les deux adolescentes prirent la direction opposée à l'hôpital pour rejoindre la maille « Claudine », celle de Lisa. De nombreux jeunes restaient plantés au bas des immeubles, adossés aux voitures ou affalés sur les escaliers. Lucie fut tout de suite repérée, scrutée, toisée de haut en bas. Sans ambigüité, elle n'était pas des leurs ! Plus que le quartier, chacune de ses mailles faisait identité.

Elle qui ne connaissait rien à cette cité suivit Lisa sur la route circulaire qui longeait un ensemble d'immeubles identiques : pas d'entrées à proximité, mais des façades aveugles, noires, recouvertes intégralement d'un bardage de plaques posées à claire-voie. Une face d'écailles, un peu comme une armure, pensa Lucie.

Au troisième bloc, les deux filles pénétrèrent véritablement dans la maille, enjambèrent l'ouvrant d'une porte d'entrée dépourvue de sa vitre. Nul besoin d'en connaître le code ou d'en avoir la clé : un accès à tout va. La vitre, explosée depuis des mois, restait en l'état malgré les plaintes répétées des habitants auprès du bailleur social.

Elles s'engagèrent dans l'escalier parce que Lisa ne prenait jamais l'ascenseur où le sol était collant et les odeurs nauséabondes. Certains paliers s'encombraient d'objets indésirables à l'intérieur : chaussures, balais, tricycle et parfois même un ou deux meubles un peu défoncés.

Au quatrième, rien devant la porte, pas de nom sur la sonnette.

L'appartement semblait nu.

Une étrange impression s'en dégageait. Il paraissait à la fois vide et en désordre. De rares meubles et quelques cartons entrouverts donnaient l'allure d'un logement encore en transit sans pouvoir déterminer si les occupants étaient sur le point de le quitter ou de s'y installer. Rien n'indiquait la présence de quelqu'un.

Lisa entra la première. Elle ferma la porte d'une chambre où un corps gisait sur un lit défait puis elle ouvrit les volets. La lumière, l'air et les bruits extérieurs gagnèrent l'appartement. Les deux adolescentes se lovèrent sur le vieux canapé, serrées l'une à l'autre, devant le poste de télévision allumé.

Après ce premier après-midi, il y en eut d'autres, sans tarder.

Chacune trouvait en l'autre un intérêt même si elles n'étaient pas vraiment sur la même longueur d'onde. Dans les places surdéterminées qu'imposait le quartier, Lisa n'avait jamais vraiment su trouver la sienne. La moquerie y était facile envers les faibles et les frêles. Lisa ne croisait pas les regards, filait vite pour ne pas être harponnée davantage. Lorsque les allusions salaces redoublaient, elle fixait ses pieds, le visage rougissant, et elle continuait sa route en tentant d'échapper à ces petites jouissances quotidiennes qui semaient le malaise et, curieusement, la rendaient un peu honteuse. Un garçon se donnait parfois en spectacle. Il emboîtait son pas, la suivait de très près, frôlant avec indécence son corps et mimant grossièrement ses épaules tombantes, son allure pressée et son regard rivé sur le bitume. Ou encore, il dandinait des fesses, forçait une gestuelle féminine, sexualisée et caricaturale qui creusait l'écart avec ce que Lisa donnait à voir. Le public posté sur les escaliers s'esclaffait et commentait. D'autres fois, on lui chapardait un paquet de céréales ou un soda lorsqu'elle revenait des courses. Et de nombreuses fois, il ne se passait rien. Pas un mot, pas une tête ne se tournait vers elle. Lisa se sentait transparente et même si le sentiment d'être tranquille la soulageait, elle n'était pas certaine que ce fût ce qui lui plaisait le plus.

Lucie à ses côtés, c'était tout autre chose. Lisa avait quelqu'un dans son camp. Dès son arrivée, son amie avait montré qui elle était, affichant sa détermination à en découdre au premier sifflement ou à la première remarque lancée à leur passage. Dans son ombre, Lisa était plus forte. Elle se nourrissait de l'assurance de Lucie lorsqu'elles traversaient ensemble la maille « Claudine » puis l'autre, « Jocelyne », où se trouvait la supérette.

Les regards changeaient aussi. Ils valorisaient Lucie et Lisa en profitait. Elle percevait l'intérêt suscité, l'attirance et le désir. À quelques reprises, elle s'était même sentie belle, un peu par contagion. Mais ce qui rendait Lisa plus forte encore avec Lucie était de n'être plus jamais seule avec ses tourments.

Quand ça les toquait, à deux, elles faisaient le grand ménage dans l'appartement. Elles ramassaient les ordures et les vêtements, faisaient des machines, vidaient l'évier de sa vaisselle et récuraient la salle de bain pour poser joliment ensuite des rouges à lèvres sur la tablette en verre du miroir et toute une collection d'échantillons de parfum et de boules de bain aux senteurs surprenantes dans une coupelle en céramique sur l'émail brillant de la baignoire. Ce qui faisait le plus de bien à Lisa c'était de dégager les bouteilles, les vides, les entamées et les pleines. Le liquide toxique s'écoulait dans la cuvette des w.-c., le verre disparaissait dans le conteneur en bas de l'immeuble. Elle ne pouvait s'empêcher alors d'espérer vainement le règlement du problème et d'imaginer, à chaque fois, qu'un changement d'environnement résoudrait les excès d'alcool de sa mère. L'opération terminée, sa satisfaction était grande. L'appartement était balayé de sa misère, elles avaient fait place nette. Alors Lisa se sentait heureuse, collée à Lucie, sur le canapé d'où elles contemplaient leur résultat.

Les deux filles ne se contentèrent pas de nettoyer l'appartement, Lucie y amena de la vie. Elle avait toujours un tas d'idées pour embellir, pour rire, pour faire des choses et créer le mouvement qui ne laissait plus le temps de ruminer. Ses projets surgissaient avec rapidité et foisonnement. Lisa ne s'y greffait pas, elle y était littéralement emportée. Pour sa part, elle avait la tête creuse, pensait-elle. Peu de mots s'y engrangeaient et peu d'idées y germaient. Lucie avait ce qui lui manquait.

Une guirlande lumineuse à grosses boules vertes et blanches trouva sa place sur le mur nu derrière le canapé. Des affiches, décollées précautionneusement des panneaux au centre-ville à l'aide d'un petit canif affuté, occupèrent les autres pans de mur. Elles les choisirent pour leurs couleurs et leur dessin sans référence aucune au spectacle : une marionnette sur un fond rouge, chauve et blanche, aux yeux qui lui mangeaient le visage et un dessin géométrique troublant les sens dans ses effets de perspective et ses couleurs psychédéliques.

La présence de Lucie dans l'appartement était à peine remarquée par la mère de Lisa tant elle était absente, même derrière la porte de sa chambre, même errante dans le salon et la cuisine. Aucun commentaire sur l'intrusion de cette inconnue qui n'était pas sa fille, aucune question. Lucie en fut surprise. La mère de Lisa l'avait-elle seulement aperçue ?

Pourtant c'est face à cette femme inexistante que s'adressait puissamment la colère de Lisa. Cette colère entraînait Lucie, la gonflait en miroir, donnait matière à la sienne lorsqu'elle parlait de Martha. Le délaissement de l'une faisait écho à l'omnipotence de l'autre.

Martha l'empêchait de vivre, s'échauffait Lucie. Elle voulait tout gérer à sa façon. Elle ne la connaissait pas et ne cherchait pas à la connaître. C'est la gentille Lucie qu'elle voulait trouver. Une Lucie sage qui obéit aux règles qu'elle seule a décidées. C'est une autre qu'elle attendait, une petite bourgeoise aux bonnes manières, insipide et comme il faut ! Martha était ridicule avec sa petite vie minable. Elle était moche, coincée et vieille… elle n'était rien, elle ne comprenait rien.

— Finalement, elle est comme la tienne, disait-elle à Lisa, elle ne me voit pas.

Lisa compatissait sans penser qu'un dixième de cette mère et qu'une miette de son affection auraient déjà suffi à changer sa vie. Elle admirait Lucie dans son choix, Lucie qui avait le cran de se débarrasser de tout ce qui l'encombrait. Elle-même s'en jugeait incapable. Sa mère à elle lui collait au corps, l'engluait même. Dans tout ce qu'elle entreprenait, cette mère restait là, à l'esprit, comme un fil indestructible à la patte. Seule la présence de Lucie lui apportait des bouffées d'air. Cela lui permettait de s'évader et elle se sentait plus légère.

Après un mois, leurs rencontres furent quasi quotidiennes.

Lucie ne parla pas de Michel ni du cancer. Jamais, elle n'invita Lisa chez elle. Jusqu'à sa rencontre avec Erwan, elle vaqua entre deux univers. Elle rentrait encore dans son appartement cossu pour dormir parfois des journées entières, vider le frigo, puiser dans le porte-monnaie de la cuisine et régler ses comptes avec Martha.

Il fallait qu'elle l'agresse. L'apercevoir suffisait à déclencher sa haine. C'était viscéral. Elle y retournait. Moins Martha réagissait, plus elle attaquait, allant jusqu'à la chercher parmi ses livres. Lucie les touchait puis les dérangeait insidieusement. Ils finissaient par voler au travers de la pièce.

Avec le temps, Martha avait changé, constatait Lucie. Celle-ci restait de marbre. Elle avait renoncé à la secouer pour se rendre en cours, elle n'abordait même plus le sujet. Plus une question n'était posée sur son découcher de la veille. Décidément, elles n'étaient pas faites du même sang, s'enorgueillissait-elle, forte d'un sentiment de puissance et d'invincibilité.

Dans les insultes qu'elle lui envoyait, il était question de mères et de femmes en dessous de tout, méprisables et détestables. Des mots justes qui souillaient et détruisaient. Des mots crachés qui lui faisaient du bien. Lorsque les insultes ne suffisaient pas, Lucie se saisissait d'une épingle de nourrice, d'un rasoir ou d'une aiguille de couture avant de filer s'enfermer dans sa chambre. Le sang qui apparaissait immanquablement puis qui s'écoulait tranquillement de ses avant-bras lui procurait alors une détente instantanée. Figée, elle regardait. Détachée. Soulagée. Un grand vide dans la tête. Cela aussi lui faisait du bien.

Après sa première fugue, il y en avait eu quelques autres où sur le vif, après un mot ou une attitude de Martha, Lucie était repartie. Orgueilleuse, elle n'avait pas rebroussé chemin, même si elle s'était sentie embarrassée et peu fière d'être en panne de trouver un toit pour la nuit.

À la première récidive, elle avait tenté de rejoindre le centre équestre où Orion avait été le premier à lui faire une place, mais elle y avait renoncé avec l'idée de ne jamais parvenir au bout de cette longue route qui lui parut infinie. Comment cela avait-il été possible la première fois ? Elle n'en avait plus le moindre souvenir. Alors, il y avait eu les parcs publics restés ouverts la nuit et les réveils en sursaut par les premiers passants ou par les agents des espaces verts de la ville. Un matin, un policier l'avait menée au poste puis chez elle, convaincu d'une passade adolescente sur le coup d'un conflit sans conséquence.

Une nuit d'hiver, transie de froid dès vingt heures, elle avait sonné à la porte de Claire. Laurence l'avait accueillie. Sous la délicatesse des mots mûrement choisis de sa tante pour comprendre ce qui la dépassait, Lucie avait perçu, attablée devant le chocolat chaud qui venait de lui être servi, une manœuvre pour lui faire admettre une souffrance psychologique. Elle était là pour l'aider, elle pouvait compter sur elle, lui avait glissé Laurence.

Claire était restée incrédule devant les horreurs entendues une grande partie de la nuit. Les propos sur Martha l'avaient mise mal à l'aise, les péripéties de Lucie l'avaient troublée. Une fascination pour sa cousine et ses aventures dignes d'un roman se brouillait d'un mal-être face à des évènements violents et déroutants qui bousculaient la perception de sa famille et la réalité de sa vie. Le partage n'était plus possible avec celle qui avait été plus que son amie. Claire en fut groggy.

Au petit matin, Lucie s'était dit que l'on ne l'y reprendrait plus.

De toute façon, elle s'était promis de larguer les amarres. Rompre avec Martha était aussi rompre avec sa famille. Ils en prenaient pour leur grade avec leurs préoccupations du qu'en-dira-t-on, leurs futilités, leur bienséance, leur politesse hypocrite, leur souci de réussite pour que la jeunesse se calque sur leurs ancêtres, se moulent dans leur sillon en bons fils et filles à papa pour leur faire honneur. Ça ne l'intéressait plus. Elle n'était plus de cette famille. C'est seulement en repensant à Claire qu'une pointe de nostalgie faisait irruption.

Dans cette vaste opération de destruction de ceux qui avaient fait son enfance, Michel et sa grand-mère paternelle n'étaient jamais concernés. Lucie n'avait pas choisi délibérément de les en protéger. Son esprit ne s'y attardait jamais et, par là même, les préservait.

Avec Lisa et son appartement, Lucie trouva l'assurance d'un point de chute. Elle y passa plus de temps. Puis des nuits. Puis plusieurs nuits d'affilée. Cette rencontre inopinée ne l'avait pas seulement arrangée, c'était l'occasion de se frayer la voie d'une vie nouvelle où elle prenait un rôle d'adulte, libre et affranchie.

Bien sûr, il y avait les cris de la mère…

Quand l'idée la prenait, c'était toujours sans s'annoncer. Lucie criait aussi, réarmant Lisa qui s'engaillardissait. Alors la mère lâchait. Seule face à deux, elle ne se sentait pas de taille. Mais finalement, peu importait la présence de cette mère dans l'une des pièces ou pas. Les deux filles géraient leur vie. Le sentiment de liberté en était enivrant. Pas d'horaires, pas de contraintes, pas de discours de raison qui s'imposaient pour dicter ce qu'il était bon de faire, bon de manger et bon de dire. Le libre cours à ce qu'était la vie, avec un grand « v ».

Lucie branchait son MP3 sur le poste de télévision pour danser au rythme puissant de la musique techno jusqu'à s'étourdir à en perdre l'équilibre.

Les deux filles riaient, insouciantes, libérées de leurs chaînes. L'envie du moment dictait ce qu'elles grignotaient. Et les émissions de télé-réalité meublaient le temps passé dans l'appartement.

Elles commentaient les rebondissements, les amours et désamours, les trahisons et infidélités qui allaient bon train. Elles confrontaient leur point de vue et jugeaient les physiques à la plastique artificielle et aux vêtements provocants. Elles assassinaient la « pétasse », se moquaient des disgrâces et des fautes de syntaxe, enviaient la belle brune aux longues jambes bronzées dans son mini short blanc, classaient la « bouffonne » au dernier rang, relevaient les muscles et la virilité machiste des garçons, et faisaient des pronostics sur qui se retrouverait dans le lit de l'autre aux prochaines émissions.

Des images, des rêves et des vérités mises en scène qui emplissaient leur tête. Une réalité, reconstruite pièce par pièce, prise pour argent comptant.

Souvent, Lucie sortait Lisa de sa cité. Plus d'une fois, elle tomba des nues face à tout ce que son amie ne connaissait pas : le piano dans le hall de la gare, la petite impasse où un magasin ne vendait que des fromages, le tout petit square encastré en plein centre-ville au nom comique de « square du Savon », et un autre où la fusée de Tintin s'érigeait en une cabane de jeux pour enfants. Lucie la guidait dans les dédales de la ville qu'elle connaissait par cœur.

Elles retournaient souvent au grand parc, lieu de leur premier contact, pour d'autres rencontres, certaines glauques. Sinon, elles doraient au soleil leurs jambes, leur ventre et leur buste en veillant à ce qu'ils soient dévêtus au maximum.

D'autres fois, Lucie embarquait Lisa pour l'aventure, en tram, sans but ni destination préétablie, pour un après-midi ou une soirée toujours inédite, déterminée au gré des rencontres fortuites. Et avec Lucie, il y en avait toujours. C'est une de ces virées impromptues qui les mena jusqu'au plan d'eau du quartier sud de la ville, sans que Lucie imagine alors qu'elle y trouverait Erwan. Ce lieu était précieux à Lisa. Il la renvoyait à un souvenir auquel elle tenait, à un bonheur de petite fille, au temps d'un château de sable, sa mère à ses côtés. Un moment rare. Ce fut la première fois qu'elle le partagea avec quelqu'un.

Cette autre vie laissa peu de place à Lucie pour penser à ses cours. Au fil de l'année, sa scolarité s'étiola pour n'être plus qu'une vague vue de l'esprit. Lisa, elle, ne renonça pas à se rendre au collège.

— S'ils ne me voient plus, ils me colleront dans un foyer, justifiait-elle alors qu'une part d'elle-même, inavouable, continuait à croire qu'un coup de baguette magique pouvait changer une destinée.

En réalité, elle ne s'y rendait pas à contrecœur, mais parce qu'on l'y attendait. L'attention des professeurs pour cette jeune fille discrète en cours, gentille et besogneuse, ne faiblissait pas. Surtout la directrice… cette femme semblait si déterminée à l'aider que Lisa s'en sentait aimée. Un peu plus et elle se serait blottie sous son aile.

Mais de tout cela, elle n'en disait mot à Lucie. Celle-ci était si différente. Lucie n'avait peur de rien ni de personne, pensait-elle. Son amie s'en tirerait en toutes circonstances, elle saurait toujours se débrouiller pour ne jamais être en détresse.

Lucie ne discuta pas l'attitude de Lisa vis-à-vis des cours. Intuitivement, elle prit le parti de ne pas y toucher pour ne pas mettre en péril le nouvel équilibre qu'elle avait trouvé.

Du coup, elle était parfois seule dans l'appartement.

Plus d'un an qu'avait duré ce petit manège, calculait Lucie en consultant le dernier SMS de Lisa.

Puis il y avait eu Erwan, un virage de cent quatre-vingts degrés dans sa vie. Allongée dans l'herbe, elle savourait cette pensée avec l'égoïsme d'un bonheur qui n'appartient qu'à soi. Puis elle tapa rapidement sur le clavier de son portable avec une dextérité propre à sa génération : *la jpeu pas a+*

Sitôt l'indication sonore d'un message reçu, Lisa saisit son téléphone. Elle relut plusieurs fois les quelques mots de Lucie. Après quatre jours enfin un signe. Lucie restait là !

Lisa respirait, elle alla tout de suite mieux.

6

Il était tard. L'horaire n'était plus celui de l'administration. Marion en avait l'habitude.

Deux dossiers rouges étaient posés sur son bureau. L'un des dossiers était très épais, l'autre très fin. Deux tranches de vie à l'Aide Sociale à l'Enfance, se dit-elle. Les traces d'un passé, un présent à écrire. Comment lier l'un à l'autre ? Que s'était-il passé entre les deux ?

Marion avait décidé de creuser.

« Magdalena – pas Lucie » tournait dans sa tête. La façon de se présenter à elle. Dès le premier contact. Cela ne pouvait pas être qu'une opposition, il y avait autre chose. Tout comme son arrogance, sa manière de l'avoir prise de haut, de lui faire sentir qu'elle avait la main. Marion en avait un peu ri intérieurement, mais elle n'avait rien dit, convaincue qu'il se jouait quelque chose qui lui échappait. Si cette jeune se donnait tant de mal à ériger sa posture, à afficher une image si singulière jusqu'au rouge pétant, impossible à louper, de ses cheveux, c'est qu'elle avait bien besoin d'une armure. Une puissante défense même ! À la hauteur de ses fragilités peut-être ? Cela dit, ce rouge lui allait vraiment bien…

Toutefois, « Magdalena – pas Lucie » l'avait désarçonnée.

Prise de court, Marion avait évité de la nommer. Ça l'avait fait réfléchir ensuite, un bon moment, jusqu'à prendre le parti de l'appeler « Lucie-Magdalena ». Six syllabes complexes à énoncer qu'elle répéta plusieurs fois pour tenter l'aisance d'une prononciation, comme elle le faisait pour d'autres lorsqu'elle rencontrait pour la première fois un prénom à l'écriture et à la sonorité qui lui étaient étrangères. Elle tenait à une dénomination juste qui n'écorcherait pas plus encore les enfants qu'elle suivait. En commençant à les connaître, elle s'étonnait par la suite combien le prénom coulait de source et s'articulait sans aucune hésitation dans sa bouche.

Avec « Magdalena – pas Lucie », elle franchissait un pas de plus. Elle créait spontanément un prénom composé, associait deux histoires, réalisait un trait d'union sans aucune idée des effets qu'il allait produire.

Dès leur deuxième rencontre, elle avait glissé « Lucie-Magdalena » entre ses mots. Il n'y avait pas eu de réaction, tout au plus un regard étonné. Marion s'était dit que ça allait passer.

Le silence gagnait le bureau. Les appels téléphoniques avaient cessé. Certains collègues avaient quitté les lieux, d'autres profitaient du calme pour rédiger des écrits sur leur ordinateur.

Marion ouvrit le gros dossier rouge.

Elle fit la connaissance de Sara, Rita, Patricia. Que de mères dans cette histoire ! Cherchées, apparues, disparues. Que de liens rompus, que de trous ! Une succession de fragments qui, même mis bout à bout, laissaient à Marion l'impression d'une vie aux multiples voltefaces. Il lui fut difficile d'en comprendre les étapes. Elle renonça pour cette fois, elle y reviendrait.

Son attention s'attacha au tout petit bébé.

Pour le retrouver, Marion prit le gros dossier à l'envers. À ses débuts, le classement inversé lui avait demandé un effort de logique puisque le commencement d'une histoire se consultait dans les derniers documents et il avait fallu quelques dossiers avant que cette étrangeté ne la quitte.

Tout à l'arrière de l'épaisse liasse, elle saisit deux pages dactylographiées vieilles de quinze ans : *L'enfant se présente comme né à terme sans que nous puissions le confirmer par le nombre de semaines d'aménorrhée. Il présente un poids honorable de 3 kg 100 g et une taille de 52 cm à la naissance (...) Le 28 juillet, à 11 h 30, l'équipe soignante constate que la mère de l'enfant a quitté le service de maternité sans prévenir ni laisser ses coordonnées (...) pas d'autres informations qu'un prénom. Le nouveau-né hurle sans discontinuité depuis. Les investigations médicales n'ont pas permis de diagnostiquer à ce jour une pathologie somatique qui expliquerait les cris de l'enfant (...) Hypothèse d'une détresse psychique ? (...) Nourrisson en situation alarmante (...) Nécessité d'une mesure de protection.*

Le caractère urgent à trouver une solution d'accueil figurait en gras, *les conditions d'une hospitalisation n'étant pas favorables à un apaisement de l'enfant.*

Le document se terminait par la signature de l'assistante sociale du CHU.

L'esprit de Marion reconstitua la scène. Un tout petit apparut. Seul au monde, avec un cri comme seul moyen d'existence. Ne pouvant que hurler à mort pour survivre. Pas d'effacement, de retrait ou de résignation, mais une lutte farouche pour ne pas glisser dans les limbes et ne pas s'abandonner au néant. Une puissance de vie puisée l'on ne sait où pour crier sans relâche que quelqu'un est là, au fin fond d'un service, d'un couloir, d'une chambre et d'un lit d'hôpital. L'image d'un son. Figé, infini et continu, qui métamorphose l'humain et l'environnement. Un peu comme le cri d'Edvard Munch associa Marion. Des personnages en arrière-fond, indéfinissables, floutés. Une terreur ou un appel ? Peut-être les deux.

Qu'était devenu ce hurlement ? Le bébé existait-il encore au tréfonds de celle qu'elle avait rencontrée ? Continuait-il à se manifester ?

L'émotion la gagna. Comme souvent elle la prenait à son insu. Quoi qu'en aient dit ses formateurs à l'école qui prônaient une pseudo-posture professionnelle de neutralité censée préserver chacun de ses élans personnels, elle savait bien que ce baratin n'avait rien à voir avec la pratique. En trois rencontres, Marion sut que Lucie-Magdalena la touchait.

Elle n'avait pas vraiment avancé avec elle. Enfin, trois contacts, c'était un début.

Cette jeune ne répondait pas à ses appels téléphoniques, Marion devait attendre. Les textos semblaient mieux marcher. Lucie-Magdalena finissait par lui renvoyer quelques mots, jamais sous forme d'accord ou de réponse à la question comme si cette banalité dans le contact était, pour elle, déjà le signe d'une soumission. Voyait-elle leur relation comme un duel ? Depuis que Marion optait pour cette hypothèse, elle choisissait de lui laisser une part de décision. Lui proposer un jour de rencontre et lui laisser en déterminer l'heure et le lieu avaient plutôt bien fonctionné.

Bon, elle ne savait toujours pas ce que faisait Lucie-Magdalena, ni où elle dormait. Bien sûr qu'elle partageait l'inquiétude de madame Skalowky qui revenait sur cette gamine d'à peine quinze ans dans la nature depuis six semaines. En soi, une mise en danger, disait sa supérieure, alors qu'elles étaient censées la protéger.

Marion entendait aussi la panique de ce père et son soulagement lorsqu'il apprenait qu'elle avait un contact avec sa fille. « Au moins, elle est en vie ! » avait-il laissé échapper.

Aucun appel de la mère, par contre.

La pression montait, Marion relativisait. Cette jeune n'était certainement pas dans la rue ni dans un squat. À chacune de leurs rencontres, elle s'était montrée soignée, propre et apprêtée. Tip top, même ! Les ongles vernis d'un noir charbon, impeccables, à la dernière entrevue. Les cicatrices sur ses bras témoignaient d'une histoire ancienne. Aucun signe extérieur d'errance ni de négligence d'elle-même. En revanche, l'attention de Marion s'était accrochée à un hématome au-dessus du coude. Lorsqu'elle l'avait relevé, la jeune avait immédiatement sorti les griffes avant de se verrouiller.

Il était encore trop tôt pour aller plus loin.

Le travail se ferait, il y avait moyen, Marion en était certaine. Lucie-Magdalena la surprenait. Derrière les « putains » qui scandaient ses phrases et le langage ordurier qu'elle affichait, l'éducatrice entendait une richesse de vocabulaire et une finesse dans ses propos. Cette jeune fille avait de la culture. Elle ne disait pas que des idioties. Elle pouvait argumenter un point de vue, livrer une critique sur la société qui présentait, certes, l'absence de nuances des adolescents, mais qui n'était pas si fausse finalement. Il fallait juste gratter un peu ce qui était montré au premier abord.

Au dernier contact, Lucie-Magdalena lui avait lâché l'existence d'un petit copain. Aussi Marion restait confiante, un petit fil se tendait. Il suffisait de patienter.

Elle referma le dossier rouge, éteignit la lampe de son bureau et quitta les locaux maintenant déserts du Service de l'Enfance.

Le prochain rendez-vous avec Lucie-Magdalena aurait lieu le lendemain. Elle ne pouvait anticiper la folie de l'évènement à venir.

7

Il avait suffi d'un après-midi à Magdalena pour que Lisa, son appartement, leurs virées et leur amitié soient relégués à une vie antérieure. En six semaines, ce souvenir s'était totalement effacé.

Erwan avait gagné sa vie.

Avec lui, il y avait une mère comme Magdalena n'en avait jamais connu. Une mère dans le cœur de laquelle ce garçon occupait une place toute particulière parce qu'il était son aîné, le petit homme de la maison devenu peu à peu le second homme. Elvira était fière de son fils depuis sa venue au monde : un enfant vif, affirmé, au caractère chaud et au physique racé des hommes de son pays. À l'arrivée d'une sœur puis de deux petits, il n'y avait pas eu de réaménagement des espaces dans le logement familial et Erwan avait été le seul à conserver sa chambre dans le quatre pièces où ils continuaient à se serrer à six.

La chambre d'Erwan devint le nouvel univers de Magdalena, un douze mètres carrés encombré de gadgets et d'objets high-tech dernier cri. Tout y était à disposition pour se distraire et pour ne pas avoir envie de s'en extraire. Les séries visionnées dans l'intégralité de leur saison sur la grande télévision, les clips et les vidéos sur l'ordinateur et les jeux sur la dernière console mise sur le marché avaient de quoi occuper leur temps. Tout à portée de main, sans se déplacer du lit.

Magdalena se sentait bien dans le décor de cette chambre de garçon. Elle s'y lovait, y larvait et se fondait dans Erwan. Une lampe d'ambiance aux filaments flexibles projetait des traits de lumière qui variaient de couleur. Un drapeau calabrais punaisé en guise de tête de lit rappelait les attaches familiales. De nombreuses affiches de *Call of Duty* recouvraient les murs. Dans des scènes chaotiques, des guerriers futuristes affublés d'armes lourdes en imposaient dans leur armure de combat. Parmi elles, un poster se démarquait, celui de *Midona*, la princesse du crépuscule de *Legend of Zelda*. Ses yeux félins, sa posture énigmatique, sa plastique parfaite et irréelle, le drapé de ses vêtements noirs et bleu azur qui dévoilaient son ventre et la longue courbe de sa jambe droite faisaient fantasmer Magdalena. Seuls ses cheveux couleur de feu, liés étrangement à l'avant, donnaient une touche chaude au dessin.

La jeune fille ne quittait la chambre que pour suivre Erwan lorsque sa mère l'appelait. Elle pénétrait alors dans le monde d'Elvira où tout était prétexte à faire famille. Avec les siens, mais aussi les autres. De solides amitiés s'étaient nouées dans le quartier, essentiellement avec des compatriotes auprès desquels Elvira retrouvait la saveur de ses origines, les sonorités de sa langue et des valeurs communes plus ou moins transformées par l'immigration.

Elle et son mari s'étaient installés dans cet appartement fraîchement mariés, venus tout droit de leur pays. Ils y avaient importé leur culture même si leurs enfants portaient des prénoms du pays d'accueil – pensaient-ils – par choix d'une intégration réussie. Ils conservaient depuis le premier départ des liens ténus avec la famille malgré les deux mille kilomètres de séparation. Elvira était satisfaite de ce qu'ils avaient construit et lorsqu'ils étaient de retour dans la petite vallée rurale de son enfance pour tout un mois de vacances, sans déroger à la fréquence d'un été sur deux, elle en mesurait l'ampleur. Les remarques de sa propre mère sur ses petits-enfants, celles de ses oncles, de ses cousines et de sa marraine relevaient le décalage qui s'était creusé peu à peu avec les neveux et nièces restés au pays. L'admiration qu'elle y décelait la confortait dans l'idée d'avoir fait le bon choix. Erwan, le premier, majeur et récemment diplômé, illustrait une éducation réussie et flattait ses qualités de mère.

Mari et enfants étaient emportés par cette femme dynamique qui mettait toute son énergie à soutenir un esprit de famille. Sur sa terre d'asile, elle reconstituait une famille nombreuse, élargie, quitte à y inclure des pièces rapportées.

Lorsque Magdalena quittait la chambre d'Erwan, elle voyageait en terre étrangère. Attablée, dans une cuisine aux odeurs fortes et épicées et aux discussions vives et superposées, dans une agitation qui ne dérangeait personne, elle se coulait dans le moule, heureuse.

« C'est ça la vie ! s'était-elle dit. C'est ça une mère, une mère vivante. »

Les fréquents coups de gueule dans l'appartement n'offusquaient personne. Elvira était exubérante et avait le tempérament des gens du Sud. D'abondantes remarques fusaient sur l'oisiveté d'Erwan qui, son CAP en poche, ne se remuait pas beaucoup pour trouver du travail. Les propos d'Elvira s'enflammaient brusquement puis retombaient. Personne n'y voyait de conséquences. Tout le monde savait qu'au fond d'elle-même elle freinait des quatre fers pour qu'il fasse ses premiers pas vers l'indépendance. Elle n'y était absolument pas prête et tout son être désirait le conserver au plus près d'elle-même. C'est peut-être pour cela qu'elle ne discuta pas l'intrusion de Magdalena.

On ne peut pas dire qu'une petite part de cette femme ne fut pas touchée par cette jeune fille. Qu'elle se retrouve sans toit et sans famille déclencha l'empathie naturelle d'Elvira comme lorsqu'elle aidait ses voisins et en particulier le vieux célibataire du quatrième qu'une obésité condamnait à vivre entre ses quatre murs, ou lorsqu'elle embarquait une troupe d'enfants à la sortie de l'école, les menant chacun au bas de son immeuble.

Cependant, Erwan restait celui qui occupait sa vie. Cette petite amie était jolie, Elvira lui trouvait de bonnes manières et son prénom avait le goût du familier. En vérité, cette jeune fille nourrissait plus encore son admiration pour son fils. Magdalena était, sans qu'Elvira le reconnaisse, un attribut supplémentaire qui gonflait sa fierté de mère.

Les jours s'écoulèrent de la chambre à la cuisine, de l'appartement à quelques sorties groupées en plein air. Magdalena se collait à Erwan, à sa famille et à sa vie.

Elle fit connaissance des copains du jeune homme avec la désagréable sensation qu'il se désintéressa d'elle. À quelques reprises, le sentiment extrêmement déplaisant de faire figure de trophée l'envahit. S'ajoutait à cela qu'il l'emmenait, jamais plus elle ne menait, elle suivait. Impossible pour elle de s'en contenter ! Alors elle lâcha quelques mots blessants auxquels Erwan répliqua.

La première baffe la scotcha. Elle se déclencha sitôt la moquerie envoyée, juste un « petit bébé à sa maman » en rigolant. Le débordement de tendresse, le corps serré d'Erwan, les mots doux et ceux d'excuse susurrés en boucle dans le creux de sa nuque, effacèrent instantanément la gifle. À la deuxième atteinte, une télécommande percuta son bras lorsqu'elle cria qu'il n'avait pas à la laisser et à s'éclipser en catimini de l'appartement. Elle riposta en balançant une manette de jeux au visage d'Erwan.

Dès cet instant leur relation prit la tournure d'une onde sinusoïdale avec l'alternance d'attaques et de fusions toutes aussi fortes et violentes les unes que les autres. Ils fonctionnèrent en concurrence permanente, se ressemblant l'un l'autre, aussi fort l'un que l'autre, cherchant continuellement qui prendrait le dessus sur l'autre. Ça ne déplaisait pas à Magdalena qui voyait en Erwan quelqu'un à sa hauteur. Leur relation gagna une intensité extraordinaire et pimentée, forte à vivre.

Ce n'est pas du tout de cette manière qu'Elvira apprécia les choses. Dans les cris, elle n'entendit que ceux de Magdalena. Dans les mouvements d'humeur, elle ne vit que ceux qui humiliaient et malmenaient son fils. Elle avait ouvert sa porte, donné sa générosité, accepté que Magdalena partage le lit de son aîné – même si ça lui en coûtait.

Et finalement, cette fille était devenue responsable de violences et de turbulences qui gagnaient son appartement et l'ensemble de sa famille.

— Aucune reconnaissance, aucun respect, hurlait-elle.

Elle l'avait accueillie comme sa fille, logée, nourrie et celle-ci les agressait. Elle ne voulait plus d'elle ni de ça chez elle. Ça avait trop duré !

Elvira cria plus haut que Magdalena. Pour finir, elle la mit à la porte avec la pleine satisfaction d'avoir accompli un acte de protection envers les siens.

Sans s'y attendre, Magdalena se retrouva devant l'immeuble.

Elle sonna une dizaine de fois pour qu'on lui ouvre ; personne ne daigna lui parler à l'interphone. Ses appels compulsifs sur le portable d'Erwan n'eurent pas plus d'effet.

Alors, elle s'assit, éberluée, sur le bloc de béton, brut et massif, placé là pour empêcher le stationnement des véhicules devant le bâtiment.

Une coquille d'œuf…

L'image s'imposa à son esprit.

Un morceau fragmenté, gisant comme un reste. Il était posé sur sa face bombée. Ses rebords anguleux, presque coupants, témoignaient d'une harmonie qui venait de se rompre. L'aspect lisse et brillant de l'intérieur ne pouvait pas être qu'un déchet.

Peu à peu, la coquille se reconstitua. Les morceaux s'assemblèrent du bas vers le haut comme se réalise un puzzle en trois dimensions. Chaque partie s'encastra parfaitement aux autres, laissant en leur jonction une fissure qui disparaissait lentement. Une autoréparation spontanée. Un film au ralenti visionné en marche arrière.

L'œuf retrouva sa forme première, elliptique. La coquille d'aspect fragile devint résistante. Sa teinte, fauve clair, était chaude et apaisante.

Une fois l'image de l'œuf construite mentalement, son espace intérieur apparut. Nulle obscurité, mais une luminosité atténuée, filtrée, pour préserver un huis clos à l'abri du monde. Des parois satinées et contenantes, protectrices, à distance de l'extérieur et des autres. Un monde interne, miniaturisé, avec tout à disposition pour subsister. Une couleur jaune vitaminée. Une texture crémeuse. Une chaleur enveloppante et douce, sans aucune préoccupation quant à son origine. Juste la paix.

Magdalena quitta le bloc de béton.

Sans réfléchir, elle prit le tram. L'œuf avait disparu et aucune question ne traversait sa tête. Sans un regard pour les autres voyageurs, elle n'était maintenant qu'un chagrin. Un sentiment brut, seulement éprouvé, sans les mots pour le dire.

À proximité de la grande place circulaire du centre-ville, elle descendit.

Elle rentrait chez elle.

8

Il était onze heures du matin.

Le bruit de la clé qui s'engageait dans la serrure était inhabituel à cette heure. Il troubla la somnolence de Martha lovée dans le fauteuil de son oriel. Elle n'était pas sûre d'avoir bien entendu. Quelqu'un cherchait à entrer dans l'appartement ?

Elle se leva péniblement, traversa lentement le salon puis écarta d'un mouvement de main le drapé de la tenture qui la séparait du vestibule pour y jeter un œil.

Magdalena ne vit qu'une main.

Une main en guise de stop.

Un signe qui exigeait un recul.

Une paume affichée, des doigts écartés dans le prolongement d'un bras tendu vers l'avant.

Une distance arrêtée, sans équivoque, définitive.

Martha eut juste le temps d'apercevoir le rouge puissant d'une chevelure qui avait déclenché le geste de protection dérisoire de sa main. Avant même de reconnaître sa fille, avant même de voir venir le coup, une douleur envahit sa pommette gauche.

Son corps ne prit pas le temps de chanceler, il s'écrasa, tempe droite en premier, sur la console du vestibule. Les bibelots, le vase, son eau et les fleurs échouèrent avec fracas sur le sol. Les jambes flanchèrent. Le corps s'écroula à terre dans la flaque, parmi les débris de verre. Une douleur au flanc – côté gauche encore – comme une pointe vive dans les côtes, cuisante et déchirante, d'une intensité qui coupait

220

le souffle. Le visage, ensanglanté par un éclat de verre planté dans la peau, se reprit le choc d'une chaussure. La puissance de l'impact retourna l'ensemble du corps. Une force gigantesque se saisit des cheveux pour la décoller du mur. Elle se recroquevilla au milieu du vestibule en une position fœtale. Un déferlement de violence s'abattit en toutes directions, circulaire, n'épargnant aucune partie du corps exposé.

Un brouillage des sens. La vision atteinte en premier. Plus que des images floues, des couleurs mouvantes. Rien que des ombres, du noir, une lumière aveuglante, des scintillements. Puis la confusion. Dedans dehors ? Aucun geste de protection. La perte de la réalité extérieure et seule la perception brute des sensations internes : l'affolement du rythme cardiaque, les sons amplifiés des battements du cœur tambourinant de toute part, en résonnance, dans la tête et dans la chair… Le temps ? Quel temps ? Paradoxalement devenu suspendu et infini. La disparition de la fraction de seconde entre l'encaissement d'un coup et l'attente à peine naissante du suivant. L'effacement de ce qui fait la différence entre l'atteinte osseuse, celle des muscles ou des organes. Juste une douleur sans fin, déliée des assauts qui provoquaient les secousses successives et désorganisées des morceaux touchés : le creusé du ventre, l'envol d'un membre, le cabrage du dos, et surtout et encore le décrochement de la tête.

Il n'existait plus qu'une douleur, continue. Plus de corps.

Seul un son se frayait. Présent dès le premier coup, il envahissait l'espace et inondait la totalité de l'environnement. Jusqu'au dernier souffle, Martha perçut ce hurlement, rauque et terrifiant, puisé au fin fond d'un être, en ses aires lointaines, enfouies, déshumanisées.

Un hurlement en deçà de l'animal.

Magdalena dirait plus tard, avec froideur, que « ça » l'avait pris.

C'était monté à l'intérieur, tout seul… Et puis plus rien. Un grand blanc. Elle ne se souviendrait de rien. La remémoration de ce qui s'était passé dans le vestibule s'arrêterait nette à l'image d'une main. Elle ne pourrait rien dire du motif ni du déroulement. Détachée, elle resterait peu concernée par l'évènement qui ne lui appartenait pas.

Sur l'instant, sa conscience s'était évaporée en une fraction de seconde pour laisser le champ libre à de l'agir pur. Ses poings, ses pieds et ses genoux avaient pris le relais dans une brutalité autonome, étrangère, au service du seul objectif qui s'imposait, celui d'une destruction.

Ce n'était pas Martha à ses pieds, mais un corps, une chose. Plus exactement, ce n'était même plus une chose, mais simplement le lieu d'une décharge.

Il fallut plusieurs minutes avant que Magdalena ne se rende compte que le coup porté ne rencontrait plus de résistance, que le poing ou le pied s'enfonçait dans une matière molle et qu'il provoquait un déplacement ample comme le glissement d'un objet en perte d'inertie. Il fallut plusieurs minutes encore pour qu'elle entende que le gémissement aigu et déchirant, devenu en un crescendo descendant à peine audible, s'était tu.

Ce n'est qu'alors, dans une scène chargée de silence et d'immobilité, que la violence cessa et que Magdalena aperçut un corps gisant à terre.

Elle recula.

Le dos plaqué à la porte d'entrée, elle se laissa glisser doucement jusqu'au sol. Ramassée en boule. Son regard était tout aussi vide que sa tête. Aucun mouvement de pensée, juste une respiration bruyante et une lente détente des muscles.

Personne n'aurait pu dire combien de temps cela dura. Au moins une heure, peut-être plus. L'état de torpeur cessa lorsqu'elle prit conscience de l'encombrement au sol : un terrain dévasté, jonché de fragments cassés, d'une console défoncée, d'une tenture arrachée. Le tout baignant dans de l'eau sale et noircie de sang.

Le vestibule qui ne ressemblait plus à rien.

Et Martha gisant dans ce champ de ruines. Elle non plus, elle ne ressemblait plus à rien.

Sans attendre, il fallut fuir.

Magdalena se leva comme un ressort, ouvrit la porte, ne prit pas le temps de la refermer et dévala les escaliers. Il fallait aller loin, très loin. Quitter ce lieu au plus vite. Effacer ce moment pour ne pas lui accorder d'existence. Le laisser délié, dans une sphère distincte, isolée, inconnue et étrangère.

Seul son trousseau de clés resté dans la serrure serait le témoin de son passage.

9

Un Post-it de la secrétaire était collé sur l'écran d'ordinateur de Marion : *Rappeler dès ton arrivée la brigade des mineurs à l'hôtel de police (Lucie).* Suivait le numéro de téléphone du brigadier L.

— Nous l'avons ramassée à trois heures du matin. Le SAMU s'en est chargé, au vu de son état d'ébriété avancé. À votre place, ajoutait le brigadier, j'essayerais de creuser. Elle était vautrée parmi les Polonais sur la grande place du centre-ville. C'est glauque là-bas… Les patrouilles de nuit y interviennent souvent. De l'alcool, de la drogue, des mauvais coups et qui sait, des abus ?

Sonnée, le téléphone raccroché, Marion eut besoin de se remémorer les propos qu'elle venait d'entendre. Elle apprenait, en un appel, l'hospitalisation de la mère et de la fille au même CHU.

La veille au soir, les urgences avaient pris en charge la première, la mère. Elle était en réanimation, bien abimée visiblement. On ne connaissait pas encore l'ampleur des dégâts. Les médecins évoquaient des violences inouïes, infligées par sa fille apparemment. Le brigadier n'en savait pas plus, le procureur ouvrait une enquête.

Quelques heures plus tard, dans la nuit, l'admission de la fille. Incapable d'aligner trois mots. Ils l'avaient gardée aux urgences pour décuver. Pas de coma éthylique, mais 2,7 g d'alcool dans le sang. A priori, elle restait mutique.

Reprenant ses esprits, Marion fit le numéro des urgences : le psychiatre devait passer dans la matinée. Après la consultation, l'adolescente devrait pouvoir sortir. Avant le repas de midi sûrement. Marion devrait la chercher, les médecins ne la garderaient pas.

Une jeune fille traînait, manifestement frustrée et angoissée, à l'entrée de l'hôpital. Intuitivement, Marion lui adressa la parole. Elle découvrit Lisa, « une amie de toujours », venue directement du quartier d'en face pour chercher celle qui le lui avait demandé. On l'avait refoulée, elle ne partirait pas, elle attendrait !

Lorsque Marion pénétra dans le box des urgences, Lucie-Magdalena lui apparut bien plus jeune et désœuvrée que ces six dernières semaines. Il n'était plus question de vêtements aux couleurs vives, de maquillage ravageur et de coiffures extravagantes. Dans sa tunique d'hôpital vert délavé, avec ses cheveux défaits, mêlés en boule à l'arrière du crâne, ses mèches collées au front et son regard vague, elle paraissait pauvre et démunie. Elle présentait un autre visage, pas celui de ses rencontres, pas non plus celui de l'agresseur enragé, aux forces décuplées, qui avait probablement attaqué sa mère dans une violence que Marion avait un mal fou à se représenter.

L'éducatrice tenta de glisser un mot sur les évènements de la veille. Il n'effleura pas la conscience de Lucie-Magdalena. Suivirent un long temps de silence, puis quelques mots :

— Je suis fatiguée… juste fatiguée.

L'adolescente semblait inatteignable, vide, égarée.

Marion lui présenta chacun de ses vêtements posés et chiffonnés au pied de la table d'examen. Leur odeur et leur saleté témoignaient d'une nuit d'errance. Elle l'habilla comme lorsqu'on aide un petit en fin de soirée chez des amis, déjà saoul de sommeil, avant de regagner sa voiture pour le trajet qui le mènera enfin à son lit. Agenouillée, elle laça ses baskets. Lucie-Magdalena la laissa faire.

L'éducatrice était chargée de la conduire au Foyer Départemental de l'Enfance. Une décision de sa hiérarchie, imposée par l'urgence. Un accueil en sureffectif qui exigeait du foyer de pousser ses murs.

— Pas génial, avait soulevé Marion.

— La seule solution aujourd'hui, lui avait répondu madame Skalowky. On réfléchirait pour la suite.

L'image d'un canapé surgissait de suite dans l'esprit de Marion lorsqu'il était question du Foyer Départemental de l'Enfance. À chaque fois qu'elle avait pénétré dans le pavillon des adolescents, le canapé qui trônait dans la pièce commune l'avait heurtée. Il était rien qu'une coque rigide en plastique rouge. Le moulage reproduisait à merveille le bombé moelleux des assises, des dossiers et les plis de tissus provoqués par le garnissage des coussins. Le contraste avec la dureté de la matière était saisissant. Un semblant, un leurre, du virtuel. Comment avait-on pu choisir un tel mobilier, le concevoir et le commercialiser ? Seule une préoccupation économique guidée par le choix d'un matériel indestructible, résistant à toute épreuve, de taille à faire face aux assauts adolescents et donc, à ne pas remplacer de sitôt, en était l'explication plausible. Quelle idée ! Au premier étage du pavillon, la porte vitrée qui desservait le couloir réservé aux chambres des filles portait l'impact d'un coup qui se prolongeait en étoile. Le verre fissuré en une grosse toile d'araignée donnait le ton aux primo-arrivants sur la violence de certains autres qu'ils côtoieraient. Dans les chambres, le linoléum clair marbré de gris ajoutait de la froideur. Un sol inhabituel dans une chambre, un sol qui sentait la norme d'hygiène et l'institution.

Ce jour-là, Marion savait aussi que l'équipe était malmenée ces derniers temps par des effets de groupe difficiles à contenir. Les éducateurs étaient tendus, ils s'essoufflaient.

Pas l'idéal pour une première rencontre avec une structure d'accueil, ressassait-elle. Bon, pour l'heure, il n'y avait pas d'autres choix, le psychiatre qui l'avait examinée aux urgences ne l'avait diagnostiquée ni dépressive ni délirante. Le transfert en psychiatrie n'était pas une option même si un suivi ambulatoire était fortement conseillé. Et puis, il y avait eu le passage à l'acte de la veille et l'incertitude totale des conséquences.

Le Foyer Départemental de l'Enfance ne serait peut-être qu'une question de quelques jours.

Dans son monologue intérieur, Marion avait besoin de se convaincre elle-même et de chasser ses doutes pour accompagner l'adolescente dans cette réalité.

Par flashs, la folie de l'agression venait bousculer sa pensée. Rien ne lui avait mis la puce à l'oreille lorsqu'elles s'étaient vues, il y a seulement trois jours. Qu'était allé faire Lucie-Magdalena chez sa mère, alors qu'elle refusait tout contact avec ses parents depuis des semaines ?

Marion aurait voulu effacer le temps, revenir en arrière, poursuivre le travail qui s'amorçait et la relation qu'elle pensait avoir commencé à tisser. Qu'adviendrait-il maintenant ? Une ébauche qui tournerait court ? Les ressources et le formidable élan de vie de cette jeune lui avaient permis une petite part d'espoir. Le « Pénal » qui risquait de se substituer à son intervention la dégagerait de cette histoire. C'était bien dommage, regrettait-elle. Bien dommage pour Lucie-Magdalena aussi. Comment faire à quinze ans, avec ça ? Après ça ?

Marion ne dit pas un mot de ce qui l'agitait intérieurement dans le box des urgences. Ses gestes et ses propos ne concernaient que l'instant présent. Elle prenait soin de la jeune fille, lentement, se calant sur son rythme atone. Face à cette jeune passive et éteinte, elle prenait le relais, elle insufflait le mouvement. Lucie-Magdalena se laissait mener comme si elle s'en remettait à elle.

Dans la voiture, l'adolescente resta tout aussi silencieuse. Sa rencontre avec Lisa, toujours fermement plantée à la porte des urgences, ne l'avait pas éveillée davantage.

Arrivées au foyer, elles furent accueillies dans la bibliothèque, une pièce encombrée de livres et de revues, de papiers, de feutres et de bricolages inachevés. Un lieu à part dans le pavillon, s'était dit

Marion. L'éducatrice du groupe prit le temps, servit un chocolat, s'enquit de savoir si Lucie-Magdalena avait mangé. Elle n'était pas pressée et elle ne les avait pas pressées. L'accueil avait été chaleureux.

Après le départ de Marion, Lucie-Magdalena ne resta que cinq heures dans les murs.

10

Michel avait reconnu le trousseau de clés resté dans la serrure de la porte d'entrée. Sitôt la porte ouverte, le bref espoir de voir sa fille de retour à la maison s'était évanoui à la vision du massacre.

Lorsque les policiers lui parlèrent des soupçons qui portaient sur Lucie, abasourdi, il fut dans l'impossibilité d'établir un lien quelconque avec les blessures infligées à Martha.

Les jours et les nuits de Michel furent hantés par le visage de sa femme qui n'avait plus figure humaine. Un visage tuméfié, déformé, noir d'ecchymoses et de sang séché. Son corps aussi. Un corps désarticulé, des membres gisant avec incohérence, une peau exposée, maculée de rouge et de bleu. Baignant dans l'eau, il s'était précipité, guettant le plus petit souffle qui témoignerait à lui seul que ce corps défait était encore vivant. Il n'avait pas touché Martha, avait réajusté sa jupe retroussée et son chemisier déchiré – sa façon, à lui, de prendre soin d'elle en attendant les secours.

Puis d'un coup de balai, il avait débarrassé l'ensemble des fragments d'objets qui entouraient sa femme comme pour la sortir du chaos à défaut de pouvoir la secourir.

À la lecture de l'expertise médico-légale par les policiers, les atteintes répertoriées minutieusement, morceau par morceau, relevaient pour Michel d'une sauvagerie sans nom.

Le document de quatre pages décrivait, avec une objectivité médicale et une rigueur scientifique, une infinité de blessures : *une commotion cérébrale, les côtes gauches K7 et K8 cassées, une luxation de l'épaule droite sans fractures associées, une tuméfaction du visage et du cuir chevelu, des coupures superficielles avec l'une d'elles, plus profonde au front.* Suivait un nombre incalculable d'hématomes sur le torse, le dos et les membres, avec la précision, pour chacun, de leur localisation, de leur forme et de leurs dimensions chiffrées en centimètres. L'écrit préconisait *une évaluation de la nature exacte des séquelles à réaliser dans six mois, un puis trois ans.*

L'énumération froide et déshumanisée des lésions renvoyait Michel à une agression du même ordre : un acharnement qui ne pouvait être que l'œuvre d'un déséquilibré. Les investigations menées concluaient pourtant à la présence incontestable de Lucie dans le vestibule. L'esprit de Michel résista à en faire une réalité. Il émit l'hypothèse d'un accident tout en sachant que l'enquête écartait d'emblée cette éventualité. L'acte de Lucie dépassait toute imagination. Il surgissait par bouffées à la conscience de ce père, sans qu'il le veuille, le laissant dans l'effroi et l'impossibilité de se le représenter. Une sorte d'évènement irréel qui avait eu lieu et pas eu lieu.

Toute l'énergie de Michel se concentra au chevet de Martha.

Les médecins la dirent « miraculée ». Son corps déjà fragilisé par la maladie était, certes, meurtri de toute part, mais il était resté vivant. Aussi frêle soit-il, il s'était préservé de lésions profondes et viscérales. La récupération serait longue, l'évolution incertaine, mais on avait « frôlé le pire ».

Il fallut deux bons mois d'hospitalisation avant que Michel ne puisse la ramener à la maison.

Ce n'est qu'à son retour que Martha reparla pour la première fois de Lucie. Michel écouta et réfréna le sentiment de malaise dans lequel les propos de sa femme le plongèrent. Des propos incongrus dans l'instant et déconnectés du temps. C'était Lucie d'avant, Lucie inventive et drôle, Lucie qui avait donné du sens à leur vie, Lucie aimée et tendre. Martha racontait et répétait des anecdotes et des petits riens qui avaient fait d'eux une famille : le souvenir de la pêche à la crevette lorsqu'elle avait sept ans, les bougies magiques qui se rallumaient toutes seules sur le gâteau de ses dix ans, sa première audition de harpe que Michel avait filmée dans son intégralité, sa lecture fluide des *Trois Brigands* dès les premiers mois de son CP… Plus encore que son discours, l'enthousiasme de Martha, ses rires et le plaisir à se remémorer ces temps perdus troublaient Michel.

À chaque fois qu'une mèche de cheveux se dégageait du front de sa femme, une sale cicatrice se découvrait. Discordante, la trace de la plaie rappelait cruellement les deux dernières années d'une vie à la dérive.

Michel était mal. Il n'en disait rien.

Le deuxième mouvement de Martha fut de se taire. Les souvenirs disparurent. Le prénom même de sa fille ne fut plus prononcé. Elle n'en parla plus. Davantage encore, elle effaça son existence. Plus une seule fois, au gré d'une association d'idées dans une discussion, l'image de sa fille surgit. Plus jamais Martha ne pénétra dans sa chambre. La porte close dans le couloir n'accrocha plus son regard. Lucie disparut de son esprit.

Peut-être avait-elle lâché prise ? se demandait Michel. Deux combats semblaient de trop à mener. Entre le cancer qui continuait à la ronger et sa fille, le premier envahit totalement son quotidien. Le repli sur cette lutte, concrète, brûlait son énergie.

Une fissure se frayait, séparait les vies, les univers et les personnes. Michel se sentait coupé en deux, peut-être même coupé en plus que deux. Son monde se fractionna. Ses préoccupations, ses actes et ses souvenirs prirent place dans des espaces étanches et parallèles. Là encore, une façon de faire face.

Dans le huis clos de l'appartement, il se repliait avec Martha. La famille les avait quittés depuis des mois et Christine depuis peu. À son travail, il faisait preuve d'une conscience professionnelle surhumaine en les circonstances. À midi, il montait comme toujours à l'étage pour déjeuner chez sa mère qui évitait les sujets qui faisaient souffrir.

Sa douleur n'avait pas disparu, mais elle s'entourait de silence et de solitude. Malgré tout, une part de lui-même n'avait pas renoncé à sa fille, même si ses appels à Marion avaient été moins fréquents. Savoir Lucie en vie lui restait nécessaire. De cela aussi, il n'en dit rien à Martha.

11

Après la fugue du Foyer Départemental de l'Enfance, le premier réflexe de Marion fut de retrouver Lisa, cette jeune fille déposée à l'entrée de sa maille au sortir des urgences.

Les langues ne s'étaient pas déliées facilement aux pieds des immeubles. Au troisième bloc, l'une d'elles avait fini par lâcher que « c'était au quatrième ».

Effectivement, Lucie-Magdalena était là.

Les violences envers sa mère mettaient maintenant l'adolescente face à des obligations judiciaires. Une garde à vue, une mise en examen et l'introduction de la Protection Judiciaire de la Jeunesse ne donnèrent pas plus de consistance aux évènements.

Contre toute attente, le juge fit preuve d'une clémence inhabituelle. Il ne sortit pas l'artillerie lourde, mais paria sur d'hypothétiques résultats du Service de l'Enfance.

L'inculpée restait libre. Une chance pour Marion ! Si Lucie-Magdalena faisait profil bas, s'expliquait et prouvait sa détermination à changer de cap, elle gagnerait peut-être l'indulgence à un procès.

Malgré cela, le sujet à peine abordé déclenchait une haine farouche. Pas un minimum de reconnaissance des actes ou un infime regret. Le déroulé de l'agression n'avait pas de mots ni même de réalité. Il ne subsistait qu'un trou dans le temps et dans la mémoire de cette jeune fille, un trou qui plongeait son éducatrice dans un néant d'incompréhension. Comment cela était-il possible ? Un autre aurait-il pris possession de son corps et de son âme ? L'idée d'une double personnalité traversa Marion à l'image de *L'étrange cas du Docteur Jekyll et M. Hyde*. Une réalité qui dépassait la fiction, cela existait-il vraiment ?

La question de ce qui s'était passé dans ce vestibule la taraudait. Ce n'était pas le cas de Lucie-Magdalena. Avec son détachement et ses propos, invariables et limités, l'affaire piétinait.

Marion se sentait dans l'impasse. Plus moyen d'amener Lucie-Magdalena dans un quelconque établissement d'accueil. Sans autres perspectives, elle se rendit régulièrement chez Lisa. À force, elle finit par se repérer dans la vaste cité où tout se ressemblait. Elle n'eut plus besoin de scruter avec attention les panneaux indicateurs pour tomber enfin sur la maille « Claudine ». Elle ne fut plus embarquée dans des tours et des détours où elle tournait en rond au sens propre et figuré. Ça l'avait agacée au début. Puis elle avait souri toute seule au volant de sa voiture, imaginant ce trajet comme un préalable logique à une rencontre où, là aussi, elle tournait en rond.

Parfois, les deux filles étaient là. Certaines fois, seulement l'une d'elles. Souvent, la porte était close ce qui ne présageait rien d'une absence.

Le travail de Marion était invisible, contraire aux codes ordinaires. Rien ne se construisait sur un contrat établi, un projet, des objectifs et une adhésion du jeune qui menaient les éducateurs à la satisfaction du devoir accompli et au contentement tout personnel d'y être pour quelque chose. Il s'agissait d'un travail en rien linéaire, une succession d'instantanés, de moments opportuns ou pas. Mais un travail tout de même pour Marion. Elle ne lâchait pas malgré les espoirs déçus, l'absence d'avancées concrètes, les promesses non tenues et les faux bonds de Lucie-Magdalena. Il en aurait peut-être été différemment pour ses collègues.

Elle la suivait à la trace, récoltait une part de l'histoire quand l'adolescente se mettait à lui parler.

Ce n'était pas venu tout de suite. Il avait fallu le temps, beaucoup de patience, de nombreux rendez-vous ratés et de moments, côte à côte, où l'air de rien, juste dans une fréquentation banale, ni trop près ni trop loin, quelque chose se nouait. Marion ne savait jamais à quoi s'attendre lorsqu'elle la rencontrait. La jeune fille se montrait tantôt loquace, tantôt mutique. Parfois enjouée, d'autres fois éteinte. Agressive, opposante ou à l'inverse empressée de saisir une proposition. Alors Marion décelait une sorte de soulagement, faible, mais tout de même là. En ces moments, leur contact prenait la forme d'une brève bulle d'air, éphémère, juste le temps de se former avant de disparaître.

« Tout n'était qu'un jeu. »

À ces mots, le visage de Lucie-Magdalena s'était illuminé. L'idée qui venait de germer dans sa tête mettait en lumière ce qui n'avait pas fonctionné. Une révélation !

Elle parlait dans la voiture.

Marion l'avait conduite à la campagne pour s'extraire un temps de la ville, changer de décor afin de provoquer, peut-être, quelque chose. Elles s'étaient rendues dans les collines où, l'hiver, les enfants passaient de longs après-midis à dévaler les pentes en luge lorsque la neige était au rendez-vous.

Lucie-Magdalena avait reconnu l'endroit, Michel et Martha l'y avaient emmenée plus d'une fois.

L'adolescente n'avait pas décroché un mot jusqu'au moment du retour. Dans la voiture, chacune regardait droit devant. Concentrée au volant, Marion avait juste la possibilité de jeter sans insistance un œil de temps à autre sur sa droite. La jeune fille fixait la route sans la voir. Soudain, dans cet habitacle clos, celle-ci se mit à parler, comme une première fois, comme un jaillissement non contrôlé :

— Mes parents ont joué à être mes parents. Et moi, j'ai fait semblant d'être leur fille. Quand on est petit, on ne se rend pas compte, on ne se pose aucune question.

Lucie-Magdalena se rappela la première fois où elle était entrée dans sa chambre. C'était fou. Une chambre de princesse. Une multitude de jeux, tout ce qu'elle aurait voulu. Tout ce que voulait une gamine, mais dans ses rêves, jamais en vrai.

À y repenser, elle avait plongé dans un film, affirmait-elle :

— Non, c'était plutôt comme aller à Disney Land, mais pas pour un après-midi, pour la vie !

Une multitude de souvenirs désordonnés se bousculèrent dans un flot de paroles. Ses mots passaient en revue ce qui lui restait d'une enfance féérique et irréelle. Le poney, le cheval, la harpe, le choix sans compter des activités et de ce qu'ils allaient manger, l'avion, le ski, le soleil et la piscine garantis aux vacances, les restaurants décidés selon ses envies… Elle décrivit en détail les changements de décor qui transformaient l'appartement en un univers enchanteur lors des anniversaires, le pied du sapin de Noël encombré de paquets à ne plus savoir où donner de la tête, les mariages aux allures de contes de fées. Elle racontait les cadeaux qui apparaissaient spontanément après avoir simplement appuyé le regard à la vitrine d'un magasin, les cadeaux pour les bonnes notes, pour le passage en classe supérieure, les dents perdues, la fin d'un séjour ou d'un dimanche, ou pour rien du tout.

— C'était magique. Tout pour plaire !

L'émerveillement de la petite fille était encore perceptible dans les souvenirs retrouvés. Rapidement, il s'éteignit.

— Petit, on ne voit pas plus loin que le bout de son nez, ajouta-t-elle, on zappe tout, on n'imagine pas qu'il y a un prix à payer, alors on prend.

En fait, on l'avait piégée et c'était tellement facile de piéger les enfants.

Fantasme ou réalité ? Marion ne sut pas quoi penser.

La pauvrette parachutée dans un univers doré ne collait pas vraiment avec les observations du Service des Adoptions retrouvées dans le dossier. Le désir des parents de combler leur fille était relevé dans un écrit de sa collègue, madame Lecourt, mais il était pondéré par *leur ouverture, leurs demandes de conseils, leur souci de bien faire et leur cheminement* en vue d'une affiliation en douceur, réussie. Lucie-Magdalena ne forçait-elle pas le trait ? Ces parents qu'on qualifiait d'attentionnés, investis et aimants, étaient-ils ceux qu'elle décrivait ?

L'éducatrice se risqua à interrompre le monologue qui occupait le trajet depuis une bonne vingtaine de minutes.

— Et l'amour ? suggéra-t-elle.

La simple question changea le ton. Martha et la haine emplirent l'espace.

À leur arrivée en ville, Lucie-Magdalena saisit le premier feu rouge pour ouvrir brusquement la portière et s'échapper de la voiture.

Après cette sortie dans les collines, elles se ratèrent un temps. Puis elles ne purent que s'apercevoir avant que leur rencontre ne prenne de nouveau l'allure d'une pause dans un perpétuel mouvement.

La duperie familiale revint en boucle. On l'avait trompée, expliquait la jeune fille. Cela n'avait rien à voir avec un secret de famille que d'autres découvrent parfois à six, dix ou quatorze ans par indélicatesse, naïveté ou méchanceté d'un autre qui, en une phrase, lève brutalement le voile d'une adoption dissimulée. Pour tout le monde, elle y comprise, « on savait ». Le problème était ailleurs. Il était dans le moule qu'on lui avait fabriqué et dans lequel elle s'était glissée.

Alors bien sûr, il y avait eu de l'amour. À part chez sa grand-mère maternelle peut-être. Avec son air méprisant, dérangé et toujours pincé, Lucie-Magdalena avait su dès le début qu'elle ne l'aimait pas.

— Rien à voir avec l'autre, celle de la campagne, expliqua-t-elle, la seule personne normale. Les autres ? Que du faux !

L'amour n'avait été qu'une vaste supercherie à laquelle on lui avait fait croire. Ils n'aimaient que la petite fille sage, polie, jolie et « bien comme il faut » qu'ils avaient créée. Martha était au centre de la manœuvre. Son égoïsme monstrueux avait voulu la transformer, effacer sa personnalité et la modeler comme elle l'entendait. Cette mère était allée jusqu'à changer son nom ! Alors son amour, ce n'avait pas été pour elle, mais pour Lucie, la fille de Martha, la fille dans la peau de laquelle elle s'était fourvoyée.

Lorsque Marion et Lucie-Magdalena s'étaient retrouvées à flâner dans le grand parc où les premières gelées commençaient à recouvrir les bordures des allées, l'adolescente avait reparlé de cet amour qui s'était trompé d'adresse. Avec lui, sa destinée devenait une « erreur d'aiguillage ». Plus encore, « un vol d'enfant ».

Martha avait « rapté » sa vie.

Cette mère occupait démesurément son esprit. Il n'y avait qu'elle d'ailleurs. Michel était le grand absent. Son évocation mettait fin au monologue. Le regard de Lucie-Magdalena perdait de sa noirceur. Un bref étonnement le traversait puis un vide, comme si elle n'eut rien à en dire.

Marion doutait. Fallait-il écouter toutes ces horreurs ? Sidérée, elle assistait à l'échauffement de cette fille emportée dans une surenchère de mots qui tuent comme si rien ne suffisait à régler ses comptes. La haine démesurée envers cette mère ne faiblissait pas après l'agression qui avait bien failli la tuer. Au fil du temps, la colère enflait et Lucie-Magdalena s'y noyait. Les phrases s'appauvrissaient. Par moments ne subsistait qu'une succession d'insultes, rapides, déliées et brutes, ayant perdu jusqu'à leur article ou leur déterminant. Elles attaquaient Martha comme si sa présence était réelle, comme si son fantôme avait pris le relais.

Marion assistait, spectatrice, à un phénomène qui lui échappait, sans avoir les ressources pour en inverser le cours des choses et s'en décoller. Elle se voyait ramer dans une coquille de noix, se démener pour rester à flot et encaisser la violence des vagues afin de saisir les moments d'accalmie où elle espérait avancer. Juste un peu, sans cap ni boussole, et toujours dans l'incertitude d'un prochain déchaînement. Son sentiment d'impuissance grandissait. À cela s'ajoutait son inquiétude à la savoir dans un appartement en plein cœur de la plus grande cité de la métropole. Les cadavres de bouteilles que Lisa avait cherché à dissimuler, le désordre et les restes de nourriture ne lui avaient pas échappé. L'ambiance mortifère y était saisissante. Cette mère qui l'ignorait lui semblait avoir quitté terre tant son corps et son esprit étaient évanescents. Marion l'avait rarement croisée, n'avait fait que la frôler sans réussir à lui parler. Sa maigreur faisait peine à voir. Un être abimé, à la pauvre existence… pas quelqu'un sur qui s'appuyer, avait-elle jaugé.

Lors d'une visite, Marion avait surpris deux hommes dans l'appartement. Ils avaient rapidement disparu dans la pièce d'à côté. Rien de rassurant ! Cet appartement dans ce quartier ne pouvait pas être une solution. Tout au plus un toit, le seul disponible pour les soirs de galère. Quel autre choix ?

Puis, l'hiver surgit sans douceur. Les premiers froids apparurent avec vingt centimètres de neige. Avec les journées courtes et les nuits glaciales, l'impératif d'un lieu à trouver se fit pressant.

Déjà six mois que cette adolescente leur était confiée, et pas un projet ne se profilait. Madame Skalowky préparait un passage en force. La nécessité s'imposait d'œuvrer maintenant par autorité. La responsable ne pouvait se résoudre à l'absence d'avancées concrètes, elle misait sur une admission à « Pauc a cha pauc », un lieu de vie dans le Sud qui s'engageait à étudier sa demande.

Avec la forte baisse des températures, Michel retrouva une question parentale fondamentale. Il s'agissait d'assurer un besoin primaire, de prendre suffisamment soin de son enfant pour lui garantir sa survie. Lorsqu'il piocha des vêtements chauds dans la chambre vide depuis des mois, il se trouva seul dans l'opération et seul dans une préoccupation qui n'atteignait plus Martha. À l'ouverture des tiroirs de la commode, il eut le sentiment de pénétrer dans une intimité qui ne le regardait pas. Jusqu'alors, cela n'avait jamais été son rayon, mais celui de sa femme avant que les conflits n'arrivent. Et en la matière, le choix et la gestion du linge en avaient créé plus d'un.

Dans le meuble dédié aux vêtements, tout se mélangeait. Le propre, le sale. Les culottes souillées aux côtés des bodys sagement rangés. Les restes d'un paquet de gâteau, des miettes éparpillées, des emballages de yaourts consommés, des mouchoirs tachés de sang séché. Un jogging roulé en boule obstruait l'ouverture d'un tiroir. Michel força, tria, la gorge serrée. Incertain de sa sélection, il plia soigneusement des dessous féminins. Avec moins de gêne, des pulls chauds et des pantalons. Dans un grand sac en toile, il ajouta les bottines fourrées et la grosse doudoune rose achetées l'hiver dernier. Une lettre et un paquet emballé d'un papier aux étoiles de Noël glissèrent sous les habits.

Il eut du mal à choisir les mots à écrire. Lui dire qu'il l'aimait ? L'image du corps méconnaissable de Martha dans le chaos du vestibule l'en empêchait. Il griffonna, recommença, finit par rédiger deux phrases : *Je pense à toi. Nous nous reverrons.*

Lorsqu'il remit son sac à Marion, l'espoir d'un contact avec sa fille resurgit. Une première depuis le drame. Cette circulation d'objet serait un premier pont, espéra-t-il. Lucie le franchirait peut-être.

Lucie-Magdalena prit le sac dont Marion s'était fait le passeur. Vite, elle repartit sans en regarder le contenu.

Les fêtes de fin d'année passèrent comme si leur présence et leur symbolique n'avaient pas gagné la jeune fille. Marion ne put savoir ce qu'elle fit de ces jours et de ces nuits particulières. L'appartement de Lisa n'en révéla aucune trace. Son intérieur restait identique, sans signes d'une fête qui se préparait ou qui s'était déroulée.

L'angoisse de Marion montait.

De plus en plus souvent, Lisa était seule dans l'appartement. Parfois, elle n'avait pas vu son amie depuis trois jours. Jamais elle ne sut lui dire où elle était ni quand elle arriverait. L'adolescente restait sur ses gardes, méfiante et craintive qu'on s'intéresse trop à elle. Partagée tout de même, à force de voir débarquer cette éducatrice qui se démenait tant. C'était tentant… Et puis, elle aussi s'inquiétait depuis qu'elle avait vu son amie se battre comme un homme et exploser au moindre regard de travers.

— Elle a changé, confia Lisa à Marion. Elle n'est plus comme avant.

La légèreté passée se transformait maintenant en lourdeur. Lucie-Magdalena arrivait sans crier gare. Souvent, elle s'effondrait sur le canapé sans lui adresser un mot, quelques fois elle se moquait d'elle et de ses préoccupations concernant sa mère ou le collège. Son amie l'avait particulièrement blessée, le jour où elle avait parlé de son projet de formation pour devenir pâtissière. Lucie-Magdalena lui avait renvoyé la nullité de sa condition alors qu'une porte immense s'ouvrait à Lisa. Plus qu'une orientation pour elle, c'était enfin un espoir, un futur possible où elle se voyait déjà dans l'une de ces jolies boutiques du centre-ville. L'humiliation ressentie fit naître le désir que cette fille s'en aille. De pair, la parole de Lisa se libéra davantage.

Une violente réaction de Lucie-Magdalena à une insulte qui avait mal tourné lui fit peur, relata-t-elle à Marion. L'évènement datait de la veille, maille « Claudine », au pied de l'immeuble, sur les marches de l'entrée où un groupe de garçons bouchait l'accès. Rien d'extraordinaire. Une situation banale, rencontrée quotidiennement. Mais cette fois, Lucie-Magdalena les avait agressés aussitôt pour forcer le passage, sans rien demander, sans parler, sans se soucier de ses adversaires, de leur âge ou de leur nombre. Une broutille au départ puis une escalade d'insultes, de menaces et de coups. Son amie avait été méconnaissable, incompréhensible, hors d'elle.

— Elle avait l'air vraiment dingue, rapportait Lisa. Elle hurlait comme une folle qu'on n'avait pas à toucher à sa mère, que la colère de ses frères et de ses oncles serait terrible et que la famille, chez les gitans, c'était sacré !

À l'évocation de la scène, l'esprit de Marion s'agita. De qui parlait-elle ? En cet instant, une mère et une famille sortaient de l'ombre pour prendre corps dans une réalité troublée. Il lui fallait reprendre la question des origines et retrouver les traces de cette histoire.

Le gros dossier de l'époque était encore sur son bureau au Service de l'Enfance, sa consultation restée en suspens.

Marion ne l'avait qu'entrouvert, y revenir s'imposait. Elle s'y replongerait.

12

À écouter Lucie-Magdalena, Sara était magnifique, d'une jeunesse éternelle, figée dans sa photographie laissée dans la « Boîte à Souvenirs » vieille de quinze ans. L'image floue avait pris de la netteté. Des détails enrichissaient le physique et les traits de caractère du personnage.

Dans son imaginaire, Sara était devenue singulière. Elle s'affublait des atouts de *La Esmeralda* telle qu'elle était apparue à Gringoire sur la place de Grève – la bohémienne de *Notre-Dame de Paris* à la peau dorée et aux yeux de braise. *Une céleste créature, surnaturelle, à l'esprit complexe, indépendant et à la fantaisie débordante.* Elle fascinait et heurtait les bonnes gens. Elle absorbait les regards de tous sans que personne s'approche de trop près.

La liberté caractérisait Sara, la gitane empruntée à l'imagerie populaire. Sans chaînes qui l'arrimaient à un port, elle choisissait avec les siens de se poser où bon lui semblait. Nomade, insaisissable. Sa vie prenait la caricature d'une succession de moments intenses faits de danse, de musique et de plaisirs, sans l'envers du décor. Une vie à l'allure d'une histoire que l'on raconte, débarrassée de ses contingences.

Forte de ses origines, Sara était différente. Elle n'était pas « des autres » dont elle faisait fi des lois, mais de son peuple dont l'honneur et la fidélité marquaient chacun. Elle était belle, impétueuse et fière. Toute concurrence avec Martha était vaine. Tout dans leur façon d'être et de mordre la vie les opposait. Elle ne pouvait qu'écraser sa rivale en emportant la victoire haut la main, sans combat.

Le cours du temps pris à l'envers, Lucie-Magdalena la ressuscitait à son image, à peine plus âgée qu'elle. Maintenant, elle sentait son sang dans ses veines : un sang jamais tiède, d'une couleur sans demi-teintes.

Bien sûr, Sara était morte !

Lucie-Magdalena ne le contestait pas. Mais cette mère restait celle qui aurait changé le cours des choses. Elle se serait battue bec et ongles pour que sa fille retrouve sa place. Elle n'aurait pas laissé la machine administrative broyer son destin, appliquer ce qui avait été dicté et organisé par d'autres.

Pour Lucie-Magdalena, tout avait été écrit. Son parcours avait été un programme auquel il avait fallu se conformer parce que des étrangers qui n'avaient rien à voir avec elle, et rien à voir avec sa famille l'avaient décidé. Il y en avait eu des papiers pour l'écrire, un paquet même ! Une tonne de feuilles dactylographiées, consignées dans une pochette bourrée à craquer qui, en fin de course, avait été reléguée aux oubliettes. Là, on s'était assis dessus. On avait fait place nette et mis une croix sur Sara. Alors forcément, Martha avait eu le champ libre.

Sara était morte évidemment.

Marion y revenait. Ça l'agaçait.

Son éducatrice lui rappela qu'elle n'avait que deux ans à l'époque.

Et alors ? Ça ne l'intéressait pas. Rapidement, elle lui répondit qu'elle ne le savait pas.

Marion s'en étonna. Elle ne rencontrait pas de souvenirs, même reconstruits, mais des propos sans tristesse ni réalité. Cette mort apparaissait comme une information connue dont on n'interroge pas les circonstances, un trait d'histoire dénué d'émotion et de sentiment. Elle ne percevait pas la trace d'une blessure, l'une de celles que l'on croit enfouies profondément et qui ne ratent pas la première occasion de se raviver.

Mais finalement, se demanda Marion, était-ce une blessure ? La mort d'une mère à deux ans laisse-t-elle intact ?

Il lui fallait à nouveau remonter le temps, se replonger dans ce premier dossier que l'on avait recherché dans les archives où il s'était endormi pendant des années. Il restait en plan sur son bureau depuis sa première lecture où il avait été question du nourrisson. Il fallait maintenant qu'elle retrouve l'enfant qu'il était devenu.

Dans son planning surchargé, Marion imposa une grosse demi-journée, bloquée, sans rendez-vous ni visites, pour s'atteler à la tâche.

L'évolution de l'enfant se trouvait illustrée dans les écrits par des anecdotes qui avaient interrogé sa collègue, celle qui avait occupé sa place à l'époque. Cette éducatrice qu'elle ne connaissait pas, en retraite depuis longtemps, avait accompagné cette petite fille alors qu'elle-même n'avait pas idée de faire ce métier. La lecture la projetait en arrière, non sans étrangeté. Elle n'était qu'une gamine à la naissance de Lucie-Magdalena, à l'école primaire encore. Leur écart d'âge brouillait celui des générations. Sans aucun contrôle, son esprit se mit à calculer les années pour conclure qu'elle-même aurait pu être la fille de Martha, mais pas celle de Sara. Y penser la perturba.

Sans attendre, elle saisit un premier rapport :

La petite fille de deux ans n'avait pas pleuré. *Les nuits suivant l'annonce de la mort de sa mère, elle avait dormi paisiblement, sans réveils nocturnes ni manifestations d'angoisses particulières.* Par la suite, *il n'y avait pas eu de questions spontanées, pas de gêne ou d'évitement lorsque le sujet avait été abordé.*

Tout s'était passé comme si le décès n'avait été qu'une donne supplémentaire. Il était pris en compte dans une vie qui continuait, imperturbable, de la manière la plus ordinaire qui soit. La petite de trois ans avait choisi elle-même les fleurs destinées à la visite au cimetière. Dans l'allée, elle avait sautillé, légère. Moins au retour parce qu'il avait fallu les laisser. Celle de quatre ans avait *joué au mort* à son anniversaire. Une ribambelle de copines s'étaient allongées, côte à côte dans l'herbe. Et lorsque des adultes s'étaient inquiétés, elles avaient feint une absence de réaction, le corps raide et crispé dans une immobilité difficile à tenir tant elles gloussaient. L'élève de maternelle avait refusé de se plier aux traditionnels bricolages pour la fête des mères qui occupaient sérieusement chaque mois de mai puisque pour elle *ce n'était pas la peine.*

Marion leva la tête. Les allées et venues de ses collègues qui partageaient son bureau ne troublèrent pas son attention qui se concentrait, entière, à reconstituer une image. Mentalement, une petite fille prenait des contours et une existence. Avec elle, une question surgit : comment fait-on son deuil à deux ans ?

À y regarder de plus près, Marion constata que cette petite n'avait croisé sa mère qu'à trois reprises. Peu de choses, finalement. Pouvait-on parler réellement de rencontres ?

Elle chercha le premier contact qu'elle trouva minutieusement décrit dans un passage d'un des premiers rapports de son éducatrice. L'enfant avait sept mois. Le décor avait été celui d'une maison d'arrêt.

À cet instant, un frisson la traversa. La prison, elle connaissait. La situation en rappelait d'autres où elle avait pris sur elle. À plusieurs reprises, elle avait pénétré celle de la métropole. Était-ce le lieu de cette rencontre ? Marion n'en était pas sûre.

Cette prison avait remplacé un vieil édifice du XIIIᵉ siècle inscrit à l'inventaire des monuments historiques alors qu'il se peuplait encore de détenus. Les murs suintants d'humidité, les sols carrelés défoncés et la promiscuité avaient imposé le changement. Les détenus avaient quitté le centre-ville pour s'enfermer en périphérie dans un lieu moderne, plus sécuritaire et conforme aux droits de l'homme. La nouvelle prison s'était érigée sur un terrain vague occupé jusqu'alors par des constructions de fortune faites de bric et de broc. Étrangement, les anciens détenus étaient restés pendant plusieurs années attachés à leur vieille bâtisse aux conditions de vie indécentes. On entendait une certaine nostalgie à les écouter, peut-être même une affection pour ces murs, alors qu'ils s'y étaient entassés dans des dortoirs comptant jusqu'à quinze personnes et qu'ils y avaient côtoyé les rats. Aujourd'hui, l'élite les y remplaçait dans l'une des plus prestigieuses écoles de la Nation. Malgré le changement, le bâtiment avait gardé ses entrées où il fallait montrer patte blanche. Des caméras et des équipes de surveillance prenaient toujours possession des lieux.

La restauration n'avait pas touché à la fenêtre en trompe-l'œil qui donnait sur la rue. Les battants dessinés sans barreaux et entrouverts avaient fait cavaler l'imaginaire du passant. L'effet était moindre aujourd'hui. Marion se le rappelait. C'était le passage incontournable sur le trajet du parking au centre-ville, lorsque petite, sa main encore dans celle de l'adulte, elle ne manquait pas d'observer ce mur. On y guettait presque un bout de chaussure qui annoncerait le pied de nez du *Passe-muraille*. Mais ça datait tout de même… Dans le document sous ses yeux, impossible de déterminer le lieu exact de la première rencontre avec Sara. Probablement dans la nouvelle prison, supposa-t-elle.

La première fois que Marion s'en était approchée, elle lui était apparue faussement accueillante. Son mur d'enceinte reproduisait curieusement les arêtes et les creux aléatoires d'un papier froissé comme si son concepteur avait voulu amoindrir la violence de son épaisseur et de sa solidité. Des couleurs pastel déclinées en bleu, rose et jaune y ajoutaient une discordance. Les fenêtres aperçues au-delà du mur étaient tout aussi surprenantes. Elles se striaient de losanges et de triangles aux couleurs vives comme si l'effacement des barres verticales n'en faisait plus des barreaux.

Devant la hauteur du mur surplombé de barbelés concertina, les filets anti hélicoptères et les miradors, Marion s'était fait la réflexion que le trucage ne prenait pas. En dedans, on ressentait bien que ce n'était pas comme en-dehors. Le mur d'enceinte perdait son emballage coloré pour n'être qu'une surface lisse en béton brut. En quelques années, les lieux s'étaient bien dégradés. Les couleurs des couloirs et des grilles s'écaillaient.

Dès la première porte, Marion s'était sentie oppressée, piégée dans un huis clos qui la coupait de l'extérieur. Les bruits, l'odeur et les uniformes l'avaient plongée dans un autre monde dès le sas d'entrée.

Le parloir était un lieu à part, un îlot à atteindre dans un univers fait de grilles à franchir, de contrôles et de déplacements sur autorisation. L'un des enfants qu'elle avait accompagnés avait voulu filer sans attendre comme s'il connaissait les lieux mieux que quiconque, un autre n'avait pas avancé, buté, pétrifié, et un bébé avait sursauté dans ses bras au moindre bruit sans qu'elle puisse calmer ses pleurs.

Le chemin à parcourir était éprouvant jusqu'au parloir. Le périple n'était pas un simple aller-retour dans un dédale de couloirs. À chaque fois, Marion avait pénétré en terre inconnue. Les codes lui échappaient et les mesures sécuritaires engendraient le paradoxe d'un sentiment de danger. Après y être entrée, elle avait ressenti les mêmes impressions pour s'en extraire. À nouveau un malaise diffus, une désagréable sensation d'être sur le qui-vive…

Entre les deux, il y avait le parloir, « le local enfant » en langage pénitentiaire, comme si les mots avaient le pouvoir d'adoucir les murs. Dans ce lieu, on se trouvait alors dans une parenthèse. La présence de jouets créait pour une heure le semblant d'une vie ordinaire même si la porte vitrée et les losanges de la fenêtre en rappelaient le contexte si particulier.

Au parloir, le parent était souvent la mère.

Elle était déjà là, à attendre…

Avec les trois femmes qu'elle y avait rencontrées, Marion avait approché combien l'instant devait rompre leurs habitudes. Elle les avait trouvées fébriles, en quête de tendresse, insistantes pour être embrassées. Certaines s'étaient apprêtées. Elles avaient donné plus ou moins le change, craqué ou pas, réfréné leurs larmes. Certaines avaient beaucoup parlé, voulu tout faire, dessiner, jouer, et vite encore lire une histoire.

Elles regardaient leur montre et le temps qui restait. L'une d'elles avait observé, concentrée et attentive, comme s'il lui fallait inscrire l'instant pour ne pas en perdre le souvenir. Une autre, honteuse, avait expliqué son absence par un travail comme si elle pouvait dénier le lieu même où son fils lui rendait visite. Souvent, elles n'étaient pas venues les mains vides et une sucrerie s'était glissée dans la rencontre. Puis les mères avaient regagné leur quartier : encore un coup d'œil, quelques minutes à gratter ou déjà détenues, passives, obtempérant sans sourciller, dans une chronicité propre au lieu et un temps compté pour chaque chose.

Marion imaginait que cette petite heure nourrissait les jours et les semaines de ces mères au fond de leur cellule, entières à ressasser ce moment béni et à attendre le suivant. L'incarcération leur imposait le rythme d'une maternité fractionnée, organisée et concentrée. Chaque fois, elle s'était interrogée sur leur façon de s'en arranger. Comment être mère en prison ? Une question sans réponse. Difficile de se le représenter.

Lorsque la détenue rejoignait la détention, Marion ne pouvait que fantasmer la suite. Elle ne savait rien des rires, du soulagement de quelques-unes et de la satisfaction de certaines autres à jouir enfin d'un toit et d'un repas. Elle ne pensait qu'à la violence de l'enfermement, à ses liens éphémères, ses solidarités fugaces, ses rivalités et ses jalousies où la question de la maternité n'était jamais loin. Parmi ces autres femmes, elle en connaissait qui refusaient que leurs enfants mettent le pied en prison, d'autres qui oubliaient jusqu'à leur existence ou au contraire qui en faisaient leur priorité et parfois bien plus qu'à l'extérieur. Il y avait celles aussi, empêchées, criant leur sentiment amer de vivre une double peine. Quelques autres enfermées avec leur ventre, hantées par l'espoir de sortir avant leur délivrance. Et ces dernières, celles qui demandaient à Marion un effort de neutralité particulièrement difficile pour qu'elle puisse les approcher : les mères infanticides ou maltraitantes, le plus souvent seules avec leur souffrance.

Et pour Sara ?

Avec ce que Marion retrouvait dans les notes de l'époque, la première rencontre n'avait rien eu d'extraordinaire. *La petite ne s'était pas intéressée à sa mère et ne l'avait pas regardée. Devant le bébé qui pointait du doigt chaque poster affiché aux murs, Sara avait juste dit qu'elle était déjà grande.*

Pas d'autres mots, pas ceux qu'elle écrivait en boucle dans ses lettres dont les photocopies figuraient au dossier. Lorsque Marion les lut, le sentiment de s'immiscer dans l'intimité d'une relation l'envahit. Puis l'émotion de se trouver en lien avec Sara, en direct, par-delà le temps et la mort, prit le dessus. Ces mots affirmaient et réaffirmaient son amour. Les mots d'un enfant, s'était dit Marion. Des mots et des cœurs dessinés sur le papier, répétés dans toutes les couleurs, comme un message insistant qui ne vise pas une adresse, mais l'espoir d'obtenir une réponse.

Marion soupira, quitta sa lecture puis resta songeuse.

Sara s'était trouvée face à un bébé de sept mois qui avait délogé dans sa tête le nourrisson qu'elle avait laissé dans un berceau d'hôpital. Un saut dans le temps, des épisodes ratés. Était-il possible qu'elle la reconnaisse ?

Après quelques minutes, elle reprit sa lecture du premier contact :

La jeune femme était apparue assommée et flottante. Les minutes s'étaient écoulées sans qu'elle manifeste un élan envers sa fille. Elle ne l'avait pas touchée, elle ne l'avait pas prise dans ses bras. Puis on avait toqué à la porte pour qu'un surveillant vienne ouvrir lorsqu'elle avait décroché de la visite en piquant du nez.

C'était tout.

Il fallait s'attacher aux rapports suivants pour trouver des éléments plus rassurants. L'histoire que Marion reconstitua montrait que les choses n'en étaient pas restées là. Sara s'était refait une santé et des projets s'étaient nichés dans sa tête. Elle était repartie d'un autre pied avec l'envie et la certitude de parvenir à une vie nouvelle. Cette jeune femme voulait rattraper le temps perdu. *Maintenant que Magdalena portait son nom, elle allait être vraiment sa mère et obtenir l'aval du tribunal dès sa sortie.* Après viendrait l'étape ultime, celle de vivre enfin avec elle. L'espoir changeait sa vie. À dix-neuf ans, rien n'était trop tard, elle allait s'engager dans une formation et partager un appartement le temps de voir venir.

Sa mobilisation était palpable dans les écrits, l'optimisme de l'éducatrice également.

La jeune femme avait passé Noël en prison, sa fille à ses côtés, lors d'un après-midi organisé au « quartier femmes ». Elle s'était sentie fière d'être une mère, cela avait été si facile.

Puis, Sara était sortie une journée froide de février.

Arrivée à ce stade de l'histoire, Marion l'imagina forte d'une revanche à prendre. La porte franchie, Sara avait marqué un temps d'arrêt, le temps nécessaire pour gonfler ses poumons d'air. Une grande bouffée, comme si c'était la première. L'air de l'extérieur, radicalement différent de celui respiré depuis des mois. Seulement ensuite, elle s'était éloignée des murs, elle avait fait ses premiers pas, confiante en un avenir qui lui promettait qu'elles se retrouveraient très vite, mère et fille, toutes les deux, pour toujours.

La pensée de Marion s'effrita. Cela n'avait-il été rien qu'un rêve ?

Elle fouilla dans les papiers dispersés sur son bureau pour tenter de les classer. La chronologie des évènements fut complexe à reconstituer. Elle finit par rassembler les traces qui témoignaient d'une trajectoire qui s'était écartée de sa destination première.

Quelques mois avaient suffi.

Il n'avait pas fallu attendre la mort pour infléchir le cours de l'histoire. Tout d'abord, il y avait eu l'empressement de Sara à remettre une photo pour sa petite, son investissement et ses résultats prometteurs relevés par un service de formation, ses rendez-vous avec l'éducatrice pour organiser des visites, puis d'autres où on l'avait attendue. Parmi les feuilles volantes, Marion trouva un avertissement à l'entête d'une association d'hébergement d'insertion pour un manquement au règlement, puis une note de l'éducatrice au juge des enfants, postérieure et très courte, qui stipulait l'absence de Sara à la remise de sa demande au tribunal de grande instance. La copie de plusieurs courriers figurait ensuite au dossier. Ils convoquaient cette mère au Service de l'Enfance. Leur nombre impressionnant suggérait qu'on avait multiplié les démarches pour ne pas lâcher l'affaire. Puis une dernière lettre, revenue avec la mention tamponnée d'un *destinataire inconnu à cette adresse*, signait qu'on l'avait perdue.

Après ? Un grand blanc.

Quatre mois plus tard, l'annonce de sa mort.

Quand Marion referma le dossier, l'idée d'un immense gâchis l'envahit. Sara n'avait été qu'une toute jeune fille. Mère avant l'heure, et si peu mère.

Elle s'en fit l'image d'une enfant meurtrie, terriblement esseulée et démunie. Seul l'enfermement lui avait permis de sortir la tête de l'eau, de construire un bout d'histoire, d'y croire et d'y associer un enfant oublié depuis des mois. L'espace d'une incarcération, le cours du temps avait repris, mais il n'avait pas tenu le choc, il s'était délité, vite, en quelques mois de réalité.

Son dernier Noël s'était déroulé en prison, son dernier contact avec sa fille aussi.

L'isolement de Sara lui parut monumental. On ne savait rien de sa famille. Elle n'apparaissait qu'à sa mort, et encore, plusieurs semaines après sa mort. Personne n'avait répondu présent par la suite. Aucun membre ne s'était manifesté pour être le tuteur de la petite, orpheline à deux ans. Pas un ne s'était déplacé simplement pour en parler. Même décédée, l'isolement de Sara avait persisté. Sa fille en avait hérité.

Alors, que fabriquait Lucie-Magdalena ? s'interrogea Marion. Elle semblait nager en plein délire. Sa mère n'avait rien de l'héroïne dont elle se gargarisait. Et sa famille ? Certainement pas celle aux valeurs fortes qui en faisaient des âmes nobles.

Après ce travail qui l'avait menée jusqu'aux premiers liens d'une histoire bien maigre, l'éducatrice se désola de ne pouvoir en discuter. Pourtant elle suggérait le doute, elle argumentait – document à l'appui – mais rien n'y faisait. Ses mots ne contrecarraient pas l'imaginaire de Lucie-Magdalena. Peut-être même qu'en parler construisait la trame et les arrangements de sa fiction ?

Cette idée, nouvelle à son esprit, amena Marion à se dire qu'il fallait vraiment qu'elle prenne les choses par un autre angle.

13

La sortie d'autoroute était maintenant à vingt-cinq minutes. La départementale, bordée de hauts peupliers, traçait une ligne droite et plane dans les champs. Elle coupa deux villages et un bourg. Puis, une petite route sur la gauche annonça un changement de paysage. Une pente douce et deux virages suffirent à créer des collines, leurs bosquets et leurs prairies. Des plaques de neige avaient résisté au redoux de ces derniers jours. Leurs taches blanches étalées sur les versants nord rendaient soudainement le ciel moins gris.

La voiture serpentait.
— Que c'est loin ! dit Lucie-Magdalena.
Elle regardait par la fenêtre sans se souvenir du trajet maintes fois emprunté alors qu'elle n'avait pas encore six ans. C'était du temps où Claude, à l'avant, chantait. Elle, à l'arrière sur son rehausseur, commentait tout et n'importe quoi qui entrait dans son champ de vision : les moutons, les panneaux du Code de la route, l'étang de pêche avec sa cabane ouverte ou non, le rapace qui venait de s'envoler du poteau de la clôture, le nombre de fleurs gagnées à l'entrée des villages, le stade à la sortie et parfois déjà ses joueurs et, quand ils avaient de la chance, deux ou trois biches à la lisière d'un petit bois. De cela non plus, elle ne s'en souvenait pas.
Seule « Pat » restait. Un prénom, une sensation buccale, le mouvement tonique des lèvres qui se serrent suivi d'une forte pression de la pointe de la langue à l'avant du palais, et une syllabe qui claque et résonne avec le relâchement immédiat des muscles. Un plaisir à le dire.

Marion s'étonnait que tant d'années puissent laisser si peu de traces. Un feed-back était nécessaire. Elle pariait que cela stopperait la folle histoire que Lucie-Magdalena se contait à elle-même.

— Tu n'as jamais vécu avec Sara, avait-elle lancé pour la faire redescendre sur terre. Dès ta naissance, c'est une famille d'accueil qui s'est occupée de toi… Tu t'en souviens ?

« Pat » fut la seule association en retour.

Rien d'autre, hormis la demande quasi instantanée de la revoir. Alors Marion avait suivi cette piste dans l'idée qu'une confrontation couperait court aux affabulations.

En rase campagne, la voiture stoppa à une intersection. Aucun signe de circulation. Le désert. À gauche, une voie étroite dont l'entretien laissait à désirer. Une fois engagée, Marion pria pour qu'aucun véhicule ne surgisse en haut d'une butte, et surtout pas un bus. Elle n'était pas confiante, scrutait le macadam et ses nids de poule à l'affût d'une plaque de verglas qui aurait subsisté. Vu l'état de la route, on ne savait jamais !

« C'est le bout du monde », pensa-t-elle. Les familles d'accueil étaient rarement en ville, mais tout de même, celles qu'elle connaissait n'habitaient pas d'endroits si reculés.

Après six kilomètres sinueux, un petit village se nichait dans un creux. Derrière l'église, Marion s'engagea « rue Neuve » à la recherche du numéro « 16 ».

La maison ne dit rien à Lucie-Magdalena.

On devinait la patte d'une maîtresse de maison soucieuse de son extérieur. Le jardinet se colorait de plantes à la floraison hivernale – bruyères et hellébores – dans une série de pots en terre de toutes dimensions. Une guirlande de glaçons sur les rebords du toit et des fenêtres témoignait des fêtes de fin d'année. Son plastique terne n'était pas très heureux dans la clarté du jour.

Avant même de sonner revint le premier souvenir : un grand terrain. Immense. Immédiatement, le goût des framboises cueillies à même la tige, la sensation de courir à en tomber dans l'herbe, celle des pieds nus dans la rosée du matin et surtout, l'image très précise d'une maisonnette pour enfant avec sa table et ses chaises. Ensuite, le plaisir de touiller des mixtures faites d'un mélange de terre, de pétales et de brins d'herbe dans de petits récipients ; l'amusement sérieux d'y poser des couvercles, de transvaser, de humer, de servir.

La sonnette retentit alors que Patricia, désordonnée et nerveuse, tentait d'occuper son temps depuis bientôt une heure. Elle se trouvait seule dans la maison.

Dans un coin de sa tête, l'idée qu'un jour Magda reprenne contact pour donner des nouvelles ne l'avait pas quittée. Mais un appel du Service de l'Enfance ? Elle ne pouvait s'y attendre. Comment aurait-elle pu ?

Au départ de cette enfant, elle avait rationalisé sa perte en une adoption transformée en un cadeau du ciel. Hors de sa vie et à défaut de connaître ce qu'elle était devenue, son esprit avait créé un roman où Magda ne pouvait qu'être heureuse, et sa vie qu'une réussite. Brillante, elle serait allée à l'université comme sa mère. Elle aurait accompli de grands projets. Il y en avait quelques-uns de cet acabit qui défiaient le déterminisme de leur parcours à l'Aide Sociale à l'Enfance. Ils sortaient du lot et s'en tiraient avec brio. Certains étaient ingénieurs, médecins ou juges. D'autres devenaient célèbres, artistes ou écrivains… Tiens ! créative comme était Magda, Patricia l'aurait bien vue écrire des romans fantastiques. Peut-être même que sa notoriété serait parvenue un jour jusqu'à ses oreilles. Et puis, avec ces parents qui ne voulaient que son bonheur, cette adoption ne pouvait être qu'une chance.

Alors évidemment, la nouvelle avait été brutale.

— C'est compliqué actuellement avec sa mère et son père, lui avait-on dit. C'est très tendu. Il y a une mesure de placement... La jeune fille demande à vous revoir. Qu'en pensez-vous ?

Interdite par la teneur de l'appel, Patricia avait été d'accord sans réfléchir :

— Bien sûr, elle peut venir.

Puis, elle ne sut que faire de ce qu'elle avait entendu. D'un revers de la main, l'échange téléphonique balayait l'histoire qu'elle s'était construite. L'image rassurante s'écroulait, elle en fut bousculée.

Au tintement de la sonnette, Patricia ouvrit, anxieuse.

Dans l'encadrement de la porte se tenait une grande fille aux cheveux rouges. La première pensée de Patricia fut pour cette teinture qu'elle n'aurait jamais acceptée pour sa fille au même âge ou pour Kelly aujourd'hui. L'allure de l'adolescente la troubla : une épaisse et courte doudoune rose, des leggings troués, des anneaux créoles démesurés aux oreilles et de fines bottines cloutées à talon sans aucun rapport avec les exigences de la météo.

Magda avait l'allure de ces jeunes de cité que Patricia accueillait régulièrement dans sa campagne pour leur assurer le minimum vital d'un gîte et d'un couvert. Des séjours à durée variable selon ce qu'ils étaient capables de supporter ou selon le projet concocté par le Service de l'Enfance. Seulement pour quelques jours, parfois jusqu'à deux ou trois semaines. Ces rencontres étaient souvent détonantes tant le jeune se trouvait décalé dans cet environnement si éloigné de son monde. Certains arrivaient en perdant de vue leurs bagages, dans le fantasme fait de clichés sur la vie dans un petit village où l'herbe était plus verte qu'ailleurs. D'autres faisaient figure d'extraterrestres. Perdus, ils étaient déphasés et s'accrochaient à ce qu'ils avaient quitté. Les côtoyer n'avait pas toujours été simple pour Kelly, la seule enfant accueillie à long terme. Jamais on ne lui avait demandé de partager sa chambre, elle était si différente. Ces adolescents se succédaient dans les espaces libérés au départ des enfants de la maison en âge de mener leur propre vie. Avec Claude, ils avaient réaménagé les pièces pour réserver les combles aux jeunes de passage. Leur toit pentu et leurs Velux dépaysaient instantanément ces adolescents des villes. L'une des chambres restait un terrain privé, à ne pas toucher. C'était l'univers de William, et ceci dès sa naissance. Tout naturellement, ce petit garçon de quatre ans avait sa chambre dans la maison de sa grand-mère, Patricia.

Sur le pas de la porte, le temps s'éternisait. Patricia faisait face à une étrangère. Ce n'est qu'au moment où elle reconnut ses yeux, qu'elle s'empressa de dire :

— Vite ! Rentrez ! Mettez-vous au chaud !

À l'intérieur, un feu crépitait dans une cheminée.

Patricia ne cessait de parler de tout et de rien, embarquée dans des banalités sur le froid en cette saison, la route qui avait mis plusieurs jours à être déneigée :

— C'est sûr, c'est une voie secondaire. À chaque fois, c'est le même topo ! La semaine dernière, le car scolaire n'est pas venu au village durant deux jours. Heureusement aujourd'hui, elles avaient pu faire le trajet. Ça allait le trajet ?

La gêne la rendait logorrhéique, elle le savait. Ça l'énervait de s'entendre s'égarer alors qu'elle s'était interrogée plus d'une heure sur ce premier instant. Elle avait cherché les mots à dire, des mots justes, accueillants, pas trop pressants ni inquisiteurs alors qu'elle attendait de connaître chaque détail de ces dix années passées. Des mots qui se réfléchissent. Des gestes aussi. Celui du premier contact. L'embrasser ? La toucher ? Lui serrer la main ? Ses pensées avaient été infructueuses, elle n'avait pu trouver. Ambivalente, sa joie à la revoir s'était mêlée de craintes. Qu'allait-elle apprendre ?

Là, maintenant, Patricia se trouvait stupide. Elle surfait sur la rencontre comme si elle entamait la conversation avec la caissière d'un supermarché. Elle regrettait les tasses et le petit pot de sucre déjà posés sur la table basse et les cookies trop chauds pour être disposés sur une assiette. Le mouvement lui aurait donné de la contenance, cela lui aurait été plus facile.

Ses hôtes étaient encore debout, engoncés dans leurs vestes.

Marion avait l'œil qui se baladait. C'était son métier, une déformation professionnelle. À force de pénétrer dans l'intimité des familles, elle avait l'expérience des appartements qui en disaient long sur leurs habitants. Dans cette famille d'accueil, un canapé d'angle occupait une bonne partie du salon. Un tyrannosaure et un tricératops traînaient sur les coussins. Plusieurs patchworks cloués au mur laissaient supposer une passion d'un membre de la famille. L'odeur d'un gâteau encore au four… L'ensemble était chaud, accueillant. D'emblée un décor où l'on se sentait bien, fait pour s'attarder.

Lucie-Magdalena restait silencieuse. Son regard n'affichait pas d'attente. Son corps, pas d'élan. Impossible de déchiffrer si quelque chose lui traversait l'esprit. Rien de particulier ne l'animait.

Le chien sauva la mise. Couché du côté de la véranda, la truffe humide collée à la vitre fermée, il observait la scène. Dès que l'adolescente l'aperçut, elle demanda à qui était ce chien dans un vouvoiement qui troubla Patricia. « La marque du temps qui passe et qui efface », s'était dit cette dernière. Tout comme l'animal d'ailleurs : un bouvier bernois qu'ils avaient choisi à la SPA pour sa bonne gueule, son allure de gros nounours et son épaisse fourrure tricolore. Ils lui avaient offert une seconde vie, certainement plus douce que la première. C'était après Magda.

Sitôt la baie vitrée ouverte, Lucie-Magdalena se colla au chien. Elle aimait les grosses bêtes, leur chaleur, leur odeur et leur contact où l'on savait d'emblée à quoi s'en tenir. Des relations sans surprises, directes, faciles.

De la véranda, on apercevait un terrain à l'arrière de la maison. Rien à voir avec l'image revenue côté rue.

Encore en parpaing, mais visiblement déjà habitée, une construction bouchait la vue sur le verger et les champs. Un jardin séparait les deux maisons sans qu'une clôture délimite les propriétés. Là, Célia construisait sa vie, un peu chez elle, tout près de sa mère et avec son fils qui circulait entre les deux. La fille de Patricia perpétuait les relations et l'esprit de famille qui avaient baigné son enfance. Son père, toujours partant, s'attelait aux travaux qui se décidaient selon les finances du moment. Sa mère retrouvait, avec William, l'attention portée aux petits et l'émerveillement à les voir grandir dans des liens resserrés qui la comblaient. Après Magda, il avait été le seul petit dans la maison.

Dans la véranda, Patricia ne s'arrêtait plus. Elle racontait dix années qui avaient échappé à Lucie-Magdalena : Sébastien au loin, qu'elle ne voyait plus beaucoup, en mission aux quatre coins de la France et Antoine, qui ne venait plus assez à son goût, obnubilé par sa petite copine qui l'occupait grandement. Et puis les autres, une multitude de personnes aux noms inconnus, avec lesquels il y avait tant d'anecdotes mémorables.

Lucie-Magdalena l'entendait parler de maintenant, d'avant, de ce qui avait changé, incrédule. Les têtes dans les albums photo n'apportèrent pas plus d'images. Elle se vit petite avec tous ces gens, bébé aussi, avec bien plus d'intérêt. Elle avait été prise dans les bras des uns et des autres. Souvent dans ceux de Pat au sourire éclatant sur les clichés. Puis d'autres photos où l'on reconnaissait les traits de ceux qui avaient grandi dans des albums où elle avait disparu.

La maisonnette en plastique, elle aussi, avait disparu. Un chalet en bois la remplaçait. Avec un bac à fleurs posé sur le rebord de son unique fenêtre, on supposait d'emblée que l'usage ordinaire d'un local de stockage pour l'outillage du jardin était détourné. À l'intérieur, une petite banquette, un tapis, une table basse et une étagère bourrée à craquer de jouets créaient la magie d'un espace réservé aux enfants. C'était l'univers de William. Sa maisonnette à lui, à mi-chemin de sa mère et sa grand-mère.

C'est exactement là que je veux vivre ! décida Lucie-Magdalena instantanément.

14

Rivée au canapé, le corps soudé au chien, Lucie-Magdalena finit par quitter l'échange. Elle se recroquevilla plus encore, enfouit son visage dans la fourrure épaisse du gros bouvier. Les mots de Marion ne parvinrent plus à sa conscience. Elle avait décroché. Immobile. Seule comptait la masse imposante et lourde à laquelle elle s'arrimait. Une masse à l'image d'un bollard solide et sûr qui garantit la tranquillité du bateau à quai.

Marion parlait dans le vide.

Seul le chien la regardait. Sa grosse tête écrasait les cuisses de la jeune fille. Son regard semblait signifier qu'il était étranger à l'histoire sans pour autant s'y impliquer. Aucune animosité ne le traversait. Pas l'ombre d'une menace qui aurait cherché à défendre celle à ses côtés. Il était là, c'est tout. Calme et déterminé. Une force tranquille. Solidaire, simplement parce qu'il se trouvait bien, encastré à deux dans cette banquette minuscule. Lui non plus ne bougeait pas. Seule une grosse patte arrière débordait et tentait vainement de rejoindre la banquette par moments. Dans l'instant, rien ne le motivait à être délogé.

Marion n'avait maintenant plus aucune prise. L'attitude butée de Lucie-Magdalena du début avait disparu. La jeune fille ne démontait plus ses arguments, ne soutenait plus sa demande, ne l'agressait plus en l'envoyant bouler. Plus personne ne lui faisait face. Marion se trouvait devant un mur, seule dans son monologue. Aucune brèche pour sortir de l'impasse. Elle avait négocié, argumenté, et perdu patience. Rapidement, elle avait changé d'attitude, certaine que son énervement ne mènerait à rien. En réalité, elle n'avait pas de perspective

mirobolante à défendre comme alternative. Le pied d'un immeuble ?
Le coin d'une rue ?

Une gêne la gagna vis-à-vis de Patricia. Cette dernière s'éclipsait depuis que Claude et Kelly étaient rentrés. Au dernier aller-retour, Pat glissa à son oreille qu'elle pouvait partir tranquille.

Sa montre indiquait vingt heures trente. Bien trop tard pour joindre le Service de l'Enfance ! Marion reprit la route sans Lucie-Magdalena, impossible à décoller de cette maison de jardin. Elle n'avait pas d'autre choix.

15

Chaque matin, madame Skalowky venait à pied. Elle avait décidé de contrecarrer les rondeurs persistantes de sa cinquantaine bien tassée. Plus qu'une simple mise en forme, ces trente minutes de marche avaient l'avantage de créer une transition, un sas entre deux vies où le professionnel et le privé ne se ressemblaient guère. Elle se mettait dans le bain.

Dans ses journées, il n'y avait pas de routine, mais toujours des surprises, des imprévus, des évènements qui bousculaient son planning et remettaient au lendemain ce qu'elle s'était promis de réaliser. Seul son début de matinée était calme.

À son arrivée, les battants de la porte d'entrée ne s'ouvraient pas encore automatiquement pour l'accueil du public. L'ambiance était au ralenti, le bâtiment sombre. Ça lui convenait. De rares collègues déjà présents ne troublaient pas sa concentration, elle pouvait abattre du travail. Elle épluchait ses emails, répondait à certains, apposait sa griffe en consultant le parapheur sur son bureau et prenait le temps de lire une partie de l'épaisse liasse de documents accumulés dans sa corbeille à courrier. Tranquille, elle avait une heure devant elle avant que les appels téléphoniques ne fusent et que les demandes affluent.

À partir de neuf heures, les locaux changeaient d'atmosphère. Ils se noircissaient de monde. Madame Skalowky retrouvait alors son agenda compressé et ses rendez-vous décalés dans une course contre la montre qui se répétait jour après jour. Un ballet incessant gagnait rapidement les couloirs des trois étages et les escaliers. Et dès dix heures, le Service de l'Enfance se transformait en une véritable fourmilière.

Ce matin comme tous les autres, madame Skalowky présenta son badge pour pénétrer dans le hall d'accueil.

Marion l'attendait.

Rien à voir avec ses habitudes, se dit la responsable. Elle la savait plutôt du soir, jamais parmi les premiers arrivés, souvent la dernière à partir. L'idée qu'un évènement dramatique devait l'avoir sortie du lit se dégonfla aussi vite qu'elle était apparue. Soulagée par les premières explications de l'éducatrice, elle perçut sur-le-champ l'aubaine du coup de force de Lucie-Magdalena dans cette famille d'accueil.

Au gré des voltefaces des jeunes qui l'occupaient, les idées de madame Skalowky ne manquaient pas. Rapide et pragmatique, elle pensait vite, construisait un nouveau scénario qui transformait l'échec en opportunité. Dans l'après-coup seulement, elle s'en mordait parfois les doigts. À plusieurs reprises, le château de cartes trop rapidement échafaudé s'était écroulé. Elle connaissait ce travers. Lorsque son esprit s'emballait, elle se devait de le réfréner.

Là, il était urgent de se poser.

Elle gagna son bureau, l'éducatrice sur les talons.

Une fois débarrassée de son manteau, de son bonnet et de ses gants, elle s'assit, les reins calés contre son coussin lombaire installé à demeure sur son fauteuil, puis elle s'efforça de calmer ses pensées.

Dans le bureau, debout, Marion restait suspendue dans le silence du découragement. Sa parka couvrait encore ses épaules, sa lourde écharpe en laine enserrait son cou. Elle avait la mine chiffonnée de quelqu'un qui sort d'une mauvaise nuit.

À quoi menait son travail ? À pas grand-chose ! La question avait eu raison de son sommeil, elle persistait en cette matinée. Sa façon de faire était bousculée. Sa présence, son insistance et le chemin qu'elle tentait de frayer n'aboutissaient à rien. Une fois de plus, hier encore, elle avait buté sur une rupture. Avec Lucie-Magdalena, rien ne s'anticipait, tout fonctionnait dans une succession de passage à l'acte qui la ballotait. Finalement, ne s'était-elle pas bercée d'illusions ? N'avait-elle pas vu du sens dans un suivi là où il n'y en avait pas ?

L'idée que cette jeune avait sa place en prison lui traversa l'esprit.

Tous ces derniers mois, madame Skalowky avait eu froid dans le dos à s'imaginer les dangers possibles. Ses années d'expérience ne la rendaient pas insensible, au contraire. Elle restait marquée par l'horreur et l'impensable qu'elle avait approchés dans le parcours de certains : les mauvaises rencontres où ils pouvaient se perdre, les accidents de la vie qui ne les épargnaient pas... Aussi, que Lucie-Magdalena se trouve au fin fond de la campagne plutôt que chez cette soi-disant copine était au moins une mise à l'abri. À ses yeux, cette cité ne pouvait être qu'une jungle pleine de dangers, pour les jeunes qui y vivaient bien sûr, mais plus encore pour celui qui n'y avait pas grandi. Elle voyait l'agneau parmi les loups, séduit, emporté, utilisé, malmené ou même – qui sait ? – transformé en membre de la meute.

Lorsqu'elle faisait le bilan de leur action, cette dernière image la hantait. Avec cette adolescente, les choses s'étaient mal engagées dès le début. En quelques semaines, ils avaient frôlé un matricide. Après le drame, madame Skalowky n'avait pas compris l'insistance du juge à les laisser dans la boucle. Un peu coupable, elle aurait préféré se voir délestée de cette jeune fille.

Sans autre choix, une responsabilité folle l'acculait depuis plus de six mois à une place plus qu'inconfortable dans un jeu où rien ne se jouait à deux. La partie lui échappait faute de pouvoir y prendre sa part. L'ampleur des dégâts n'avait pas permis de redistribuer les cartes et de stopper la fuite en avant. Cette adolescente n'en faisait qu'à sa tête. Les évènements filaient entre les doigts. Aujourd'hui, il fallait un coup d'arrêt. Il était temps que cette jeune fille cesse de les balader !

Alors que Marion restait figée sur son sentiment d'échec et ses doutes, l'esprit de madame Skalowky continuait de cavaler dans l'occasion qui se présentait. Sa question était maintenant de savoir si cette assistante familiale était prête à garder cette adolescente sous son toit. Ensuite, elle prendrait la main. De sa place, elle lui imposerait le placement. Fermement ! Elle lui dirait les choses telles qu'elles sont, dans leur pure réalité, sans tourner autour du pot ni chercher son accord. Il n'était plus l'heure de raisonner, mais de poser. Un mur était devant son nez, l'affaire pénale un fait, l'accueil une exigence. Il ne serait plus question de discuter !

La responsable jeta un œil sur son horloge de bureau. Il lui restait trente minutes avant l'heure décente pour décrocher son combiné et joindre cette famille d'accueil.

Elle saisit le rapport posé dans sa bannette pour se plonger dans la lecture d'un signalement motivant l'audience du jour chez le juge des enfants. Elle y était attendue pour dix heures et il était question *d'un garçon de 4 ans très peu présent à l'école. Une mère aperçue alcoolisée, qui n'ouvre plus sa porte à l'assistante sociale. Les volets d'un appartement constamment baissés...*

Marion n'avait pas bougé. Toujours immobile dans ses vêtements d'hiver. Elle était maintenant assise, posée sur une chaise, dans le bureau de sa cheffe, sans bruit, alors que l'action reprenait.

16

Les arguments de madame Skalowky furent superflus, Patricia était déjà convaincue.

L'image du nourrisson qu'elle avait cherché au CHU en urgence lui était revenue avec une précision chargée de détails : la difficulté première à la nommer, la chaleur du petit corps qui s'était détendu, la confiance que ce bébé lui avait accordée, vite, sans avoir hésité. Alors, même après quinze ans, impossible de dire non pour Magda, inimaginable de se dérober pour celle qui se retrouvait à nouveau dans la panade. Elle serait là bien sûr ! Un peu comme à l'époque, pensa-t-elle, comme pour toujours.

Même partie, Magda avait gardé sa place. Évidemment, avec les années, Pat s'était faite à cette absence, sa famille aussi. Peu à peu, on ne lui avait plus posé de questions sur ce qu'elle devenait, on ne se remémorait plus sa présence lors de la fête annuelle du village, lors des barbecues d'été ou des carnavals. Pat s'était demandé si elle s'était effacée des souvenirs des autres : Kelly, Antoine, Sébastien et Célia. Et pour Claude ? Elle n'aurait pu le dire, ils n'en parlaient pas.

De son côté, il n'avait pas fallu grand-chose pour que l'attachement la reprenne. Il avait resurgi avec douleur et un lot de regrets. Cette grande fille n'avait pas grand-chose à voir avec la petite Magda vive et drôle qui mordait la vie à pleines dents. Elle ne reconnaissait pas l'enfant qu'elle avait choyée.

Le rouge de ces cheveux ?

Patricia n'arrivait pas à s'y faire. La couleur s'imposait comme un écart, le signe de leur dissemblance. Pourtant elle-même n'était pas en reste. Elle aimait les fantaisies et jouer avec son apparence. Elle s'était essayée en blonde et en rousse pour revenir ces dernières années au châtain foncé qui faisait ressortir le bleu de ses yeux. Cette teinte se rapprochait de sa couleur naturelle et dissimulait merveilleusement bien ses premiers cheveux blancs qui l'insupportaient. Elle avait quelques soucis avec son âge, plus avec le chiffre qu'avec le reflet du miroir. À presque cinquante ans, elle pouvait se permettre encore d'exposer ses jambes en tenue courte, et même de se glisser dans une robe fourreau en soirée. Elle disposait d'une foule de breloques, bracelets et colliers, pour agrémenter ses choix vestimentaires. Mais dans sa robe bustier noire, son décolleté restait nu, le petit tatouage au-dessus de son sein gauche se suffisait à lui-même. Nul besoin d'accessoires aux côtés de son petit papillon qui se révélait pour l'occasion. Pour un soir, il sortait de l'intime, il prenait l'air et captait les regards. Pat attendait alors les remarques qui ne tardaient jamais : celles des hommes qui ne manquaient pas de s'étonner qu'elle soit déjà grand-mère, celles des femmes qui enviaient son allure de jeunette. Autant de commentaires que de petits bonheurs qui la gratifiaient. Elle s'en amusait.

Mais une teinture rouge ?

Il ne s'agissait pas d'une fantaisie ordinaire. Elle n'attirait pas le regard, mais le heurtait. On ne voyait que ça ! Pat ne comprenait pas. Magda lui faisait penser à un personnage de manga, irréel et déshumanisé. Une tête à la *Shirayuki,* comme disait Antoine, cette héroïne à la tignasse couleur d'une pomme rouge et aux longues mèches démesurées. Un déguisement ? Un attribut qui absorbe l'attention pour quelqu'un qui voudrait se cacher ? Si les cheveux n'avaient pas eu leurs racines noires et disgracieuses, on aurait pu croire à une perruque.

Il n'y avait pas que la couleur qui bousculait Pat. Une certitude s'imposait, Magda avait peu de points communs avec celle qui aurait pu être sa fille. Spontanément, elle l'avait appelée « Magda », comme à l'époque, comme au début de leur histoire, comme au moment où elle l'avait renommée en lui donnant une famille. Mais aujourd'hui, qui était-elle ? « Magdalena » et « Lucie » étaient des étrangères. Le « Lucie-Magdalena » de son éducatrice lui était incongru, artificiel, impossible à articuler.

L'adolescente refusa de prendre le combiné lorsque son père téléphona au deuxième jour d'accueil. Avec cet homme effondré et détruit qui répétait sans cesse qu'il aurait voulu changer le cours des choses, Pat saisit que l'heure était grave. Tout en pleurs, il multipliait sa reconnaissance envers elle, sans parler de sa femme. Très mal à l'aise, elle raccrocha dans l'idée que le drame familial était sérieux.

Aussitôt, elle repensa qu'avec Claude, ils avaient dit « non » au Service des Adoptions. Le cran leur avait manqué pour assumer le choix d'en faire leur fille. Ils l'avaient lâchée en quelque sorte sans s'interroger sur la suite de son histoire. Incapables d'un soupçon de clairvoyance, ils avaient abandonné cette enfant à une destinée qui se révélait tragique.

Pourquoi ce « non » ? La question l'avait longtemps poursuivie après le départ de Magda. Elle revenait en force à sa réapparition, à nouveau, encore, plus intense, insoluble.

Magda passa des heures dans la cabane du jardin avec le gros chien pour seule compagnie. Pat saisit tous les prétextes, en inventait, pour frapper à cette porte. Elle ne pouvait la laisser seule. Les bras chargés d'une couverture, d'un pull supplémentaire, d'un thé brûlant ou d'un bol de soupe fumant, elle retrouvait l'adolescente en boule sur le canapé. Elle amenait de la chaleur et tentait un contact pour qu'elle rejoigne la maison. La faire dormir dans l'une des chambres aménagées dans les combles fut sa première victoire.

Peu à peu, le temps passé dans la cabane fut moindre et les sorties plus fréquentes. L'espace et le temps s'élargirent. Pas les relations. Hormis le chien auquel Magda était scotchée, Pat était la seule qu'elle acceptait. Son petit-fils aussi, peut-être, un peu. Un jour où les rayons du soleil forcèrent la fin de l'hiver, Pat entendit des figurines se courser, se bagarrer et s'entretuer dans la maisonnette du jardin. Régressive, l'adolescente partageait les jeux de William en dépit de l'écart d'âge, avec l'enthousiasme, les mots et l'intonation d'une fillette de quatre ans. Troublée, Pat avait écouté derrière la porte. Elle n'avait pas brisé cet instantané où présent et passé se brouillaient, puis elle avait rebroussé chemin sans faire de bruit.

Lors de la deuxième semaine, Kelly tenta une approche. Curieuse et intriguée par cette fille qui bousculait l'histoire et leurs habitudes familiales, elle y alla avec prudence, du bout des doigts, puis se retira vivement comme sous le coup brûlant du contact avec une plaque chauffante. Le « Lâche-moi ! », immédiat et radical, lui fit ranger illico ses billes et cataloguer cette fille du côté des jeunes de passage à la maison. Échaudée, Kelly prit ses distances. Le partage des jeux et d'une chambre dans une autre vie ne suffisait pas à se retrouver.

Avec Magda, elles ne faisaient plus partie du même monde, un peu comme avec sa mère d'ailleurs. Pour Kelly, rien n'était grave ou douloureux dans sa propre histoire. C'était comme ça et il y avait des années qu'elle s'en arrangeait, sans se forcer. Avec quelques projets avortés et plusieurs périodes où sa mère avait repris sa vie en main avant de replonger, parfois de plus belle, dans l'enfer des violences conjugales avec le même homme ou un autre, l'illusion d'une vie commune l'avait quittée. Le temps passant, mère et fille avaient eu moins de choses à se dire, alors aujourd'hui elles ne se rencontraient plus que trois fois l'an. Kelly s'en acquittait par devoir filial peut-être, par nécessité d'avoir des nouvelles sûrement. Mais l'essentiel de sa vie se menait avec sa famille d'accueil qui était devenue presque la sienne.

Depuis des années, elle ne faisait pas grand cas des jeunes qui défilaient. Elle se tenait à l'écart. Avec Magda, c'était comme avec les autres : trop de différences ! À y insister, elle ne récolterait que du mépris, des remarques désobligeantes sur son absence d'intérêt ou son allure de paysanne. Là encore, elle poursuivait sa route comme elle l'avait toujours fait, avec sa famille d'accueil à qui elle ressemblait et ses copines qui lui ressemblaient, celles du village et d'autres, rencontrées cette année au lycée professionnel de son secteur.

Pour Magda, tout se déroulait comme si Claude était inexistant.

La bonhommie légendaire de cet homme s'entacha d'exaspération pour cette adolescente qui ne lui répondait pas, tardait pour venir à table, mangeait sans un mot d'excuse, sans un mot tout court d'ailleurs. Son silence, son inertie et son regard fuyant l'insupportaient. Il préférait nettement les rapports frontaux, même vifs et débordants qu'il désamorçait avec humour et décalage. Là, rien ! Il ne voyait dans cette histoire que le vide laissé au départ de cette petite, sans lien aujourd'hui avec cette fille sans-gêne sous son toit.

Alors qu'il y avait longtemps que cela ne lui était pas arrivé, il s'échauffa avec Pat, convaincu que cet accueil impromptu était une erreur. Il lui reprocha de vouloir refaire l'histoire, de réparer l'irréparable et de s'illusionner sur l'enfant perdu :

— Ce n'est que remuer le couteau dans la plaie, lui disait-il.

Magda ne parlait qu'à Pat. Et encore, peu de sujets l'intéressaient. Jamais elle ne revint sur leurs cinq années partagées. Jamais elle ne rebondit sur les souvenirs intenses et foisonnants qui se bousculaient dans la tête de Pat. Jamais de questions… sauf une.

Elle surgit dans la cabane, elle concernait Sara.

Que pouvait dire Pat ? Il y avait si peu à dire. Ses souvenirs étaient maigres et lointains. Ils remontaient aux premiers contacts de ce bébé avec sa mère alors que le Service de l'Enfance avait tenu à sa présence afin de rassurer l'enfant. Pour la première et unique fois de sa vie, elle avait mis les pieds en prison en dissimulant, du mieux qu'elle pouvait, qu'elle-même était impressionnée par cet environnement. Par la suite, la fragilité et la détresse de cette mère l'avaient touchée. Cela pouvait-il se dire ? Sara était si jeune et si seule. Son parcours restait une énigme, sa famille un mystère.

Le vide des rencontres lui revient en mémoire, ses tentatives pour le combler aussi : le jeu tendu à Sara, le geste dans le dos de la fillette pour engager un mouvement du corps en direction de sa mère. Alors, tant bien que mal, avec hésitation, convaincue d'être maladroite et craintive des effets qu'elle allait produire, Pat raconta à Magda les visites : son aisance de toute petite fille, ses jeux dans cette pièce aménagée pour les enfants, le puzzle aux grosses formes à encastrer – un coq, un chien, elle réussissait déjà les nommer – les cubes à assembler pour en faire une tour suivie du plaisir à la détruire, la fête de Noël dans cette grande salle décorée où Sara lui avait remis sa chaînette et sa petite croix en or.

Brutalement, Magda lui coupa la parole.

Ça ne l'intéressait pas.

Ce qu'elle voulait, c'était savoir « comment » était Sara.

Un sentiment de gêne regagna Pat. À nouveau, le silence s'imposa.

Elle revit les cheveux sales, la veste de jogging usée, trop grande pour un corps trop maigre, le regard vide, impossible à accrocher et l'esprit abimé par la drogue et embrumé par les psychotropes. Elle ressentit de nouveau la colère de sa première rencontre. Sur le moment, elle l'avait combattue pour ne pas agresser cette mère. Elle s'était retenue pour ne pas la secouer, lui dire qu'elle n'avait pas le droit de lâcher, pour lui montrer que sa fille était là – magnifique et vivante – qu'il lui suffisait de la regarder pour changer le monde. À l'annonce de sa mort, cette même colère l'avait reprise.

Comme à l'époque, aujourd'hui encore, ces mots ne pouvaient se dire. Silence.

Puis, la photo de Sara se rappela à son souvenir. C'est alors, d'une voix calme et douce, en prenant le temps de peser ses mots, que Pat parla des yeux de Sara. Des yeux rarement rencontrés, d'un noir profond, éblouissants. Des yeux d'une beauté singulière dont elle avait fait don à sa fille.

Elle aperçut que Magda souriait.

Ce fut l'unique instant où Pat ressentit que quelque chose les liait. Jour après jour, elle éprouva l'étrangeté à ne pas réussir à la rencontrer. Que restait-il de ces cinq années ? Longtemps, y penser l'avait rendue nostalgique. Aujourd'hui, ça ne prenait plus. Tout lui semblait compliqué. Depuis l'arrivée de Magda, une lourdeur s'installait dans sa maison et dans son couple. Avec Claude, leur dissension n'était pas une broutille, pas une simple turbulence à traverser avec patience avant qu'un retour au calme n'advienne. Entre eux, leur différend atteignait la complicité qui faisait l'union de leur vie, le ciment qui les collait l'un à l'autre depuis toujours, leur attache nécessaire et évidente.

Quand Marion amorça le départ de Magda, ni elle ni Claude ne contestèrent la fin de l'accueil. Ils n'eurent pas à se positionner ni à trancher et ce fut préférable.

Sincèrement soulagé, Claude y vit le terme d'une situation impossible et pénible de jour en jour. Pat, face au désaccord qui s'amplifiait et l'angoisse naissante d'une dérive vers un conflit conjugal, se rallia au discours de raison. Ce projet arrivait à point nommé, il balaya ses craintes et lui donna matière à faire. Elle y mit toute son énergie, fit les magasins avec Magda, y retourna plusieurs fois. Elle poussa le mouvement, le choix de l'utile et de l'inutile pour constituer le trousseau nécessaire et insuffler un nouveau départ.

La mise au vert ne dura que trois semaines et il en fut certainement mieux ainsi.

17

Madame Skalowky tint son rôle, claire et droite dans ses convictions. Souvent, ça payait au point qu'un bon nombre d'adolescents rebelles la trouvaient rassurante.

À y repenser, Marion se dirait plus tard que Lucie-Magdalena avait été bien conciliante lors du « recadrage ». Trop peut-être ? Elle n'avait pas volé dans les plumes. Sagement, elle avait écouté le programme. Un soupçon d'intérêt pour l'exotisme du nom et la localisation du lieu de vie avait permis d'envisager la suite avec sérénité.

Dans la foulée, toutes deux partirent en train pour de longues heures de voyage. Elles s'éloignèrent de la grisaille pour un pays où les rayons du soleil étaient moins pâles et la chaleur précoce. Un pays où le ciel, tout comme l'avenir, se dégageait.

Dans le wagon, Lucie-Magdalena était drôle, loquace et excitée.

Marion riait vraiment, sans se forcer, aux regards des autres voyageurs intrigués par l'exubérance du phénomène. Plus d'une fois, elle s'était trouvée dans des situations gênantes, au restaurant, dans un tram ou simplement dans la rue, face à l'attitude bruyante et décalée de jeunes qu'elle accompagnait. Le plus souvent, le quidam de la rue regardait, dérangé dans sa tranquillité, avec l'air de quelqu'un qui s'étonne de l'incongruité de cette présence et de leur assortiment. Parfois, l'interrogation devenait franchement moralisante, et elle n'avait pas besoin d'être énoncée pour que Marion en ressente les reproches culpabilisants. Mais dans ce train, ce sentiment pénible ne l'effleura à aucun moment. Tout semblait si léger et facile dans ce trajet qui prenait l'allure d'un départ en vacances. Là encore, trop peut-être ?

Elles coururent ensemble sur les quais. Heureuses et essoufflées, elles réussirent le tour de force de ne pas rater leur correspondance. Quittant la gare, elles partagèrent la surprise et le même plaisir d'apprendre l'attribution d'une voiture surclassée par l'agence de location. Sur les routes inconnues, Marion se concentra sur l'itinéraire alors que Lucie-Magdalena essaya un à un les gadgets de l'habitacle avec l'empressement de l'enfant devant la nouveauté d'un jouet : son toit ouvrant, sa console multimédia intégrée et ses rangements secrets dissimulés dans les portes et les accoudoirs.

Après quelques détours, elles se garèrent aux côtés d'un van, devant une grande maison en pierre. Pas de clôtures. Un vaste terrain. De gros rochers çà et là annonçaient la haute montagne à une poignée de kilomètres. Le regard portait loin. Que la nature, pas de voisins aux alentours. Un îlot de présence humaine dans un coin perdu encore un peu sauvage.

Arrivées, elles avaient basculé dans le Sud, à l'endroit précis où l'accent devient chantant et les noms occitans.

C'est Paul qui les reçut. Il leur raconta l'histoire de cette maison où il était question de famille et de passions. C'était sa terre et la vieille ferme de sa grand-mère. L'aventure avait commencé à deux, lui et sa femme. Elle se poursuivait à quatre depuis qu'Éric, le frère aîné de Paul, avait lâché sa vie parisienne, son job d'informaticien et son petit confort urbain sur le coup d'une remise en question un peu plus radicale que les autres. Depuis vingt ans déjà, ils ne cessaient de restaurer, de transformer et de prendre soin de cette vieille bâtisse.

Plusieurs bâtiments se serraient autour d'une cour intérieure.

Marion et Lucie-Magdalena en visitèrent chaque recoin, accompagnées par deux patous qui les précédaient et les encerclaient de temps à autre par instinct de rassemblement du troupeau. La jeune fille chercha le contact avec les chiens qui ne se laissèrent pas approcher facilement. Elle était à son aise. Son éducatrice, impressionnée par leur manège incessant, l'était un peu moins.

Il n'y avait pas de bâtiment dédié aux jeunes. C'était l'idée de Paul, une façon de créer le mouvement, d'aller et de venir pour commencer à avancer. Ainsi les chambres étaient dispersées dans les dépendances qui abritaient aussi des ateliers et les appartements privés d'Éric et de Paul. Seule la grande maison était le lieu de tous avec son immense pièce à vivre qui occupait l'intégralité du rez-de-chaussée.

L'endroit était atypique, et les permanents tout autant que les adolescents qu'ils accueillaient. Ils ne demandaient pas grand-chose aux jeunes qui s'installaient. Souvent, ils ne vivaient que côte à côte avant de vivre ensemble. Au début, les nouveaux venus les regardaient s'adonner à leurs passions. Chacun la sienne. Paul retapait de vieilles voitures américaines dans son atelier de mécanique aménagé dans l'ancienne grange à foin. Non sans fierté, il leur présenta sa fourgonnette Ford de 1939 entièrement restaurée, rutilante aux côtés d'une Cadillac Eldorado qui avait encore l'allure d'une épave. Sa femme peignait des meubles chinés dans les vide-greniers de la région. Elle se documentait pour retrouver les techniques d'antan. Elle patinait et teintait le bois dans une petite pièce attenante à l'écurie où les odeurs de cire, de vinaigre et de brou de noix s'accrochaient aux murs. Commodes, chaises et miroirs au tain altéré s'entassaient sous un carport. Éric quant à lui, avait aménagé un vaste bureau high-tech dans l'un des combles où il s'adonnait à la transformation et à la création d'images. Seule sa femme avait une activité à l'extérieur, à l'hôpital de la ville située « à une demi-heure », disait Paul parce que, dans ce pays, les distances ne se calculaient pas en kilomètres.

Ces éducateurs comptaient sur leur passion pour qu'un premier mouvement gagne les jeunes qu'ils côtoyaient. Ils avaient à faire, ils en parlaient, ils s'enthousiasmaient. Il fallait beaucoup de temps, de détours aussi, d'attaques et de mises à mal, avant qu'un début d'intérêt ne surgisse. Ils attendaient avec patience que ces écorchés de la vie lâchent leur défaitisme, leur colère ou leur souffrance selon les cas pour se réinventer des contours. Les leurs cette fois, à distance de ce qui les animait jusqu'alors. Et quand le mouvement était là, c'était parti ! Ils tiraient le fil, soutenaient ces trajectoires en rien linéaires.

Ça fonctionnait plutôt bien, constatait Paul :

— La première chose, c'est de prendre le temps qu'il faut pour se connaître.

L'heure tourna sans se faire sentir.

Vite, il fallut repartir, rejoindre la gare, reprendre un train.

Lucie-Magdalena freina, elle voulut revoir la vieille jument dans les prés. Elle exigeait de rester pour la monter et se butait comme une petite fille capricieuse. Marion avait craint le pire avant que l'adolescente ne consente enfin à s'asseoir dans la voiture.

Bon signe, tout de même, s'était-elle dit ensuite. Une raison pour revenir.

Dans le train, la jeune fille ne tarda pas à s'endormir, tranquille, la tête lourde, abandonnée sur l'épaule de Marion.

L'éducatrice était épuisée par cette journée marathon. Le corps détendu dans le fauteuil, bercé par le roulement du train, elle se sentait bien. Enfin, elle avait le sentiment qu'une perspective voyait le jour.

Ça s'était bien emmanché, pensa-t-elle. Le courant était passé. Paul n'avait pas posé de questions à Lucie-Magdalena. Intuitivement ou par expérience, il avait su la prendre. Lorsqu'il avait parlé de la couleur des murs à repeindre dans la chambre qui l'attendait, l'adolescente avait tout de suite dit « Noire », sans réfléchir ni livrer la moindre explication. Paul n'avait pas cherché à creuser. Il avait pris acte, c'est tout.

Dans ce lieu de vie, ils prenaient le temps, continuait Marion, et c'était bien. Ils ne brusquaient rien et ne s'encombraient pas de projets vite ficelés pour raccrocher l'ordinaire, se mettre en conformité avec

l'Éducation nationale ou coller aux impératifs d'une insertion professionnelle dans l'angoisse qu'à attendre il serait trop tard. Avec intelligence, ils ne pressaient rien. Ils y allaient « pauc à cha pauc », avait dit
Paul. « Petit à petit » , avait-il ajouté. Et c'était très exactement ce qu'il
fallait à Lucie-Magdalena.

Alors non, rien ne pouvait permettre à Marion de présager de la
suite.

18

Trois jours plus tard, Lucie-Magdalena disparut.

Pas pour une nuit ou quelques-unes. Cette disparition n'avait rien à voir avec ses fugues ordinaires. À celles-ci, chacun avait fini par s'accoutumer. Il suffisait d'attendre. L'absence avait perdu sa charge d'inquiétude. La patience menait toujours à raccrocher le fil jamais vraiment rompu.

Là, il s'agissait de tout autre chose. Une disparition pour de bon.

Sans annonce et sans anticipation, d'une seconde à l'autre, Lucie-Magdalena cessa d'exister.

Le grand sac de sport resta dans le couloir du premier étage chez Patricia, entrouvert, prêt à partir. La trousse de toilette, les tubes de rouge à lèvres et les fards abandonnés dans la salle de bain n'avaient pas rejoint les bagages ni suivi la jeune fille. Tout demeurait en l'état, laissé la veille au soir, comme si Lucie-Magdalena était sortie faire un tour, juste histoire de prendre l'air avant son départ définitif pour « Pauc a cha pauc ».

La dernière à l'avoir vue en vie fut Lisa. Elle déclara à la brigade des mineurs, *avoir été réveillée vers deux heures du matin par un tambourinement violent à la porte de son appartement. Sitôt entrée, Lucie-Magdalena s'était effondrée sur le canapé sans explications.* Puis Lisa ne s'était rendormie que brièvement, sortie du sommeil par une forte dispute vers six heures trente. *Elle avait reconnu les cris de sa mère et ceux d'un homme dont elle ne connaissait pas l'identité. Alertée, elle avait quitté sa chambre et rejoint le salon. Là, elle eut juste le temps d'apercevoir son amie partir en trombe de l'appartement.*

Le témoignage de la mère de Lisa ne fut d'aucune utilité aux re-cherches policières tant son discours était confus et inconsistant.

Ensuite, rien d'autre. Silence radio.
Pas une bribe de nouvelle qui aurait pu rassurer.
Pendant plusieurs jours, d'innombrables messages échouèrent sur la messagerie de son portable. Pour finir, ils butèrent sur l'automa-tisme d'une réponse froide et sans affect indiquant une « messagerie pleine ».
Il ne resta qu'un grand blanc.

Pendant des semaines et des mois, ceux qui avaient fait partie de sa vie durant quinze ans firent avec une folle incompréhension, un ima-ginaire de tous les possibles et l'inévitable sentiment de culpabilité qui pousse à refaire le film, à s'attacher à une image, à un détail, à ressas-ser à l'infini, avant de retomber à chaque fois sur l'inexorable perte sans qu'on ait pu y voir ou y faire quelque chose.
Puis, l'évènement hanterait les mémoires au-delà d'une année.
Sans tomber dans l'oubli, il rejoindrait l'un de ceux comptés sur les doigts d'une main, qui marquent une carrière et pèsent lourdement sur toute autre situation vaguement ressemblante.
Il ouvrirait un gouffre aussi, avec l'infinitude d'un drame familial et une culpabilité qui redouble lorsque le parent surprend avec effroi son désir inouï qu'une mort s'annonce enfin pour mettre un terme à l'histoire.

.

.

Magdalena

1

La terre collait aux semelles. Des amas de boue rendaient la marche peu assurée, glissante par moments, entraînant le corps dans un déséquilibre à rattraper. La rue n'avait pas encore sa croûte goudronnée alors que les habitations de part et d'autre accueillaient déjà leurs locataires. Pour y arriver, il avait fallu contourner deux imposants hangars, très certainement des bâtiments de stockage pour une entreprise de travaux publics. Sans démarche volontaire, personne n'aurait eu la curiosité d'aller voir au-delà. Impossible de soupçonner tout un quartier de maisonnettes qui se construisaient tranche par tranche à l'arrière. Les hangars paraissaient clôturer la ville et annoncer le début d'une zone industrielle.

Magdalena suivait Jimmy.

Entendre son prénom avait suffi. À aucun moment, l'idée ne l'avait traversée que bien d'autres Jimmy existaient sur terre et qu'il fallait une coïncidence incroyable pour rencontrer celui de son imaginaire. Elle n'avait pas saisi le sujet de la dispute qui avait explosé dans l'appartement de Lisa. Dans les cris qui l'avaient réveillée, seul « Jimmy » avait gagné sa conscience. Son sang n'avait fait qu'un tour, son corps qu'un bond. Elle s'était précipitée dans les escaliers où l'homme pressé avait disparu. La certitude était là. C'était le frère de Sara !

Jimmy n'avait pas compris. Le hurlement de son prénom avait stoppé son élan. Une adolescente avait foncé sur lui. Près, trop près. L'évènement dans l'appartement continuait à l'agiter d'une colère persistante qui l'empêchait d'entendre cette fille. Son premier mouvement fut de la repousser.

À trois mètres de distance, il la regarda. Pendant quelques minutes, une image télescopa sa raison. C'en était dérangeant. Lui, qui ne montrait jamais de faiblesses, vacillait. Le fantôme de Sara ne l'avait pas laissé tranquille après sa mort. Il l'avait réveillé en sueur pendant plusieurs semaines et il l'avait happé dans la rue au détour des passantes qu'il avait croisées. Mais en peu de temps, il avait chassé le problème parce que, en toute chose, il ne se retournait pas. Dans l'illusion que gommer le passé était une force de caractère, il en tirait une certaine fierté.

Là, non seulement la ressemblance était saisissante, mais la jeune fille parlait de Sara.

Malgré des années sans y penser, cette sœur n'était pas oubliée. Dans la longue série de sa fratrie, elle se plaçait au rang juste au-dessus de lui. Moins d'un an les séparait. Née en février, lui en décembre, ils avaient partagé le même père, leur année de naissance, leurs classes à l'école, les copains et les déboires. Cela faisait des années qu'il était seul et que l'image de Sara ne lui traversait plus l'esprit.

Jimmy n'était pas un homme à s'épancher ou à ressasser ses souvenirs, rapidement sa nature reprit le dessus. Il releva la tête, récupéra une assurance et fixa la jeune fille.

— Ah oui, lui dit-il seulement, Sara avait un enfant.

Lui qui était plutôt beau parleur d'ordinaire ne trouva rien d'autre à ajouter. Encombré par la montée d'une émotion déroutante, il se remit à marcher.

— Suis-moi, lança-t-il à Magdalena.

Jimmy était grand et svelte.

La foulée ample, la démarche un peu sautillante, il avançait rapidement dans la rue en travaux, les mains serrées dans son blouson en cuir, la tête ramassée dans son col relevé.

Trois degrés à peine en cette matinée où l'on n'avait pas encore tout à fait quitté la nuit. Dès le contournement des hangars, l'ensemble des lampadaires s'était éteint en prévision de l'aube, comme chaque matin, à l'heure réglementaire.

Magdalena peinait. Ses bottines à talon s'embourbaient. De justesse, elle évita une chute, se reprit, s'empressa d'avancer. L'homme qui la devançait avait encore la silhouette d'un jeune. Pas trop d'écart. Au premier abord, le physique de Jimmy l'avait surprise : des cheveux blonds, une mèche plus longue qui tombait sur le visage, une allure musclée, allongée, un air canaille. Par la suite, c'est sa façon de parler qui l'interpellerait. Pas vraiment des métaphores, une énonciation en image plus qu'en mot, un peu à la manière des enfants. Des expressions redondantes scandaient ses phrases, elles revenaient régulièrement comme pour meubler l'échange ou pallier le manque de mots. Certaines étaient étonnantes, inventées ou propres à une culture qui échappait à Magdalena.

Pour l'heure, l'unique préoccupation de la jeune fille était de ne pas se laisser distancer.

Le long de la rue courbe s'égrainaient des petits pavillons de plain-pied à la toiture à deux pans, tous identiques, serrés deux à deux. Chaque paire était conçue sur le même mode avec une grande place gravillonnée à l'avant. Sur quelques-unes stationnait une caravane. Sur d'autres, un amas de montants de fenêtres démontées, de tringles ou de bouts de ferraille en tout genre. De l'herbe sur le terrain attenant aux emplacements de parking se prolongeait à l'arrière pour créer un jardinet. Tout semblait exagérément clôturé comme s'il avait été nécessaire de marquer ostensiblement chaque territoire. Les constructions, les parcelles et les maisons siamoises étaient séparées de toute part. L'absence d'arbres et l'installation d'un grillage en acier plastifié, à hauteur de taille, ne préservaient en rien des regards indiscrets. Seules les façades se singularisaient. On devinait une multitude de couleurs difficiles à déterminer, de loin, dans la pénombre.

Jimmy poussa le portique de l'avant-dernière maison.

Elle était verte. C'était celle de Rita.

À l'arrière, une porte-fenêtre donnait sur une chambre. L'homme ouvrit doucement le battant non verrouillé pour s'engager dans la pièce. Sans préambule, il s'écroula sur le lit.

.

Deux tranches s'éjectèrent du grille-pain, synchrones et brutales. Jennyfer saisit le pain brûlant du bout des doigts, le lâcha sur le plan de travail. Lavée, coiffée et habillée, debout dans la cuisine, son mug de café encore en main, elle était prête à quitter la maison. Dans quelques instants, elle filerait à l'arrêt de bus.

Jennyfer était seule, comme d'habitude. Le lever matinal n'était pas coutumier pour les autres. Déjà à l'âge où les enfants se laissent porter par les adultes, elle n'avait compté que sur elle-même. Depuis les petites classes, elle se débrouillait comme si elle avait décidé la façon de gérer sa vie. En vérité, elle avait toujours fonctionné pour paraître la plus ordinaire possible. L'avait-elle choisi ? La seule chose qu'elle aurait pu dire était qu'elle avait ressenti d'emblée une forte admiration pour ses premières institutrices, de belles jeunes femmes soignées, douces et intelligentes qui venaient au volant de leur voiture se garer devant l'école de la cité. Alors bien sûr, petite, elle aurait voulu devenir maîtresse, mais ce rêve était bien plus qu'une banalité de petite fille, c'était une destinée qui se préparait, la promesse d'un avenir délesté d'une partie de son héritage.

À l'école, Jennyfer s'était fondue dans le groupe sans laisser paraître qu'elle n'avait pas tout à fait une vie comme les autres. Toujours propre, sage, un peu timide, elle ne s'était pas mêlée aux âneries des enfants indisciplinés qui partageaient le terrain qu'elle habitait. Intuitivement, elle faisait tout pour ne pas y être assimilée. Sans beaucoup d'efforts, elle avait appris à lire, à compter et tenu ses cahiers avec soin. Ses affaires n'avaient jamais manqué dans son cartable, ses leçons avaient toujours été revues. Par-dessus tout, elle voulait être comme les autres, neutre, ne pas être regardée par le prisme de l'étrangeté de sa condition. Être normale, irréprochable, surtout ne pas monter de différence ! Elle était déterminée et ça avait payé.

Sa famille était grande. Beaucoup d'enfants, déjà des nièces et des neveux. Jennyfer avait été la seule à mettre les pieds au lycée. Elle avait quitté le terrain et les établissements scolaires de la cité juste à proximité pour prendre le bus chaque matin et rejoindre un quartier en bordure des universités pour son cursus en seconde « Gestion-Administration ». Un pas de plus dans la vie des autres ! Le nom même des enseignements avait le goût d'une intégration sociale : la comptabilité, le droit et surtout la bureautique que Jennyfer affectionnait particulièrement. La saisie de données, leur classement, la rédaction de notes, de courriers et de rapports dans le respect d'une charte graphique et des usages propres à chaque document demandaient de la rigueur, une attention à la propreté de la forme et une chasse à la faute d'orthographe, de grammaire, de syntaxe… La bureautique reflétait plus que toute autre matière l'effort d'une mise en conformité à mille lieues des préoccupations de sa famille.

Ainsi, à trois arrêts de bus et cinq stations de tram, elle avait été une lycéenne parmi les lycéens. Même look, même façon de parler et mêmes intérêts. Cette dernière année avait creusé un peu plus encore une distance avec les siens alors qu'elle était entrée, de concert, dans le supérieur et dans le monde du travail. Un salaire et l'alternance en BTS lui garantissaient, maintenant majeure, de s'affranchir du déterminisme familial. Une avancée radicale à ses yeux, après une ascension pas-à-pas.

Elle menait deux vies en une, des vies concomitantes qui s'organisaient en des temps et des lieux étanches, des liens distincts. Elle était la « Jenny » de la famille et « Jennyfer » au CFA et pour ses patrons sans que ces derniers imaginent un parcours si peu commun.

Les reins adossés au plan de travail de la cuisine, il lui restait cinq minutes avant de plonger dans son autre vie.

Jennyfer ne se lassait pas d'apprécier le décor. Vraiment, elle se sentait bien dans cette maison. Déjà deux ans qu'ils y avaient aménagé, et le temps n'avait pas altéré ses premières impressions. Encore une avancée notable, encore un gain de normalité.

À l'époque, Rita, sa mère, avait résisté.

« Pure forme », avait pensé Jennyfer. Les arguments ne tenaient pas la route, ils se référaient à la nostalgie d'une vie que sa mère n'avait jamais vécue. Que du vent et du rêve pour ne pas regarder en face la dureté à vivre dans le campement !

Sa mère n'avait pas été la seule à craindre le changement. Une pétition avait circulé contre la vaste opération décidée par la municipalité. Tiago, un gitan aux yeux noirs, à la peau burinée et aux mains tatouées, avait même été interviewé.

— Vous mettez un Indien dans une belle villa, il continuera à rêver à ses chevaux, avait-il déclaré à la rare journaliste locale qui s'était intéressée au problème.

« Certes, une jolie phrase » avait relevé Jennyfer, mais à regarder les choses en face, la vie dans les baraquements ne pouvait faire aucun envieux.

Au bout du compte, il avait fallu s'y faire, il n'y avait pas eu d'autres choix. La réticence de sa mère n'avait fait que repousser le projet. La déception de Jennyfer avait été d'attendre la troisième vague de déménagements sur les quatre prévues.

Maintenant, il y avait plus d'espace, de vraies commodités, une hygiène assurée et un confort sans comparaison possible. Sa mère ne pouvait qu'en être satisfaite, même si elle n'en laissait rien entrevoir. « Trop fière pour ça », se disait intérieurement Jennyfer qui décelait une attitude guidée par l'orgueil plus que par le regret. Mais elle s'était bien gardée de le relever.

Certains sujets ne s'abordaient pas avec sa mère. Cette dernière fonctionnait comme si tout ce qui se passait en dehors du terrain ne la concernait pas. L'école faisait partie de ce qui lui échappait sans qu'elle eût l'idée d'avoir un rôle à y jouer. Ce n'était pas du désintérêt, mais, simplement, ce n'était pas son monde. Pour elle-même d'ailleurs, elle n'avait pu y trouver d'utilité. Dès l'école primaire, alors que cela ne dérangeait personne, Rita n'y avait jamais passé une semaine complète. Les connaissances avaient glissé sur elle sans accrocher sa curiosité. Il en résulta un analphabétisme au moment de son départ définitif du collège à quatorze ans.

En toute logique, son attitude vis-à-vis de l'enseignement scolaire avait été la même avec tous ses enfants. Seule Jennyfer, la dernière, semblait en retour avoir eu le goût pour les études. Et cela avait été utile à Rita. Haute comme trois pommes, sa fille faisait déjà office de lectrice, de scripte, quelquefois de traductrice. Ses obligations avec l'administration se réglaient depuis bien longtemps avec elle. Jennyfer mettait son nez dans les courriers et les nombreux formulaires. Elle l'accompagnait dans le dédale des imbroglios sociaux et aux rendez-vous où la convocation prenait parfois l'allure d'une sommation :

— Tu ne peux pas laisser filer, lui disait sa fille, on y va maintenant !

Entre elles, les rôles s'étaient inversés, tacitement, depuis plus de dix ans. La fille poussait sa mère, la houspillait et soutenait sa mise en conformité. La nonchalance de cette dernière et sa négligence naturelle pour les affaires administratives avaient le don de l'énerver.

Néanmoins, jamais Rita ne s'opposa au choix d'études de Jennyfer. Toujours, elle griffonnait son nom en bas des documents scolaires. Jennyfer y voyait une reconnaissance de sa part, presque un désir de mère d'une vie meilleure pour ses enfants. Aucun mot ne le disait.

C'est de la part de certains jeunes sur le terrain, plus que d'anciens, qu'elle essuyait quelques commentaires :

« L'intello », l'avait-on appelée.

« Tu te prends pour une gadji ! » avait-on ri d'elle.

Mais les mots n'avaient eu aucun impact. Ce qui comptait était qu'immanquablement, sa mère signait. Plus d'une fois, Jennyfer entendit les vœux de ses sœurs pour que leurs enfants travaillent bien à l'école. Elles l'enviaient un peu. Les choses changeaient.

Aujourd'hui, la boîte aux lettres et les deux poubelles – la jaune pour les cartons et les bouteilles en plastique, la bleue pour le reste – symbolisaient à elles seules l'ouverture à l'autre partie du monde. Le ghetto volait en éclat. L'espace devenait perméable. En plus des pompiers qui intervenaient de tout temps lorsqu'une construction précaire s'embrasait ou qu'un fatras de matériels accumulés montait en flammes, d'autres services de la ville et de l'État pénétraient maintenant la zone. La tournée des éboueurs et du facteur s'était agrandie. Ça circulait.

Avec eux, les premières factures avaient fortement participé à l'opposition des gens du terrain. Pour la première fois, ceux-ci étaient acculés à payer leur dû en eau, en électricité, en loyer. Ils devenaient non seulement redevables, mais aussi identifiables, repérables, visibles et potentiellement fichés. Avec l'inflation des formulaires qui exigeaient la déclaration de son état civil, la fronde de certains s'était amplifiée.

Jennyfer ne voyait pas les choses de cet œil.

Jusqu'alors, le courrier se retirait au casier postal dans les locaux de l'association d'aide aux habitants du campement. Le « 35 rue des Quatre Vents », partagé par plus de trois cent cinquante personnes, suffisait à l'expéditeur pour cataloguer son destinataire. Aujourd'hui, la maison créait une adresse avec le nom d'une voie et un numéro propres à soi. Une véritable révolution pour Jennyfer. La sortie d'une indifférenciation où l'autre partie du monde avait vite fait de les mettre tous dans le même sac sans soupçonner leurs particularités, leurs dissensions, leur cohabitation en rien pacifique et leurs fonctionnements claniques qui fractionnaient les communautés.

Toujours dans la cuisine, Jennyfer toucha les tartines pour vérifier qu'elles aient suffisamment refroidi.

C'est alors qu'une porte s'ouvrit, doucement, sans bruit.

Une jeune fille apparut.

Jennyfer n'en fut pas surprise. Rien ne l'étonnait de la part de son frère Jimmy et ce n'était pas la première fois qu'une fille sortait de sa chambre. Les filles défilaient. Jamais d'histoires sérieuses, jamais de mariage en vue. Jimmy avait tout de l'adolescent qu'il était déjà à sa naissance. Elle ne l'avait connu que comme ça.

Sans décoller du côté cuisine, elle jeta un œil sur l'intruse.

— Salut, dit-elle sans livrer le fond de sa pensée qui interrogeait l'âge de cette fille.

Tout de même un peu jeune, cette fois, jaugea-t-elle.

Puis sans autre considération, elle lui tourna le dos, lava son mug de café dans l'évier, l'essuya et le rangea dans le meuble en hauteur. Après un rapide coup d'éponge sur le plan de travail, elle fila dans la remise chercher deux bûches qu'elle posa sur les braises incandescentes du poêle à bois. C'était son rituel matinal avant de s'en aller : faire place nette et garantir la chaleur aux suivants.

Au départ de Jennyfer, Magdalena se trouva seule dans la maison.

Aucun bruit n'émanait des autres pièces.

Tranquille, elle s'assit sur le canapé.

La propreté des lieux était remarquable. Elle contrastait avec le terrain extérieur où du mobilier de jardin en mauvais état, plusieurs bassines et une mobylette démontée encombraient la terrasse. Avant de l'atteindre, il avait fallu enjamber l'herbe folle qui envahissait le jardinet. À l'intérieur, rien ne traînait, tout semblait briqué. Dans un coin, seul un monticule de linge et de vêtements bariolés s'accumulait dans un panier trop petit et témoignait d'une activité humaine laissée en suspens. L'excès de rangement donnait l'impression d'un lieu pas totalement habité, un peu comme dans une maison témoin. La cuisine intégrée, flambant neuve, s'ouvrait sur la pièce à vivre. L'évier et sa robinetterie en inox rutilaient. Un carrelage blanc, immaculé, recouvrait le sol dans son intégralité.

Dans ce décor qui ressemblait à celui d'un hall d'exposition de meubles standardisés, quelques touches discordantes révélaient la présence d'habitants : deux napperons crochetés sur les accoudoirs du canapé, une grande gondole en plastique avec son gondolier sur une commode aux côtés d'une statue du *Sacré-Cœur du Christ*. En tunique blanche sous un long drapé rouge au revers or, Jésus pointait sa main gauche sur un cœur enflammé et sa couronne d'épines surmontée d'une petite croix. Celle de droite, paume ouverte vers l'avant, s'offrait et invitait à l'engagement. Avec ses quarante centimètres de hauteur, impossible de ne pas y accrocher le regard ! À ses pieds, une bougie et des fleurs artificielles multicolores. Un poste de télévision à écran plat, soixante-cinq pouces, trônait face au canapé.

Aucune gêne ne traversa Magdalena.

Sans y être invitée, elle était chez elle. Elle était chez Rita.

Dire que cette maison se situait à quelques pas des grands immeubles de la cité ! Depuis plus de deux ans, elle avait fait de ce quartier sa seconde demeure sans imaginer un instant que sa famille habitait à quelques encablures. Elle ne l'avait pas cherchée. Elle n'avait pas eu l'idée d'aller voir aux abords, de se glisser derrière les hangars, d'emprunter cette rue et de frapper à cette porte.

Le bref regret fut rapidement chassé par un sentiment de plénitude.

Posées sur les braises, les bûches ne tardèrent pas à s'enflammer. Derrière la porte vitrée du poêle, de petites flammèches bleues se transformèrent en une grande flambée dansante, aux couleurs chaudes rouges et jaunes. Le feu inonda les lieux d'une lumière aux ombres mouvantes.

La chaleur enveloppa Magdalena.

Affalée sur le canapé, la tête jetée en arrière, elle ferma les paupières. Aucune inquiétude ne l'effleura. Elle était assurée d'avoir trouvé sa place.

Lorsqu'elle rouvrit les yeux, deux enfants étaient présents dans la pièce. En couches, tétine en bouche, lange en main, ils l'observaient avec insistance. Tout un temps, ils n'osèrent approcher. Puis le premier escalada un fauteuil. Immédiatement, le second suivit. Il se colla à ses côtés. Quelques coups de coudes et mouvements d'humeur s'échangèrent entre eux avant que leur regard ne se braque de nouveau sur Magdalena.

Alors, ils attendirent, à trois, sans se parler.

3

Aucun doute ne s'immisça dans l'esprit de Rita. Elle sut très vite qui était cette adolescente qui s'imposait dans sa maison. Il n'avait pas fallu beaucoup d'explications, la ressemblance avec Sara était d'une telle évidence. En revanche, difficile de décrire quels furent ses sentiments lors de cette première confrontation. De la gêne, de la peur, de l'embarras ? En un instant, un ressentiment impossible à contrecarrer l'envahit. Le désir immédiat que cette situation n'ait jamais existé. Vouloir nier, gommer cette réalité comme elle l'avait fait pour Sara.

Face à Magdalena, elle resta impassible.

À la question sur le nombre d'enfants dont elle était la mère, Rita répondait « six ». En comptant Sara, elle aurait dit « sept », mais depuis des lustres, elle la zappait. Ce n'est pas seulement sa mort qui l'avait effacée. En situation identique, bien des parents enfouissaient tout souvenir, toute trace d'une existence pour se préserver d'un réveil douloureux tant la mort de leur enfant ne pouvait se penser. Pour eux, le fait était chassé de la conscience, la souffrance restait indicible à l'image de leur état qu'aucun mot de la langue ne décrivait. Mais ce n'est pas ce qui avait fonctionné pour Rita. Elle ne comptait pas cette fille parce qu'au fond Sara n'avait jamais vraiment compté.

Dès sa naissance, cette enfant l'avait encombrée. Il n'y avait rien eu à lui reprocher pourtant. Rita l'avait nourrie, habillée, lavée, couchée. Elle avait eu les gestes qu'il faut, habiles et assurés : tenir la tête pour qu'elle ne parte pas en arrière, s'enquérir de la température du lait afin qu'il ne l'ébouillante pas, maintenir le buste hors de l'eau pour éviter une noyade, mettre un bonnet lors des courants d'air et accomplir les soins du cordon. Tout se réalisait correctement, dans une technicité parfaite, irréprochable. Forte de l'expérience avec Sabrina, son aînée, Rita savait « faire ».

Le problème n'était pas là. Il était plus subtil et insidieux.

À y regarder de plus près, l'attitude et les gestes de Rita avaient quelque chose de mécanique. Elle ne souriait pas à son enfant, elle était tendue et raide lorsque la petite se trouvait dans ses bras. Souvent, seule, elle saisissait le premier prétexte pour la caler entre deux coussins parce qu'elle avait toujours à briquer son intérieur, à laver du linge, à passer un coup de balai et à fumer des cigarettes sous l'auvent de son mobile home. Sabrina se couchait alors aux côtés du nourrisson, le touchait, le chatouillait, riait aux éclats. À trois ans, cette grande sœur prenait le relais. Et les pleurs résonnaient longtemps avant que Rita n'aille voir le bébé, rouge cramoisi, la respiration hoquetante, le passage du filet d'air entravé par une gorge hurlante, au bord des spasmes. Un « bib », un change ou une tétine réglaient l'incident.

En quelques semaines à peine, Sara avait cessé spontanément ses appels et ses cris comme si elle cernait déjà la mère à qui elle avait affaire.

— Qu'elle est sage, avait-on dit à Rita ! Tu en as de la chance !

À l'origine, l'erreur de Sara était d'être née fille. Après Sabrina, Rita n'imaginait pas d'autre enfant qu'un fils. Très vite, Jimmy la combla. Cette grossesse menée de front, dès son retour de couches, cristallisa toute sa préoccupation maternelle. Dix mois plus tard, à la naissance précipitée de ce petit frère, Sara n'était plus une déception pour Rita, elle devint invisible. Manque de veine, elle était l'enfant de la mauvaise place, celle de l'entre-deux, l'essai raté.

Comme ses frères et sœurs, Sara grandit noyée dans le groupe d'enfants. Ils se débrouillaient, s'autogéraient, s'excitaient les uns les autres à distance du mobile home maternel. Sur le terrain vague où ils retrouvaient les autres gamins du campement, ils jouaient avec trois fois rien. Les bâtons, les flaques, les jeux d'attrape et les balancements sur les branches d'arbres. Les petits traînaient. Les grands décidaient, parfois ils s'affrontaient en reprenant à leur compte des rivalités ancestrales qui animaient encore des adultes de leur entourage. Sara était de la partie, rien ne la distinguait. Pourtant, elle se passait de Rita plus que tout autre. Et c'est avec sa fratrie qu'elle se construisit avec Sabrina en petite mère et Jimmy en alter ego.

Quand elle se mit à dériver, Rita n'eut pas l'idée de la retenir. Rien d'étonnant dans une histoire où si peu de choses les unissaient.

Alors Sara sombra seule, sans filet et sans bouée pour s'accrocher à la vie. Elle s'enferra, s'enfonça sans qu'un regard l'en empêche.

Ce n'est qu'à sa mort que Rita se sentit réellement mère. La mobilisation avait été massive pour la soutenir. Elle avait pleuré avec ses sœurs, ses cousines et un bon nombre de femmes sur le terrain qui avaient défilé à ses côtés pour la porter, l'entourer et partager son chagrin. De toute part, l'immensité de sa douleur lui avait été renvoyée. Des larmes, des plaintes et des cris déchirants, bruyants. On l'avait mise à une place de mère parce qu'il ne pouvait en être autrement :

— Rien de pire au monde que de perdre un enfant !

Dans une authenticité indiscutable, elle avait souffert, gagnée par la compassion de tous et l'émotion ressentie par chacun. Et puis la peine s'en était allée. Elle était partie en emportant Sara qui retrouva alors la place qu'elle avait toujours occupée, si peu présente dans la tête et dans le cœur de sa mère.

Rita ne pouvait s'en sentir coupable. Pour cela, il aurait fallu, là encore, que leurs liens s'étoffent quelque peu. Si quelqu'un s'en était inquiété et s'il avait soufflé à Rita ce qu'elle ne se disait pas à elle-même, qui sait si les choses n'auraient pas été différentes ?

Les yeux de Rita fixaient Magdalena sur son canapé. Elle rassembla à deux mains l'ensemble de ses cheveux à l'arrière du crâne, les tortillonna en un chignon approximatif qu'elle enserra dans une grosse pince « croco ». Des boucles d'oreilles savoyardes à l'ornement chargé encadraient son visage.

Cette fille surgissait de nulle part.

Ces yeux noirs, en amande… L'histoire n'était pas finie. Les morts ne laissent pas tranquilles leurs survivants.

Cette crinière rouge avait quelque chose de diabolique. Épaisse, aux mèches pendantes et emmêlées.

Tout dans la tête de Rita se mélangeait. Un frisson parcourut sa peau de bas en haut. Ses muscles se contractèrent sur eux-mêmes, bétonnant son corps et sa pensée.

Le temps et Rita se figèrent.

Le plus grand des enfants, Enzo, saisit le pan du peignoir à sa portée, tira, rompit l'instant, provoqua le mouvement. Rita sortit de sa torpeur pour apercevoir les deux petits serrés dans le fauteuil.

— Ça vient, dit-elle en s'engageant du côté de la cuisine.

Occupée par la bouteille de lait dans le réfrigérateur, la casserole dans le tiroir, les biberons à dévisser et les tétines à trouver, elle tournait le dos à Magdalena.

— Enlève tes chaussures, lança-t-elle avec rudesse sans se retourner.

Pourquoi n'avait-elle pas pensé à se déchausser ?

Magdalena voyait maintenant ses bottines toutes crottées et les traces de boue sur le carrelage blanc, impeccable. Ses mains étaient sales. Mais pas seulement. Son visage, ses cheveux, ses vêtements avaient tous cette odeur âcre et acide de la négligence et de sa nuit de folie : son départ d'un pas rapide, l'obscurité noire et froide, l'automobiliste qui avait gobé son histoire abracadabrante de clés à récupérer pour rentrer chez ses parents, la station où elle avait attendu une éternité alors que plus aucun tram ne circulait et ensuite, la marche à nouveau – sous la pluie cette fois – la cité glauque et déserte pour s'endormir quelques heures, puis Jimmy, enfin, apparu comme un sauveur.

Elle s'était empressée de le suivre, obnubilée par la crainte de le perdre. Et la porte s'était ouverte, elle s'engouffrait dans cette vie, la sienne, la vraie.

Prise par une soudaine urgence, il lui fallait se laver comme pour se débarrasser de toute antériorité.

4

Rita habitait avec ses filles Angélique et Jennyfer. Les autres n'étaient pas loin.

Sabrina était restée sur le terrain. Lorsqu'il avait fallu quitter les baraquements, elle s'était vu attribuer le pavillon juste à côté de celui de sa mère. Elle y avait aménagé avec son mari, leurs quatre enfants et sa belle-mère. C'était pratique pour faire ce qu'elle avait toujours fait. Jamais de cordon coupé avec Rita. Depuis petite, Sabrina secondait sa mère et elle continuait.

En fille aînée, elle s'était occupée des bébés successifs de Rita sans penser à changer l'ordre des choses. Et avec les six grossesses, il y en avait eu des moments où sa mère s'était trouvée fatiguée, dépassée et irritable rien qu'à voir la marmaille qui grouillait et pleurnichait. Alors Sabrina consolait, essuyait les bouches et les fesses, chantait des berceuses et s'acquittait même des assiettes à remplir certains soirs. Jamais elle ne lui en tint rigueur. C'était comme ça et elle n'aurait pas imaginé qu'il en soit autrement.

Quelques hommes passèrent dans leur mobile home, rarement des pères. D'ailleurs, Sabrina ne sut jamais qui était le sien. Celui de Sara et Jimmy dura un peu plus longtemps que les autres. C'était Gino, un bel homme brun, grand et tatoué que Sabrina s'enhardissait à appeler « Papa ». Il disparut à la grossesse suivante. Dès l'annonce, sans que le ventre de Rita s'arrondisse déjà, elles se retrouvèrent seules, à quatre, bientôt cinq.

Secrètement, Sabrina s'était sentie abandonnée par ce père rêvé qu'elle s'était inventé. Peut-être qu'un père ne lui aurait pas manqué si Gino n'avait pas existé. Avant lui, il n'y avait pas eu de place vacante. Après lui, il se creusa un grand vide. Sabrina s'était juré alors que sa vie ne serait pas celle de sa mère. Elle se marierait, garderait l'homme à la maison et le père à ses enfants et, sur ce point, sa vie était une réussite. Dès l'âge de vingt ans, sans partir du terrain ni changer ses habitudes avec Rita, elle se construisit une vie telle qu'elle l'avait décidée à sept ans. Depuis, elle était toujours là. Après Sara et Jimmy, Stéphanie et Angélique, Marlon et Jennyfer – les nombreux enfants que Rita faisait par paire –, Sabrina s'occupa sans transition des siens.

Lorsqu'il fallut quitter les campements, mère et fille emménagèrent dans des Algecos à deux pas l'une de l'autre.

Alors que le terrain était classé depuis presque vingt ans en zone insalubre, sa transformation en lotissement pavillonnaire n'avait réellement commencé que ces sept dernières années. Le projet était ambitieux, complexe et inédit. Tout l'enjeu consistait à reloger les familles « à mode de vie non conventionnel », selon la terminologie officielle, dans un habitat décent sans aucun déplacement. Soit les familles donnaient leur accord, soit elles partaient à la recherche d'un autre emplacement. Autant dire qu'elles n'eurent guère le choix. Les politiques de la ville y voyaient une façon d'intégrer ces « marginaux » à la vie de la cité et d'en faire des citoyens comme tout un chacun. Au-delà du projet immobilier, la fin de l'enclave aux allures de bidonville surpeuplé portait la noble ambition de lutter contre l'absentéisme scolaire, l'illettrisme, le chômage et la délinquance.

Une belle et naïve utopie ? Aujourd'hui, les choses changeaient très lentement.

L'opération de rénovation urbaine se prévoyait longue, elle procédait par étapes. Quatre en tout. À chaque « tranche », le processus se répétait. Le transit par l'Algeco était un incontournable, le temps nécessaire à la construction des maisonnettes. On y jouissait d'un confort intermédiaire dans une maison en kit pour se préparer à la vie en dur.

Cette parenthèse annonçait l'avenir d'une vie meilleure, la population avait le temps de revenir sur ses a priori, elle attendait. Le quotidien était facilité et plus serein. Moins de tâches ingrates et d'incertitudes. L'approvisionnement en électricité ne risquait plus de coupures, l'eau ne gelait plus en hiver. Finis les rats, les toilettes à l'extérieur fréquemment bouchées, le chauffage aléatoire, les raccordements électriques hors normes et les risques de départ de feu. Le bailleur social qui s'était vu confier l'aménagement du terrain comptait sur l'avant-goût de cette première expérience pour venir à bout des récalcitrants au projet.

Ce n'est qu'en quittant l'Algeco qu'on sortait définitivement du logement précaire. La place libérée, la tranche suivante s'y installait sans tarder.

À grand renfort de bulldozers, de tractopelles et de camions-bennes, les caravanes et les constructions de fortune furent défoncées sous le nez des habitants. Les enfants s'attroupaient pour le spectacle. Certains adultes assistaient à la démolition de leur cabane, construite de leur main, en pleurs ou noirs de colère :

— Vous tuez notre âme ! avait crié l'un d'eux.

D'autres se terraient dans leurs préfabriqués, envahis par le bruit des engins de chantier, refusant de participer à la destruction de « l'essence même de leur vie », disaient-ils. Ils s'accrochaient à leur rêve de voyage même si en réalité la plupart ne quittaient plus le terrain depuis des décennies. Certains s'y étaient installés depuis les années soixante, semi-sédentarisés ou carrément sédentarisés depuis. N'empêche, leur caravane représentait bien plus qu'un logement. Sa démolition marquait un point final à la vie nomade, fût-ce fantasmée. Leur liberté et leurs traditions étaient attaquées, une rupture avec les aïeux leur était imposée.

Dans l'enchevêtrement de caravanes et de constructions faites de bric et de broc sur le campement, le vieux mobile home de Rita se démarquait. Posé sur des parpaings, il avait perdu définitivement toute perspective de mobilité dès son installation. Sa résistance et son confort faisaient illusion. Depuis bien longtemps, la cabine de douche et les toilettes inutilisables s'étaient transformées en lieu de stockage. Seule l'électricité fonctionnait encore lorsque le branchement ne sautait pas. Malgré tout, Rita y était attachée. Elle n'avait pas le souvenir d'avoir vécu ailleurs. C'était le bien de son père et son unique bien après lui.

Quand son mobile home fut rayé de la carte sans ménagement, elle n'avait pas voulu être là pour le voir. Ses filles et ses fils non plus, seuls ses petits-enfants assistèrent à son agonie.

Le mobile home ne résista pas très longtemps. Alors qu'il avait survécu à trois générations, il céda au premier coup de godet de la pelle mécanique. Dans un craquement monumental, il fut éventré. Le trou béant laissa entrevoir sa banquette d'angle défoncée, ses caissons rafistolés et un chaos de tissus, de plaques de plâtre, de plastique et de métal. Ensuite, les cloisons et le toit perdirent leur équilibre et leur stabilité. Ils chancelèrent puis s'échouèrent au sol avec fracas comme une vieille carcasse qui se démembrerait d'elle-même. La pelle revint à la charge pour rassembler les morceaux, les écraser et les concasser avant de les porter jusqu'au camion-benne. Somme toute, le volume semblait bien maigre.

Une fois le terrain rasé, une multitude de pavillons poussèrent comme des champignons à l'emplacement même des baraquements.

Plusieurs réunions regroupèrent les habitants. L'opération était délicate, il fallait ménager les susceptibilités et respecter les règles en vigueur sur le campement. Il ne s'agissait pas de mélanger les genres, mais de réfléchir communauté par communauté pour envisager la meilleure façon de s'y prendre. L'harmonie était fragile, l'exercice, celui d'un équilibriste. La crainte du voisinage, les appréhensions sur le loyer à payer et l'angoisse de s'enfermer entre quatre murs furent maintes et maintes fois mises sur le tapis. Rita refusa de participer aux concertations publiques, Sabrina se fit ambassadrice pour obtenir, au bout du compte, leur relogement côte à côte, entourées de quelques-uns des leurs, à distance des manouches et des gitans.

Ainsi, mère et fille emménagèrent « rue du Sirocco ». Sabrina au « 21 », Rita au « 23 ». Et la vie reprit, un peu différente, mais toujours en totale promiscuité.

Rita ne sortait pas du quartier sans être accompagnée. Avec Sabrina, elle allait de temps à autre à l'hypermarché dans la cité tout à proximité, mais sa préférence était de se rendre au marché.

Une fois par semaine, des étals emplissaient l'intégralité de la place entre le parking du grand magasin et la salle de spectacle. L'un des plus vastes marchés de la métropole ! Tout s'y trouvait, des ustensiles de cuisine au linge de maison et aux vêtements. Rita s'y sentait à l'aise. La discussion était facile, on payait en liquide. Il y avait toutes les couleurs, une multitude d'odeurs, une foule immense. On se pressait devant les fruits et légumes, on tâtait les tissus, les voilages et les éponges. Des bacs en plastique regorgeaient de gadgets, d'ouvre-boîtes et de pinces à linge. Des cintres se serraient sur des portiques pour exposer les tee-shirts, les chemisiers et les jupes. Des monticules de sous-vêtements, de bas et de chaussettes s'érigeaient sur des planches. Rita manipulait, fouillait, hésitait, achetait.

Deux fois l'an, la grande braderie s'étendait au-delà de la place. Elle ne l'aurait manquée pour rien au monde parce qu'elle y retrouvait le goût de son enfance. Elle y avait joué aux côtés du stand tenu par son père et son oncle qui exposaient leurs couteaux, leurs bassines, leurs paniers et toute une variété d'outils de bricolage. Elle avait le souvenir de ces journées à rallonge qui débutaient bien avant que les allées ne s'encombrent de monde. C'était rude parce que l'enfant avait sa part à prendre dans l'installation des marchandises, leur emballage et leur réapprovisionnement. Mais joyeux aussi lorsque dans une liberté volée, Rita rejoignait les troupes d'enfants qui accompagnaient les vendeurs sans approcher ceux des acheteurs qu'ils observaient, ensemble, à distance.

En bordure de la grande place, le tram allait et venait. Jamais Rita n'y était montée.

Au retour des courses, elle et Sabrina faisaient une pause dans le petit F3 de Stéphanie, maille « Barbara ». L'interphone, l'ascenseur jusqu'au dixième, l'éclairage automatique dans le hall et les couloirs marquaient d'emblée la rupture choisie par sa fille Stéphanie. Les femmes laissaient leurs cabas et leurs chaussures dans l'entrée puis s'attablaient dans la cuisine où une fenêtre donnait à perte de vue sur l'étendue de la métropole, la flèche de sa cathédrale en point de mire.

Stéphanie n'était pas la seule à avoir décidé de changer de mode de vie, beaucoup de la famille avaient quitté le campement bien avant qu'il ne se transforme en quartier pavillonnaire. Au fil du temps, leur communauté avait eu plus de chance que les Tziganes pour voir leur demande de logement social aboutir.

Mais Rita n'avait jamais franchi le pas, elle avait bien trop peur de l'extérieur pour cela. Elle restait parmi les rares « Vanniers » encore présents sur le terrain.

5

Trop d'attentes se pressaient dans la tête de Magdalena pour qu'elle ait conscience que sa présence ne réjouissait pas franchement Rita. Elle avait devant elle la mère de sa mère. Une suite logique dans la succession des générations.

L'image furtive d'un dessin réalisé à l'école primaire traversa son esprit. Chaque élève avait eu la charge préalable de recueillir un maximum d'informations sur sa généalogie. Magdalena était montée très haut dans ceux qu'elle prenait pour ses ancêtres parce que, chez Michel et Martha, on avait la mémoire aiguë des aïeuls. Comme en toute chose, l'affaire avait été prise au sérieux. Magdalena s'était rendue à l'école avec une quinzaine de photos dont les plus anciennes remontaient au XIXᵉ siècle : des portraits de famille sur papier jauni où l'on posait en costume, le regard fixe face à l'objectif, l'air grave et l'attitude solennelle dans un décor de studio. Les mains étaient sagement croisées sur les genoux. L'avant-bras de l'enfant reposait sur l'accoudoir du fauteuil où siégeait la plus vieille des dames. La main d'un autre tenait un cerceau à sa gauche ou un panier sur ses cuisses.

Magdalena avait adoré passer de l'une à l'autre des photographies. Elle avait ausculté chaque détail à la loupe : les chignons sophistiqués et les anglaises, les broderies, les dentelles, les chapeaux, les ombrelles des femmes, les cols cassés et les chaînes des montres à gousset des hommes, les robes à volant et les panties bouffants des petites filles et des petits garçons avant que ces derniers portent la culotte.

Avec ces illustres inconnus en noir et blanc, elle s'était mise à rêver d'une grande famille aristocratique à l'image de celle de madame de Fleurville de la comtesse de Ségur, gommant au passage la cruauté de ses romans.

Martha lui avait conté une foule d'anecdotes sur ces ancêtres, transmises de génération en génération. Il y avait l'arrière-arrière-grand-père et son hautbois en costume d'apparat, l'arrière-grand-tante et l'étrangeté de ses cheveux rasés à sa communion, le lointain cousin par alliance, revenu à la caserne militaire couché tête-bêche sur son cheval tellement il avait été saoul. Avec Martha, elles avaient scruté les airs de famille sur les photos de groupe, conventionnelles, où chacun s'était mis sur son trente-et-un. Sur l'une d'elles, une mariée en noir… seul son voile blanc semblait illuminer ce jour de fête pour la famille endeuillée.

Ces souvenirs auraient pu rappeler l'enfance, ses fragments heureux, la chaleur et l'importance des liens. Mais dans le salon de Rita, seul le dessin revint brièvement à Magdalena.

Son arbre était gigantesque. Il couvrait l'ensemble de la feuille A3 fournie par l'institutrice. Des noms, des prénoms et des dates fourmillaient jusqu'au sommet. Dans l'exubérance de l'enfant qu'elle était, elle n'avait pu s'empêcher d'y ajouter des oiseaux, leur nid dans les feuilles et la tête des oisillons, becs grand ouverts, en attente du ver de terre providentiel. Des pommes mi-rouges, mi-vertes et toute une ribambelle de cerises coloraient l'extrémité des branchages en dépit de toute logique botanique. Le tout donnait un ensemble chargé, foisonnant, multicolore et au milieu, proche du tronc, figurait « Lucie ».

Assise dans le canapé du salon de Rita, le dessin ne parasita qu'un instant l'attention de Magdalena. Juste un flash, brut, sans association de pensées.

Rita s'affairait à la préparation des biberons pour les deux petits serrés dans le fauteuil.

Elle n'était pas très grande. Son dos semblait large, ses épaules tombantes, son allure plutôt épaisse. Un long peignoir en velours orange emballait son corps. La finesse du tissu et la couleur délavée laissaient deviner de nombreux passages en machine. Ses mules pailletées aux pieds s'ornaient d'une bride en fourrure blanche quelque peu kitch.

Rita se retourna. Son visage se révéla. Ses yeux clairs marquaient un lien de parenté indiscutable avec Jimmy. Ils dégageaient une beauté troublante dans un faciès aux traits tirés, un peu anguleux et masculins. Ses cheveux teints, exagérément blonds, contrastaient avec son âge. Des rides en pattes d'oies au coin des yeux et celles de l'amertume aux contours des lèvres la vieillissaient.

« Tu veux un thé ? » rompit le silence qui les séparait jusqu'alors.

Peu de mots suivirent. Magdalena n'en fut pas dérangée.

Elle prit la tasse chaude entre ses mains, sans plus. L'étrange distorsion de cette femme avec le monde extraordinaire construit ces dernières années ne la choqua pas. Trop tôt pour cela.

Dans l'instant, seuls comptaient sa présence, son existence, le thé en guise d'acceptation.

Les mots et les explications ne vinrent qu'à l'arrivée d'Angélique.

La jeune femme pénétra dans la pièce d'un pas lourd et dandinant légèrement d'un pied sur l'autre. Son ventre rebondi se moulait dans un tee-shirt qui s'étirait jusqu'à mi-cuisse. Immanquablement, l'œil s'y accrochait. Angélique le montrait. Sa grossesse s'affichait déjà à mi-parcours. Déjà trois ! Son ventre se gonflait sitôt vide. Un désir d'enfant insatiable qui la poussait à en faire toujours plus ? Pas sûr. En revanche, son bonheur était réel, son sentiment d'existence plus que jamais perceptible. Pas de doutes, son état lui conférait un statut, sa maternité un surplus d'identité. À chaque fois, une sensation de bien-être et de plénitude l'épanouissait. Elle se sentait entière, reconnue, fière et accomplie. Sans atteindre l'âge moyen des primipares, Angélique avait déjà dépassé les statistiques. Une famille nombreuse se profilait.

Elle portait les enfants de Freddy, son homme, le même depuis toujours, le premier. Elle s'y accrochait à son Freddy même si sa présence n'était qu'intermittente et que, cette fois, son absence serait sans doute plus longue que les autres.

Sitôt dans la pièce, Angélique bombarda Magdalena de questions comme si toute une vie pouvait se résumer en trois phrases : Mais qui était-elle ? D'où venait-elle ? Où habitait-elle ?

Prise à froid, Magdalena cherchait ses mots, bafouillait, traînait les syllabes comme si son assurance et son sens de la répartie s'étaient effondrés. Il y avait si longtemps qu'elle avait quitté les pensées cohérentes qui ordonnent l'esprit pour ne fonctionner que dans les actes où les mots surgissent comme des coups. Sans véritablement y parvenir, elle aurait voulu trouver les phrases, celles qui se frayent dans la tête et se réfléchissent. Là, elle échouait.

Un flot de paroles confus et décousu l'interrompait sans cesse. Angélique multipliait les interpellations pour se reconstituer une histoire familiale à trou, vite enterrée, sans suites ni conséquences. Tout d'un coup, il s'agissait de Sara dont on ne parlait jamais et de l'enfant dont il n'était jamais question :

— Mais pourquoi ta mère ne s'est-elle pas occupée de toi ? Où a-t-elle disparu toutes ces années ? Comment a-t-elle pu nous laisser ? Je ne comprends pas qu'elle ait accepté que les services sociaux s'en mêlent.

Dans une chronologie malmenée, les questions jaillissaient en rafales, sans laisser de temps de respiration ni de place aux réponses.

Ces évènements ne rencontraient qu'un trouble désordonné dans la tête d'Angélique qu'elle n'avait jamais cherché à démêler. Il y avait eu la police, la colère de Rita, les pleurs de Jimmy. Et c'est avec les yeux d'une préadolescente qu'elle avait assisté, à l'époque, au psychodrame des adultes.

Mais bien avant cela ?

Peu de souvenirs lui restaient du temps où Sara avait partagé son enfance. En réalité, il n'y avait pas vraiment eu de partage. Sara avait été molle, frêle et si peu existante. Quelqu'un plutôt d'insignifiant pour Angélique. L'image d'un corps en boule, en position fœtale, inerte, dans l'angle de la banquette du mobile home, lui revenait en mémoire. Elle aurait pu ne pas voir cette sœur si Rita ne l'avait houspillée en invoquant l'Enfant Jésus et tous les diables d'avoir une fille pareille ! Dans sa loyauté de petite fille, Angélique n'avait pas interrogé l'attitude de sa mère. Elle se rappelait juste le soulagement ressenti à la disparition de Sara.

« Tu veux quoi ? » vint clore brutalement l'échange.

Magdalena resta sans voix. Pour elle, la question ne se posait pas. Aucune justification ni volonté en tête. Simplement, l'impératif, en toute logique, d'être là.

Le vacillement ne fut pas très long. Sans attendre la suite, Angélique lâcha l'interrogatoire et ses deux petits qui s'étaient collés à son ventre. Son urgence était ailleurs. Il lui fallait se maquiller, choisir ses vêtements et se parer de bijoux avec une attention toute particulière aujourd'hui. Ce rituel se répétait chaque semaine afin de se montrer à son avantage, attirante et désirable, pour son rendez-vous avec Freddy.

Lorsqu'Angélique disparut dans la salle de bain, le silence reprit entre Rita et Magdalena

6

Nous étions mardi, le jour qui rythmait les semaines d'Angélique depuis deux mois.

Le jour du troc de linge, le sale en boule contre le propre minutieusement repassé et plié, tous deux dans un sachet plastique de supermarchés, grand format, bourré à craquer.

Le jour de l'expédition à pied et en tram jusqu'au quartier ouest de la ville où Angélique prenait place dans la file des visiteurs, papiers d'identité et permis de visite en main. Un horaire à ne pas rater au risque d'une annulation de visite dès cinq minutes de retard. Une bonne heure d'attente ensuite.

Beaucoup de femmes et de mères s'attroupaient aux abords du kiosque d'entrée, peu d'hommes et quelques enfants. Chaque semaine, les mêmes têtes se retrouvaient, les mêmes plaintes s'échangeaient. À force, certains cherchaient à créer des liens. Angélique se tenait à distance. Certaines femmes d'âge mûr dénotaient dans le lot. L'élégance de leur foulard et la fraîcheur de leur coloration indiquaient d'emblée qu'elles n'étaient pas du même monde. Elles aussi, le regard comme rentré en dedans d'elles-mêmes, ne se mêlaient pas au groupe. Leur allure bon chic bon genre semait un bref instant de trouble au kiosque d'entrée :

— Parloir famille ou avocat ?

De quel côté de la barrière ? Avec elles, le ton des questions se faisait sensiblement moins raide, plus obligeant.

Après une longue attente, Angélique franchissait la première porte de la maison d'arrêt pour entrer dans le sas. Les corps s'entassaient à quinze ou vingt dans un espace étroit tout en longueur. Selon le gardien, le contrôle était plus ou moins scrupuleux, plus ou moins aimable aussi. Docile, Angélique obtempérait. Gênée, elle se déshabillait, posait sa veste, sa ceinture, ses chaussures sur le tapis roulant. Le cri strident du portique rappelait à l'ordre : pas de métal qui ne soit pas déposé sur la tablette !

— La prochaine fois, venez sans toute cette breloque !

Une consigne sans effet. « Rien à faire », pensait Angélique à chaque alerte. Elle n'y renoncerait pas tant que durerait la peine.

Une palpation dite « de sécurité » suivait parfois. Lorsque les mains gantées tâtaient les aisselles, les flancs et les cuisses, le sentiment de perdre un brin de son humanité gagnait les visiteurs des premières fois. À peine le temps de se rhabiller et le convoi repartait. La cour, le deuxième poste de contrôle, le dépôt du sac identifié par un nom assorti d'un numéro d'écrou, puis l'escalier pour le premier étage, encore des couloirs avant de s'asseoir enfin dans le box vitré de quatre mètres carrés où une petite table séparait Angélique de Freddy.

Tout ça pour une heure sur les cent soixante-huit d'une semaine. Une heure précieuse, fondamentale, obligatoire. C'était comme un devoir conjugal pour Angélique, l'assurance de sa fidélité, de son soutien sans borne. Des circonstances défiées pour que l'histoire survive, presque une incarcération déniée, une de plus, dans un quotidien devenu banal. Jusqu'au bout du bout, elle honorerait ces rendez-vous, même le ventre lourd à l'approche de son accouchement et dès que possible après. Le petit de quelques jours resterait chez Rita avec ses deux frères, c'était déjà prévu. Personne n'imaginait une autre destinée.

Dans le parloir, Freddy parlait peu.

Son regard plongeait dans le décolleté, s'accrochait aux jambes dénudées et aux bijoux d'Angélique : exclusivement de l'or, des boucles d'oreilles clinquantes et longues jusqu'à effleurer ses épaules, d'innombrables bracelets et leurs tintements métalliques au moindre mouvement, et une discrète chaîne à la cheville gauche. Rien que du familier pour Freddy, concentré sur une heure. De la monnaie courante à l'extérieur, revêtue d'une importance majeure à l'intérieur.

De temps à autre, Freddy s'échauffait. Quelques insultes surgissaient sans prévenir après l'altercation de la dernière demi-heure avec le surveillant ou la prise de bec de la nuit précédente avec le codétenu au rythme décalé. Un mot entraînait l'autre. En fin de course, le propos dérivait invariablement sur l'inertie de l'avocat et l'acharnement du juge d'instruction. Encore chaud, sous le coup de l'évènement, Freddy retrouvait un temps sa nature, sa force, son image de dur auxquelles il ne fallait pas se mesurer. Le respect et l'honneur scandaient ses phrases comme un leitmotiv qui authentifiait qu'il était toujours le même, qu'il était encore quelqu'un.

Lorsque son énervement, ses revendications et ses plaintes se déversaient sur Angélique, celle-ci tentait l'apaisement, comme avec un enfant :

— Tiens-toi tranquille, répétait-elle doucement, impuissante, dans l'inquiétude secrète que l'hygiaphone soit imposé au prochain parloir.

La vie d'Angélique à l'extérieur n'intéressait pas beaucoup Freddy, à part peut-être les hommes qu'elle aurait pu croiser. Mais de ce côté-là, il n'avait pas besoin de s'en faire. Habiter chez Rita était un gage de sécurité imparable.

Il parlait peu de ce qui occupait ses journées. Parfois, il chargeait Angélique de messages à transmettre à l'un ou l'autre sur le terrain. Ses requêtes prenaient alors l'allure d'une exigence envers celle qui représentait son unique cordon vers l'extérieur. Angélique prenait acte sans relever le ton qui aurait pu être sujet à caution parce que le petit bénéfice qu'elle tirait de la situation la comblait intérieurement : lors des incarcérations, elle avait Freddy rien qu'à elle.

De plus en plus souvent, un silence se glissait dans le brouhaha qui émanait des autres box. Avec leurs parois nullement insonorisées, il était possible d'assister en direct aux discussions et aux drames intimes des visites adjacentes, mais Angélique n'entendait pas. Le vide qui se frayait entre eux se prolongeait. Rien de grave pour elle, seul comptait le rituel de sa présence, éternelle. De part et d'autre de la petite table, les mains se frôlaient, se caressaient, se serraient subrepticement. Conjurant l'espace qui marquait la séparation des corps, une étreinte se volait entre deux passages du surveillant dans le couloir. Certains d'entre eux se faisaient discrets, d'autres franchement complaisants.

L'eau de parfum « Lili Glam » aux effluves de musc et de pêche embaumait la pièce. Angélique s'en aspergeait plus que de raison les jours de parloir pour qu'elle imprègne Freddy et le poursuive quelque temps encore à son retour en quartier de détention. Une façon à elle d'être avec lui, de pénétrer dans l'espace interdit, d'introduire sa trace de féminité, dérisoire, dans cet univers asexué.

Freddy partait en premier. Vite. De moins en moins souvent, il se retournait pour un ultime regard, une dernière image à graver dans son esprit avant de rejoindre sa cellule. Une séparation sans prolongement. À cela aussi, Angélique avait fini par s'habituer.

Ensuite, la jeune femme retrouvait les autres visiteurs, ceux en pleurs, mutiques, chancelant sur leurs jambes, angoissés par ce qu'ils venaient de voir et d'entendre. Certains sortaient contaminés par une colère qui ne leur appartenait pas. D'autres se montraient confiants, imperturbables, pressés de quitter les lieux au plus vite pour gagner l'extérieur. Quelques-uns affichaient la satisfaction d'un devoir maintenant accompli.

Le temps d'accrocher le bon sac plastique en bas des marches de l'escalier et c'était reparti pour la cour et le sas d'entrée. Là, chacun attendait l'appel de son nom dans une promiscuité obligée. Lorsqu'on retrouvait sa carte d'identité, on quittait son emprisonnement éphémère, les contrôles et les rapports de pouvoir pour redevenir un citoyen presque ordinaire.

Rita n'avait jamais fait la démarche. Elle n'avait pas attendu l'incarcération de Sara pour cela. Avant elle, Rita n'était pas allée rencontrer ni son père ni les pères de ses enfants. Pas plus Jimmy ou Freddy depuis. Pas de courriers non plus. Son seul rapport avec l'administration pénitentiaire se réduisait au colis de Noël, cinq kilos réglementaires de victuailles qui franchissaient les portes de la prison une fois l'an : de la saucisse, du chocolat, des beignets fourrés à la compote de pomme ou à la gelée de groseille et surtout des galettes des Rois.

Mettre un pied en prison était de trop. Rita gardait les habitudes des anciens qui maintenaient la séparation des mondes. Aucun d'eux ne serait allé visiter l'un des leurs parce que cela aurait créé un pont. On restait « entre-soi », on ne gagnait pas l'autre rive. S'y aventurer aurait déjà signifié que l'on participait au système. Ceux qui atteignaient l'autre berge le faisaient uniquement contraint et forcé. Et encore, la résistance à s'y laisser mener était souvent rude et violente. L'outrage et les coups et blessures aux forces de l'ordre n'étaient pas rares au moment des arrestations, rallongeant au passage le temps d'enfermement. Ensuite, la séparation durait le temps de la peine et, à la libération, on se retrouvait comme si l'on ne s'était jamais quitté. Entre les deux, il n'y avait pas vraiment de quoi être inquiet. Chacun connaissait les risques pris et faisait avec les conséquences.

Avec Sara, en revanche, Rita avait été en colère.

Peu de femmes se faisaient prendre. Quelques-unes étaient auditionnées dans le cadre d'une enquête sans que cela donne beaucoup de résultats tant elles restaient muettes comme des carpes. Rien de difficile d'ailleurs, la plupart du temps elles étaient très peu au fait des agissements des hommes. Ce que voyaient les femmes était que leur frère, leur mari ou leur fils subvenaient aux besoins de la famille. Leur rôle s'arrêtait là. Elles ne « tombaient » pas.

La nouvelle de l'incarcération de Sara s'était répandue comme une traînée de poudre sur le campement. Arrivée aux oreilles de Rita, elle avait ravivé un rejet mis en sourdine sur plus d'une année.

La violence du sentiment fut brève. Rapidement, l'incident devint juste un évènement de plus dans un parcours délétère. Sara existait si peu. Elle avait quitté le paysage à seize ans et quelques mois, à l'instant précis de sa mise à la porte du mobile home. Sans que personne ait pu identifier pourquoi ce jour-là plutôt qu'un autre, elle avait rencontré une haine explosive qui avait signé un point de non-retour.

Cela avait été un cran supplémentaire dans un effacement qui s'opérait depuis un moment déjà.

L'héroïne s'était glissée dans l'histoire.

Elle avait avancé par étapes, gangrénant successivement les espaces, dans la cité d'abord avant de gagner le campement. À ses débuts, elle ne souleva pas de réelles préoccupations chez les autorités de santé publique. Insidieuse, invisible et masquée, la drogue œuvrait par contamination, sans faire de bruit. La prise de conscience de l'ampleur du problème fut bien tardive. Il en résulta une hécatombe, une génération sacrifiée, difficile à chiffrer. Les familles se turent par honte et incompréhension. Beaucoup pleurèrent leurs jeunes, morts en silence, par overdose, de septicémie ou du sida. Et chacun aurait pu nommer une voisine, une sœur ou une cousine, touchée par le fléau plus que les autres. Certaines de ces mères virent partir, un à un, plusieurs de leurs enfants.

Le silence avait biaisé les regards.

Les « Tox » disait-on, plus souvent avec mépris qu'avec compassion.

Sur le terrain, Sara avait été la première.

7

Dans le pavillon de la « rue du Sirocco », il y avait ceux qui y vivaient et ceux qui y passaient. Le nombre d'habitants était extensible. De cinq à huit personnes la nuit à bien davantage le jour. La présence de Sabrina et de ses enfants était quotidienne, celle des autres, régulière.

Après le mobile home, la maison de Rita demeurait le lieu du regroupement. On ne sonnait pas pour s'annoncer comme si l'on continuait à rentrer chez soi. Personne ne quittait totalement un fonctionnement qui remontait à la nuit des temps. On s'y croisait, on y traînait, on y mangeait dans des éclats de voix qui surprenaient les non-initiés. Il ne fallait pas s'offusquer de la rudesse des propos et des invectives qui fusaient à profusion. Ce n'était rien qu'une façon de s'adresser la parole même si, tous les trois mots, il était question de respect et de politesse.

Depuis son emménagement dans une maison, Rita ne cessait de s'extirper de ses murs. Sous l'auvent déroulant à rayures noires et blanches qui couvrait l'ensemble de la terrasse, quelle que soit la saison, elle grillait cigarette sur cigarette sans aucune préoccupation pour sa santé. Elle attendait le printemps et les jours qui se rallongent pour installer sa tonnelle. Même si les fenêtres en PVC avaient perdu de leur transparence, l'enduit de son imperméabilité et la toile de sa couleur pour finir en teinte verdâtre aux traînées sombres, cette tonnelle restait l'objet précieux de Rita. Elle survivait au temps, prolongeait celui d'une vie où l'espace était démontable, mobile dans l'instant. L'abri de camping avait résisté au changement de mode de vie. Il continuait à remplir sa fonction de sas et de pièce supplémentaire comme au temps du mobile home.

Cette extension d'espace était vitale pour cette femme : quinze mètres carrés pris sur le petit terrain d'herbe à l'arrière, n'en déplaise au règlement du lotissement. Une fois montée, Rita troquait son canapé pour un fauteuil relax pliable et sa cuisine intégrée pour un réchaud trois feux, alimentés par une bonbonne de gaz.

À l'extérieur, la vie était plus légère, l'enfermement moins prégnant même si l'accès et le regard se heurtaient maintenant aux grillages du jardinet.

En ce premier jour d'avril, son plus jeune fils, Marlon, fit le déplacement. Avec Jimmy et le mari de Sabrina, il ne fallut pas plus de vingt minutes pour que s'érige la tonnelle et qu'elle s'arrime solidement dans la terre encore meuble du terrain.

Magdalena se glissa dans l'opération, tenant un piquet et tirant la toile de toutes ses forces, pour être utile peut-être, pour montrer qu'elle était là sûrement, solidaire, prête à endosser cette vie nouvelle. Elle multipliait les efforts pour prendre part aux habitudes familiales et les faire siennes. En l'occurrence, les occasions étaient plutôt rares.

La dernière surprise en date de Jimmy se cachait dans un volumineux carton qui encombrait la terrasse depuis deux jours : un immense barbecue à monter soi-même. L'appareil s'agrémentait d'une plancha et d'un four, le tout bourré d'électronique et de détails sophistiqués. Avec ses commandes digitales, son indicateur de température et sa sécurité de chauffe, c'était le top en la matière. Jimmy n'avait pas lésiné sur le prix comme à chaque fois d'ailleurs.

Magdalena l'avait vu lâcher les billets sans compter dans le magasin de bricolage. Leur passage devant les différents modèles d'exposition avait suffi à créer le besoin et à décider l'achat. Une nécessité dans l'instant. Le choix s'était arrêté sur le plus volumineux et le plus cher.

— Rien n'est trop beau pour une mère, avait lancé Jimmy, tout sourire, en faisant un clin d'œil à la jeune hôtesse de caisse.

Croiser une jolie fille déclenchait immanquablement un mot flatteur. C'était plus fort que lui, il ne pouvait s'empêcher de jouer le séducteur. Face à sa gueule d'ange, son bagout nullement discret et ses propos d'un romantisme désuet, la jeune femme avait rougi, gênée par la présence des clients qui s'accumulaient à sa caisse.

Avec le barbecue high-tech, Rita réalisait un véritable saut technologique. Pas sûr qu'elle en exploite toutes les fonctions. De tout temps, un vieux fût découpé lui permettait de griller des quantités industrielles de viande et de saucisses. Il était le cœur des rassemblements. Depuis qu'elle était gamine, on se regroupait tout autour, lors des soirées un peu fraîches, dans une lumière et une chaleur à nulle autre pareille. Rita aimait les flammes, le rougeoiement des braises, le craquement des bûches, le crépitement des escarbilles et surtout l'odeur du bois qui brûle. C'est certain, elle ne lâcherait pas son fût si facilement.

L'effervescence de la nouveauté passée, l'appareil risquait d'échouer aux côtés du bric-à-brac abandonné sur la terrasse. Mais en ce jour, face au barbecue de Jimmy, le plaisir de Rita était réel. Il concernait la démesure du cadeau plus que l'objet lui-même.

Depuis toujours, Jimmy était roi dans l'univers de sa mère.

Lorsqu'il s'installait à la maison, on ne savait jamais combien de temps il resterait. Parfois un mois, parfois plus. Et quand il la quittait, c'était pareil.

Sa venue bouleversait les habitudes. Un vent d'agitation prenait les esprits et emplissait l'espace. Tacitement, les trois chambres que comptait le pavillon se réattribuaient. Jennyfer cédait la sienne pour rejoindre le lit maternel, sans discuter. Non seulement le fils prenait possession des lieux, mais il accaparait aussi toute l'attention de sa mère. En bon prince, il débarquait, chargé de billets et de promesses d'un lien resserré comme pour faire pardonner son absence durant des mois.

— La famille, c'est sacré ! répétait-il inlassablement. Vous êtes le battement de mon cœur.

Un curieux mélange fait de reconnaissance, d'admiration et de séduction mutuelles unissait le fils à sa mère. De prime abord, un trouble dérangeait celui qui ne les connaissait pas. Rita avait besoin de le toucher. Sa main se collait avec insistance sur son torse, son bras enlaçait sa taille ou caressait son épaule puis descendait intensément jusqu'à l'extrémité des doigts. Ses deux paumes enveloppaient les joues de son fils et alors, front contre front, elle répétait en boucle des mots à n'en plus finir. De sa voix forte et rauque qu'on lui avait toujours connue, abimée par des décennies de tabagie, sortaient des mots doux qu'elle n'accordait à aucun autre :

— Mon fils, mon sang, mon Jimmy, ma vie...

Le grand corps du fils, mi-enfant, mi-homme, au physique d'entre-deux et au lien décalé, ne se dérobait pas face aux assauts de tendresse appuyés, ambigus, prolongés bien au-delà du temps des retrouvailles. Jimmy comblait Rita et Rita passait tout à Jimmy.

Si Magdalena resta trois mois dans son pavillon, ce fut grâce à lui.

Après quelques nuits sur le canapé, l'adolescente se trouva une petite place dans la chambre d'Angélique déjà bien occupée par les deux enfants. De temps à autre, Enzo filait en douce dans celle de sa grand-mère pour finir sa nuit, coincé entre Rita et Jennyfer. Le partage des lits n'avait rien d'exceptionnel. Après sa nécessité à l'époque du mobile home, l'usage perdurait. Et ce n'étaient pas les chambres de la maison qui réussiraient à cloisonner l'espace et les intimités.

Les journées de Magdalena s'emplissaient d'un vide. Elle errait de pièce en pièce comme si son corps ne pouvait trouver où se poser. Implicitement, elle se tenait à distance de Rita. Toutes ses tentatives d'approche s'étaient soldées par une fin de non-recevoir. Pourtant, elle ne franchissait pas le cap de l'analyse qui aurait questionné sa place et lui aurait permis de comprendre, au travers des quelques mots lâchés et des attitudes fuyantes, qu'elle n'était pas franchement désirée.

Angélique l'embrouillait et Jennyfer s'intéressait peu à elle comme si elle n'était plus vraiment là, plus concernée par la vie dans la maison. Alors, Magdalena trompait de plus en plus souvent l'ennui en jouant avec les deux petits, attendant impatiemment l'opportunité de se coller à Jimmy.

Pour Rita, cette fille n'était ni la réplique de l'enfant perdu ni l'occasion de se racheter. Elle ne referait pas un bout d'histoire pour prendre soin du prolongement de celle qu'elle avait délaissée. Aucun résidu de sentiment de culpabilité à éponger.

Elle admettait Magdalena sous son toit parce que Jimmy l'y avait amenée. Elle l'observait plus qu'elle ne lui parlait. Les traits de la jeune fille, son teint cuivré et ses yeux en amande la renvoyaient au souvenir éloigné de Gino. Insuffisant pour renouer les fils. Difficile d'en retrouver des bribes. L'effacement de Sara court-circuitait une génération. La cassure était consommée, irrémédiable et trop lointaine pour une quelconque reconstruction.

Nul besoin de se référer aux mots yéniches ou gitans qui peu à peu s'étaient glissés dans leur culture, pour s'apercevoir que Magdalena ne parlait pas la même langue. Ses tournures de phrases, son vocabulaire et les temps de conjugaison qui coulaient si naturellement de sa bouche étaient d'un autre français. Et ce n'étaient pas uniquement les mots qui marquaient une différence. Ses gestes, sa façon de s'asseoir, de plier les vêtements et de se servir de ses couverts amplifiaient le sentiment de Rita qu'elles n'avaient rien en commun. Qu'on l'ait voulu ou non, les petits riens du quotidien s'étaient imprégnés d'une éducation radicalement divergente.

Rita se disait que toute une vie les séparait, mais elle se taisait.

En dehors de la scène, elle assistait passive aux discussions des autres. Pour elle, la fille de Sara resterait une étrangère. Rien de plus logique finalement.

À l'époque, les policiers s'y étaient mis à quatre – une femme et trois hommes – pour pénétrer le terrain, arriver jusqu'au mobile home et lui annoncer la double nouvelle : la perte d'une fille et l'existence d'une petite-fille. La vie et la mort en une même phrase.

Le propos concis, les policiers ne s'étaient pas éternisés face à une mère étrangement calme et détachée. Ils étaient restés à l'entrée, en bas des trois marches, sans pénétrer chez elle. Rarissime en de telles circonstances ! Dans l'épreuve de l'annonce, qui s'inscrivait comme un évènement indélébile dans la mémoire de tout agent de police, beaucoup freinaient le départ dans l'espoir de trouver les mots improbables qui adouciraient la brutalité cruelle de la nouvelle. Mais là, ce fut bref. Décontenancés par la froideur qui se dégageait de cette femme, les policiers ne s'étaient pas épanchés.

Rita avait tout rejeté en bloc.

Impossible de se souvenir, aujourd'hui, si les policiers lui avaient dit ou non le prénom et l'âge de cet enfant. La puissance du rejet l'avait rendue incapable d'entendre, encore moins de s'immiscer dans la vie de cette petite.

Par la suite, elle n'avait pu se sentir concernée par les démarches tentées par les services sociaux. Elle avait même pesté contre leur harcèlement. Bien sûr, le corps de Sara avait été récupéré pour s'acquitter d'un devoir parental et clore les choses. Rita s'était occupée de la mort, mais elle avait laissé la vie à d'autres.

Alors, aujourd'hui, bien des années plus tard, elle n'était pas prête à donner davantage même si la question revenait en boomerang. Une existence en chair et en os s'imposait à elle sans qu'elle ne l'ait jamais fait exister.

8

Le départ de Jimmy et Magdalena se précipita à l'apparition du cabriolet – une décapotable bleu marine, sportive, puissante et racée. L'adolescente sauta dans la voiture sitôt qu'elle se présenta. Sans une pensée pour l'objet ou la destination du voyage, elle fonça, enchantée qu'il se passe enfin quelque chose. Immédiatement, elle prit ses aises, enleva ses chaussures et mit les pieds sur le tableau de bord. Pas d'au revoir ni d'embrassades pour ceux qui restaient sur place. L'idée ne lui vint même pas à l'esprit, elle était déjà partie.

En quelques coups d'accélérateur, la grosse cylindrée vola sur la route. Un plaisir inouï à la conduire pour l'un, le bonheur absolu d'être la passagère pour l'autre.

Magdalena ne chantait pas, elle criait les paroles des chansons qu'elle connaissait par cœur. Diffusée sur les huit haut-parleurs que comptait l'habitacle, la musique tonnait à plein volume. L'intensité des basses couplée à la vitesse l'enivrait littéralement. Sa chevelure rouge s'élançait comme des flammes, sauvages et vives, à en toucher le ciel. De longues mèches dissipées s'enroulaient autour de son visage sans qu'elle ait le réflexe de le dégager. Elle était plus qu'heureuse, euphorique. Son sourire exalté rencontrait celui de Jimmy, enjoué et fier de produire cet effet.

Les kilomètres filèrent à toute allure, ils les menèrent plus au sud.

La voiture quitta la voie rapide pour s'engager sur une route départementale qui indiquait un village à proximité. Sur la place de l'église, une épicerie était encore ouverte sur les coups de treize heures. Le commerce minuscule se trouvait encombré de packs de lait, de bouteilles d'eau et de papier toilette amoncelés devant des gondoles bourrées d'articles de dépannage. Shampoings, conserves de légumes, bidons de Javel, gâteaux, pain, et quelques exemplaires du quotidien local s'accumulaient jusqu'aux abords de la caisse. Un vieux monsieur y siégeait dans un espace plus que réduit. Son âge débordait largement celui de la retraite. Fidèle au poste, il paraissait assurer la survie du lieu et certainement la sienne aussi.

Jimmy prit un pack de bière, Magdalena choisit le reste sans aucune considération diététique. En dehors de toute préméditation, elle chaparda d'un geste automatique une carte postale en sortant, sur le portique métallique suspendu à la porte d'entrée.

Un coin de verdure fut difficile à trouver aux environs. Le paysage se découpait en parcelles délimitées par de vieux poteaux en bois reliés par des barbelés rouillés. Au bord d'un chemin, sous un arbre, ils se garèrent enfin.

Leur musique perturba la quiétude des vaches du pré attenant. Intriguée par le caractère inédit de cette venue, l'une d'elles fit le déplacement, lente et lourde, jusqu'à leur hauteur. Une deuxième suivit, puis la grande partie du troupeau leur emboîta le pas. Leurs yeux cerclés de noir ressemblaient à ceux de personnages de dessin animé, des yeux doux à en faire oublier leur poids qui devait avoisiner la tonne. Leurs regards fixaient l'énergumène à la chevelure de feu qui paraissait danser pour elles. Leurs bonnes grosses têtes figées inspiraient confiance.

Jimmy coupa la radio.

Les sons tonitruants et l'agitation de Magdalena stoppèrent brutalement. Peu à peu, un bruissement dans les feuilles et quelques gazouillis de fauvettes se firent entendre. Le bredouillis joyeux et désordonné attira l'œil de la jeune fille vers les branches au-dessus de sa tête. Les petits oiseaux restaient invisibles et difficiles à localiser dans la végétation.

Captée par sa recherche, elle s'allongea – dos sur l'herbe – pour poursuivre plus confortablement son observation.

Là, Jimmy se mit à parler.

— Nous sommes des Yéniches, commença-t-il.

Des « Vanniers » disaient plus couramment ceux qui n'en faisaient pas partie. Ce terme, Jimmy l'aimait nettement moins. Ce surnom venait de leurs ancêtres qui vivaient de la vente de leurs paniers à bois ou à pain, moïses, hottes ou corbeilles. À l'époque, ils vagabondaient de village en village, dans leur activité de colportage, mendiant et récupérant au passage des peaux de lapin. Le nom survivait alors qu'aujourd'hui Jimmy ne connaissait plus qu'un ou deux vieux capables de tresser l'osier.

Détournée de son usage, la serpette était restée dans la poche des hommes. Pour Jimmy, pas de sorties sans la sienne. Plus qu'un objet rassurant, plus qu'une garantie de sécurité, elle était devenue le trait immuable de son identité. Un propos pris au pied de la lettre la faisait surgir sans attendre : « Je vais le couper », pouvait-il s'enflammer d'un instant à l'autre.

À plusieurs reprises, elle avait marqué dans la chair le déshonneur subi d'une trace indélébile. Alors que les contusions et les fractures finissaient par guérir, les balafres ne pouvaient s'oublier. L'empreinte de l'opprobre se portait indéfiniment.

À le voir pourtant, Jimmy semblait doux comme un agneau, prévenant et attentionné, plus particulièrement avec les femmes. Mais, réactif, d'une seconde à l'autre, il basculait. Ensuite, pas de regrets éprouvés, mais une satisfaction. On n'avait pas à le provoquer ! Dans un fonctionnement où les mots l'agressaient plus que de raison, un bon nombre de malentendus et de faussetés de jugement avaient créé l'embrouille. Du mot à l'acte, le passage était direct, systématique, impulsif, sans choix ni hésitations possibles. Alors évidemment, Jimmy en payait le prix fort : le contrôle judiciaire, le sursis, parfois la prison, et souvent de longues représailles sans fin. Tant pis ! pour rien au monde, il n'aurait rejoué la scène. Plutôt assumer les conséquences que de se dire qu'il était dans l'erreur ! Sa forte tête et ses agissements imprévisibles lui avaient forgé une réputation qui nourrissait sa fierté. Tout de suite, une distance s'imposait. Jimmy voyait du respect là où il n'y avait peut-être que de la crainte.

Depuis des décennies, les Yéniches avaient quitté leurs paniers pour se recycler dans la récupération de métaux, la restauration de vieux meubles chinés dans les greniers des fermes ou les marchés aux puces. Certains de ses cousins, racontait Jimmy, s'étaient lancés dans la remise en état de machines et de voitures. Ils conservaient la liberté de ne dépendre d'aucun patron. Lui-même y tenait contrairement à d'autres qui avaient franchement lâché la tradition, rejoint l'usine et les barres de cité.

— Notre peuple descend des Celtes, continua-t-il, gonflé d'orgueil.

En témoignaient leur peau claire, leurs cheveux blonds ou roux qui les différenciaient radicalement des Tziganes originaires pour l'essentiel du nord-ouest de l'Inde. Ni Manouches, Gitans ou Roms, on les appelait aussi « les Tziganes blancs », un surnom de plus dans la longue série dont on les affublait. Et se voir une lointaine parenté irlandaise ou écossaise lui seyait plutôt bien.

Réalité ou mythe ? Jimmy ne s'était jamais intéressé à en savoir quelque chose. À y regarder de plus près, rien ne semblait très clair. Peu de certitudes et peu de recherches. Personne ne connaissait le nombre exact d'individus que comptait son peuple, ni la date et les motifs de sa constitution. La thèse la plus vraisemblable rapportait leur origine à des montagnards allemands du Palatinat acculés à errer sur les routes et à voler pour survivre suite aux ravages de la guerre de Trente Ans. Mais certaines recherches évoquaient aussi des paysans fuyant leur ferme pour échapper à la pauvreté lors des grandes crises économiques, deux-cents ans plus tard. D'autres encore les apparentaient simplement à des délinquants et des asociaux chassés des villes et condamnés au voyage. Et, dans une hypothèse moins sérieuse, on les voyait descendre de commerçants juifs itinérants, voire d'une tribu perdue d'Israël. Difficile de s'y retrouver. Exode forcé ou itinérance choisie ? Traditions ancestrales ou empruntées ?

Même leur langue semait le trouble : une langue nationale mêlée de patois régional, imprégnée de mots yidiches, tziganes et de « rotwelsch » allemand, aux vocables secrets utilisés par les mendiants, les nomades et certains criminels à la fin du Moyen Âge. Le mot « yéniche » lui-même ne rencontrait pas de consensus. Mais ses dérivés de l'allemand renvoyaient tous à l'idée d'un peuple insaisissable, à part, non conforme. Un peuple « venu de nulle part », rusé et malin. Des « voyous ». Dans ce méli-mélo linguistique s'agrégeaient des termes et des expressions typiques qui faisaient leur particularité.

Finalement, ce qui les caractérisait le plus était peut-être leur marginalisation persistante. Seule la Suisse les reconnaissait en tant que minorité nationale et ce n'était certainement pas qu'un avantage. Ils étaient restés au ban de la société, ceux dont il fallait se méfier. Après les vagabonds et les brigands, ils étaient encore « les voleurs de poules ». Et leur activité clandestine, parallèle et parfois franchement délictueuse, ainsi que les rixes qui nourrissaient les faits divers des journaux locaux, voire nationaux lorsque l'ampleur de l'horreur d'un crime basculait dans le sensationnel, ne risquaient pas d'inverser la tendance.

En réalité, leur identité ressemblait à un patchwork cosmopolite. Sans les connaître, on avait vite fait l'amalgame avec le monde tzigane proche dans ses coutumes et son mode de vie. Néanmoins, une appartenance singulière existait dans cette mosaïque et elle était forte chez Jimmy. De tout cela, il conservait les traces qui marquaient leur différence. Il y puisait ce qui l'arrangeait et ce qui restaurait de la fierté à son origine. « Être yéniche » était synonyme d'indépendance, d'insoumission au système et de liberté même si sa propre mère n'avait jamais pris la route et se trouvait maintenant locataire d'un pavillon. L'idée majeure de Jimmy demeurait celle d'un peuple fort et mystérieux. Personne ne courbait l'échine, on s'accommodait de la loi des autres dans un fonctionnement propre à soi.

Le mythe originaire celtique s'intégrait bien dans le tableau. « Les Tinkers », ces cousins des îles britanniques, leur ressemblaient, disait-il. Un sang de conquérants et de grands voyageurs les unissait depuis plus de deux millénaires. Cela redorait le blason d'une réalité où, aujourd'hui, la survie de beaucoup des leurs dépendait essentiellement des minimas sociaux.

Alors Jimmy s'accrochait à cet héritage.

Il se voyait comme un voyageur des temps modernes. À l'image des anciens, il levait le camp, d'un instant à l'autre, au gré des opportunités ou par nécessité d'échapper à une mauvaise passe.

Dans sa bougeotte incessante, Rita était son port d'attache.

Gino était gitan pourtant.

Ce père avait obsédé sa sœur Sara et rencontré le silence de Rita. La mère n'avait jamais livré ses secrets, elle était restée muette sur le sujet, n'ouvrant aucune piste à sa fille lorsqu'elle avait voulu savoir. Qui était cet homme ? Pourquoi était-il parti ? L'avait-il aimée ?

Rita n'avait trouvé aucun intérêt à lui répondre parce que cet homme n'était plus dans sa vie et que d'autres l'occupaient. Les premières questions, à l'âge de six ou sept ans, s'étaient répétées au début de l'adolescence sans que Sara obtienne plus de résultats.

— Gino devait avoir quarante-cinq ans lorsque la nouvelle de sa mort circula sur le campement, expliqua Jimmy à Magdalena. Bon, son âge, personne ne sait vraiment…

Aucun membre de la famille ne le pleura. Il disparut sans laisser de souvenirs ni d'existence dans l'état civil de ses enfants. Seule Sara avait porté la trace de son passage, dans son physique et les traits si singuliers de son visage.

Mais à la mort de Gino, elle n'était déjà plus là.

Sans qu'ils se soucient de l'heure qui gagnait le milieu de l'après-midi, la pause au bord du chemin s'éternisait.

Jimmy se tourna vers la gauche. Le bras replié sous sa nuque, son grand corps en chien de fusil, il observait Magdalena allongée à ses côtés. Elle ne le regardait pas. Peut-être même, ne l'écoutait-elle pas ?

La jeune fille avait quitté les passereaux dans la végétation pour manipuler la carte postale subtilisée à l'épicerie. La photographie représentait l'entrée d'un gouffre dans un cadrage qui ne pouvait prétendre à aucune démarche artistique et ne visait qu'à montrer l'endroit. Ses couleurs ternes témoignaient d'un tirage de faible qualité.

Dans un premier temps, c'est une sensation de froid qui parcourut son corps sitôt la carte fripée sortie de sa poche. Aucune image ne lui rappela son expédition dans les entrailles de la Terre lorsqu'elle était gamine : la longue descente de l'escalier à paliers, les passages étroits entre les concrétions aux formes arrondies, drapées, érigées ou tombantes, les couches affaissée et dures au toucher malgré leur ressemblance à un débordement de crème, et la voûte monumentale qui aurait pu accueillir une cathédrale. Les mots du guide en avaient fait un lieu magique et énigmatique. À cette époque, les orgues de la reine, la forêt de stalactites, les spaghettis, les perles de caverne et les excentriques s'étaient gravés bien au-delà de la visite pour nourrir sa soif d'apprendre et son imaginaire. Mais rien de tout cela ne revint à Magdalena en cet endroit.

Après la sensation corporelle, son souvenir s'attacha seulement à une brillance, celle des petits sujets en calcite vendus dans la boutique à la surface. Leur croûte scintillante ressemblait à une couche de sucre. Elle les enrobait de cristaux aux reflets ocre, bleutés ou rosés. Son esprit n'alla pas plus loin que l'éclat qui en avait fait des objets précieux.

La carte gisait maintenant sur son ventre et Magdalena s'occupait au tressage des longues mèches de ses cheveux. Les mouvements de ses mains étaient précis et appliqués pour entrelacer un à un les brins et former une multitude de petites tresses à la mode afro à l'avant de son visage. Seules les extrémités de son corps menaient leur action, automatique et autonome, décrochée de toute pensée.

Il y avait de Sara dans ces yeux en amande, ce nez droit et ces pommettes hautes, observa Jimmy. Pourtant, Magdalena était bien plus belle, se dit-il.

L'éclat dans son regard, l'énergie que dégageaient son corps et ses mouvements floutaient la ressemblance. Certes, les gènes s'étaient exprimés, mais la jeune fille qu'ils avaient produite n'avait pas le corps fragile, les yeux cernés et l'allure discrète de Sara. La vie respirait chez Magdalena avec affirmation et intensité alors qu'elle avait si peu animé sa sœur qui s'était considérée elle-même comme une quantité négligeable. Comparant l'une et l'autre, Jimmy aurait souhaité inverser le cours du temps. Il aurait voulu une transmission à l'envers, une ressemblance de la mère à l'enfant.

Avec Sara, Jimmy avait été plus qu'un frère, presque un jumeau. Leur différence d'âge s'était effacée. Plus encore, elle s'était légèrement renversée. Jimmy se tenait devant, il initiait, Sara suivait. Lorsque leurs chemins s'étaient séparés, cela n'avait pas été un choix. Tout s'était passé comme si sa sœur avait rencontré un sol friable ou qu'elle avait glissé dans un terrain mouvant. Elle s'était embourbée sans un cri, sans un appel alors qu'il avait continué à tracer sa route. Et quand il s'était retourné, elle était déjà trop loin, engluée, hors de portée.

Aurait-il pu y faire quelque chose ?

Au moment de sa disparition du mobile home, il s'était interdit de se poser la question. Rita l'avait mise dehors et il avait suivi l'indifférence générale. Deux ans plus tard, il l'avait croisée dans un bar. Sara était blonde, mais ce n'était pas la couleur de ses cheveux qui la métamorphosait au point d'être difficilement reconnaissable. C'était son corps, sa peau tendue et rebondie comme si elle avait contenu de la matière. Un débardeur vert acidulé découvrait des épaules rondes. L'articulation des coudes avait perdu leur saillance. Des formes authentifiaient une féminité... L'enveloppe s'était remplie, comme regonflée de l'intérieur. Un sursaut de vie la fortifiait et l'embellissait.

Ils s'étaient peu parlé. Elle lui avait souri, le regard franc, droit dans les yeux. Suffisant à Jimmy pour confirmer qu'il n'y avait aucune raison de s'inquiéter.

Et puis, quelques mois plus tard : le néant. Une chute vertigineuse, lointaine, profonde, sépulcrale, sans qu'il en soit témoin. À sa mort, il avait ravalé sa tristesse. Sa peine n'avait pas eu droit de cité.

À l'époque, il n'était pas allé au-delà d'un appel au Service de l'Enfance. Juste un pas, sans s'engager plus que ça. Un appel en catimini, seul, dans les locaux de l'association d'aide aux habitants du campement, pour informer que l'enfant n'avait plus sa mère. Rapidement, il avait compris qu'il n'avait pas eu la primeur de l'annonce. L'interlocuteur avait insisté pour qu'il décline son identité. On avait cherché à le raccrocher à une histoire qui n'était pas de son âge. Alors il avait refermé la parenthèse et il avait posé le combiné.

Malgré tout, aujourd'hui, il ne restait pas en paix.

C'est sous cet arbre, en bordure du chemin qui marquait la première halte d'un voyage déjà entamé, que sa décision fut prise.

Il s'occuperait de l'enfant. Il lui donnerait sa famille après ce long silence.

Il serait là, cette fois, pour Sara.

9

Facile de se rappeler la première étape du périple de Magdalena et Jimmy. Pas si simple pour les autres, il y en eut trop pour se remémorer l'exactitude des lieux et retracer leur chronologie.

« La ferme Jacquot » était une halte ordinaire dans l'itinérance de Jimmy. Un peu plus au sud, il avait aussi « Le Petit Mas » pour le mimosa, « La Rebouline » pour les melons et, plus à l'ouest, « Le Clos de la Balette » pour le grenache.

Chez Jacquot, c'étaient les abricots.

L'exploitation s'étendait sur douze hectares, au bout du bout d'une impasse qu'il fallait connaître. Le macadam n'arrivait pas jusqu'à la ferme. Un chemin de terre défoncé, strié d'ornières sèches et durcies par une quinzaine de jours sans pluie, couvrait les deux cents derniers mètres.

Le cabriolet tangua dans les creux et les bosses, malhabile et pataud. En un instant, il perdit de son apparat et de sa gloriole pour devenir grotesque. Le bruit d'un frottement du bas de caisse décrocha un rictus de souffrance chez Jimmy comme si une pointe de douleur eût piqué son corps. En bout de course, la voiture s'immobilisa aux côtés d'une vieille fourgonnette dans un nuage de poussière.

Le terre-plein donnait sur un corps de ferme en U et ses dépendances. Une multitude de paniers et de cagettes, quelques brouettes et plusieurs escabeaux gisaient à proximité des remises et de la grange.

Se rendre chez Jacquot était un rituel. Année après année, Jimmy séjournait un mois et demi à deux mois dans ce coin perdu, au fin fond de cette campagne vallonnée aux odeurs de thym et de lavande. Il rejoignait les réguliers et les occasionnels pour la cueillette du premier fruit de l'été. À force, Jacquot et sa femme Odile ne s'étonnaient plus de son arrivée même si elle ne s'annonçait jamais. Et si par hasard, il n'était pas au rendez-vous, sa présence leur manquait.

Jimmy était décalé, il faisait figure d'homme du monde parmi les saisonniers. Des chômeurs de longue durée – pas toujours très jeunes d'ailleurs – côtoyaient quelques marginaux aux cheveux longs et au teint jauni, des RMIstes en quête de liens et de reconnaissance sociale et deux trois étudiantes parachutées bien loin de leur campus universitaire, prêtes à tout pour un job d'été.

Chaque jour depuis les premiers mois du printemps, l'arboriculteur arpentait, des heures durant, son verger à l'arrière de sa ferme où s'érigeaient ses abricotiers. Plantés en ligne, à intervalles d'une rigueur mathématique dans le fouillis environnant, ses arbres transformaient un bout de nature en une parcelle domptée et organisée. Jacquot avait passé plusieurs semaines rivé aux bulletins météorologiques, dans l'anxiété qu'un orage de grêle dévaste ses bourgeons, ses fleurs, ses fruits. Ces jours-ci, il scrutait le ciel. L'humeur irritable, il angoissait qu'une pluie contrarie la maturation de ses Bergerons et de ses Orangers de Provence. Dernière ligne droite avant que la nature ne reconnaisse sa sollicitude et ne le gratifie dans sa générosité. Il ne fallait surtout pas un mauvais coup du sort !

Lorsque les abricots se transformèrent en fruits du soleil aux couleurs orangées et cuivrées, Jacquot jugea que le temps de la cueillette avait sonné. Il arma ses cueilleurs pour la récolte. Odile distribua les chapeaux : un panama en paille pour Jimmy qui lui donna une allure de gangster sud-américain, une capeline un peu désuète pour Magdalena.

Dès lors, ça grouilla dans le verger.

Le travail était dur. Il ne fallait pas ménager sa peine.

Jimmy, en haut d'un escabeau, avait l'œil et l'expérience pour ne choisir que les fruits mûrs. Magdalena les triait et les conditionnait dans des barquettes. Coachée par Odile, elle découvrit tout un monde qu'elle n'aurait pas imaginé. Le challenge était d'allier rapidité, dextérité et douceur. Surtout ne pas pincer les abricots, ne pas les entrechoquer, ni les tasser dans les cagettes, mais les recueillir avec délicatesse et ménagement pour ne pas les abimer.

L'exigence était rude, les horaires extensibles, la tâche de plus en plus pénible pour quelqu'un qui n'avait jamais travaillé de ses mains. Magdalena garda ses ampoules, ses raideurs dans les doigts et ses courbatures dans les muscles pour elle-même, étonnée qu'aucun autre ne se plaigne. Elle souhaitait intérieurement que les heures défilent au plus vite et que le soleil perde de son mordant pour que l'agitation s'arrête. Chacun se retrouvait alors au bâtiment dédié aux saisonniers. Une autre tranche de journée s'y déroulait – bien plus à son goût celle-ci – tout à proximité de Jimmy.

La récolte s'étalait lentement, au fur et à mesure du mûrissement des abricots. Il ne fallut pas en attendre la fin pour le premier faux bond de Jimmy. À six heures du matin ce jour-là, il n'était plus aux côtés de Magdalena sur le matelas. La jeune fille sortit. Elle ne le trouva pas aux abords de la cuisine extérieure où Odile s'affairait déjà à disposer le pain, sa confiture maison, le lait et la grosse cruche de café matinale.

Assise sur le banc en bois, les yeux encore gonflés de sommeil, Magdalena saisit immédiatement que le cabriolet n'était plus là.

Personne ne put lui livrer ne serait-ce qu'une bribe d'explication.

Ni Odile ni Jacquot ne semblaient se formaliser de ce départ :

— C'est Jimmy, lui dirent-ils. C'est un bosseur, il abat du travail comme personne ! Mais, va savoir pourquoi, il part, il vient. C'est comme ça !

Totale incompréhension pour Magdalena. Une absence impossible à imaginer.

Un mal-être surgit, global, envahissant, entravant toute faculté de penser. Pas une fois elle n'avait ressenti ce qui traversa son corps et son âme en cet instant, ni à la mort de sa mère, ni à son départ de la famille d'accueil, ni aux ruptures multiples et fracassantes avec les autres depuis. Là, une émotion brutale, nouvelle et terrifiante voyait le jour : Magdalena était infiniment seule, réduite à sa solitude.

Puis un sentiment inédit la gagna, celui d'être tombée dans l'oubli, de ne compter pour rien, de n'être plus rien. Il touchait une blessure impossible à exprimer tant elle était douloureuse. Pas de colère, pas de pleurs, juste une détresse silencieuse qui l'aspirait dans le vide : elle était bel et bien abandonnée.

La journée fut interminable. Magdalena ne put se défausser des tâches qui lui incombaient, mais elle était ailleurs, déconcentrée, étrangère à son travail et à elle-même. Odile la houspilla sans imaginer que l'absence banale et anodine de Jimmy puisse provoquer un tel drame intime chez la jeune fille. Magdalena encaissa les remarques d'Odile, imperméable et amorphe, sans réagir en retour.

À dix-neuf heures, Jimmy réapparut. Désinvolte, insouciant.

Le cabriolet avait disparu. Une petite citadine blanche à l'aile droite cabossée était garée à sa place.

10

Le gamète en colonisa un autre en toute discrétion. Sans autorisation ni permission, à son initiative exclusivement. De taille infime, seul un microscope l'aurait rendu visible. Il œuvrait pourtant pour une création on ne peut plus singulière, un évènement notable, un changement fondamental. Le squatteur avait pris ses quartiers. Il transformait secrètement ce qui se jouait dans les entrailles, s'incrustait et se prêtait à des combinaisons complexes. Tout cela, incognito, à l'insu de tous, y compris de celle qui l'hébergeait.

Le petit gamète resterait anonyme faute d'histoire suffisamment marquante qui aurait permis le souvenir de son propriétaire.

Qui était l'homme ?

Magdalena connut Ricky. C'était encore du temps de « La ferme Jacquot », le premier accueil, certainement le plus long, peut-être le seul qu'elle se rappellerait avec nostalgie des années plus tard.

Dans cette communauté à l'écart du monde, il y eut cet homme. Doux, peu causant, attendrissant, il avait la peau burinée et les rides creusées de quelqu'un qui avait bourlingué, mais il restait enfantin, naïf et touchant, ses Doc Martens immuables aux pieds.

Lorsque les abricotiers furent entièrement dépouillés, Magdalena traîna avec Jimmy à la ferme et Ricky partit sans laisser d'adresse. À vrai dire, il n'avait pas d'adresse. Il n'y eut pas d'effusions ni de larmes au moment de la séparation. Dès le début, l'éphémère caractérisait le toit, le travail et les relations, même intimes, de cette parenthèse.

Il y avait eu Bob aussi. Un « cousin » disait Jimmy, en une dénomination qui dépassait très largement l'acception commune des liens du sang pour s'étendre à sa communauté tout entière. Un Yéniche, comme beaucoup de ceux chez qui il faisait des haltes. Celui-ci avait une casse auto et payait bien, de la main à la main, pour une découpe de métaux, la récupération d'une pièce en laiton ou en alu. Jamais il n'aurait fermé sa porte à Jimmy. Toujours, il l'hébergeait dans son petit local qui faisait office de bureau.

Sur le fauteuil défoncé, Bob s'était occupé de Magdalena alors que Jimmy était parti en repérage.

Et puis il y eut Luc, Anthony, Raphaël dit « Raph »… Et la liste ne s'arrêtait pas là.

Des hommes croisés, pas rencontrés. Juste un contact au gré d'un stationnement de quelques nuits ou de quelques semaines. Que du réel, physique et charnel, sans vraiment d'histoire. Certains n'avaient pas de prénom. Prirent-ils seulement la peine de décliner leur identité ? À quoi bon ? Même s'ils s'étaient nommés, l'instantané de la relation, trop courte et exclusivement corporelle, n'aurait pas permis qu'une trace s'inscrive dans l'esprit.

Plusieurs d'entre eux jugèrent hâtivement cette belle jeune fille facile et peu regardante. Peut-être que certains se passèrent le mot. Ses rondeurs en faisaient une femme aboutie. Ses débardeurs moulants et ses shorts qui découvraient l'intégralité de ses cuisses effaçaient ses seize ans pour afficher un corps de femme, sensuel et engageant. Une minorité maquillée, insoupçonnable, qui amenait peu d'hommes à s'interroger sur son âge.

Un sex-appeal naturel pervertissait les intentions intimes de Magdalena. Sans réellement l'avoir choisi, ses attitudes et son assurance attiraient l'œil et le désir. Alors qu'elle cherchait à susciter de l'intérêt, elle produisait de l'attrait. Si Magdalena avait pu prendre du recul, elle se serait dit que quelque chose n'allait pas. Un minimum de hauteur lui aurait permis d'entrevoir que l'empressement de l'homme frôlait parfois l'abus et que le billet laissé donnait au sexe le goût du consommable. Mais dans sa quête persistante, seuls comptaient l'attention qu'elle croyait percevoir, la chaleur qu'elle prenait pour authentique, le sentiment d'être regardée et d'exister. Et il y a fort à parier qu'elle serait tombée des nues si quelqu'un lui avait parlé de viol ou de prostitution.

Souvent, c'était lorsque Jimmy s'absentait.

À « La ferme Jacquot », Magdalena avait rapidement gommé sa crise panique survenue le jour où elle avait cru le perdre à jamais. Sitôt réapparu, Jimmy n'avait laissé aucune place aux palabres. Il n'aurait souffert aucun reproche. Son rire avait dénié immédiatement le problème et balayé l'évènement.

Très vite, la vie avait repris, inondée de soleil, dans une autarcie où rien d'autre ne semblait exister. L'angoisse avait disparu, pour un temps seulement. Lorsque les absences se répétèrent, le même affolement submergea l'adolescente, et la même incompréhension dépassa Jimmy.

— Où est le problème puisque je suis là ? disait-il en quelques mots qui fermaient toute discussion.

On aurait pu croire Magdalena blindée, solide et armée par les évènements, et ceci dès le début, dès son lâchage à quelques jours de vie jusqu'à ses dernières années d'errance. Mais il n'en était rien. Jimmy absent, un vent puissant déferlait, fauchant au passage toute certitude affirmée, toute prestance, toute assurance avec laquelle elle ne craignait rien ni personne. Un tsunami révélait un chaos, une friche de désolation, un état où toute perspective de se relever n'était même pas imaginée.

En moins de dix minutes, Magdalena perdait tout contrôle de la situation. Des sensations intenses prenaient la main sur toute rationalité. Le sol se dérobait sous ses pieds. Une chaleur envahissait l'intégralité de son corps jusqu'à l'intérieur du crâne ; ses paumes étaient moites ; son esprit s'enrayait. Une déroute. Un vertige brouillait ses sens. Suivaient une respiration entravée, le sentiment d'étouffer et la crainte d'y rester. Le gonflement des poumons perdait son mécanisme pour devenir un acte sous contrôle. Il était nécessaire que son activité mentale se concentre avec effort sur ses inspirations et ses expirations pour se maintenir en vie. Ensuite, il fallait parfois plus d'une demi-heure pour que cesse cet emballement du corps et de l'esprit. Vide, soulagée et frappée d'une fatigue extrême, elle restait alors dans un état d'apathie dont elle ne sortait qu'au retour de Jimmy.

Dans ces moments, l'idée d'être seule au monde traversa plus d'une fois l'esprit de Magdalena. La question aux ramifications gigantesques était bien trop douloureuse et opaque pour qu'un quelconque retour en arrière lui soit accessible. Ce n'était pas le sujet. Sa préoccupation se fixait toute entière sur l'épreuve. Y survivre ! Ensuite, ne surtout plus revivre ces instants de pure folie ! Sa seule défense fut de s'agripper plus encore à Jimmy alors que lui ne comprenait rien à l'affaire.

Jimmy bougeait. Il n'aurait eu le désir, ni même l'idée de s'arrimer quelque part. Ses attaches étaient mouvantes. Sa vie se menait au jour le jour, sans plans sur la comète et sans livret d'épargne. Il n'anticipait rien, n'économisait rien. Son absence d'angoisse était étonnante, sa foi absolue en l'instant, un peu comme le petit enfant assuré que rien ne peut lui arriver, confiant en ses croyances magiques que tout vient à point nommé, celle des billets qui apparaissent au distributeur automatique d'une banque ou celle du ticket gagnant au jeu à gratter qui garantirait que jamais on ne se trouverait dans la panade.

Jimmy ne se souciait pas du lendemain parce qu'il ne se projetait pas si loin. L'argent n'était pas à garder, il se dépensait. Largement. Il flambait rapidement. Et une fois les poches vides, il était à retrouver. Champion du troc et de la débrouille, Jimmy alternait combines et petits boulots au pied levé. Tout dépendait de l'occasion qui se présentait. Il avait l'œil, du flair et du culot pour débarrasser la maison d'un défunt et glaner quelques bonnes affaires au passage, pour se faire embaucher comme saisonnier ou extra en cuisine et en service sans formation, ou pour détourner une livraison quelconque, celle des plats d'un traiteur, d'un appareil hi-fi, de l'un ou l'autre carton empli de cartouches de cigarettes. Qu'importe que l'argent soit légal ou illégal ! Seule l'opportunité comptait.

Dans une logique où l'usage de l'objet primait sur sa propriété, le scooter ou la voiture s'empruntait, comme l'on cueille un fruit à l'arbre au bord d'une route parce que l'on a faim ou comme l'on s'approprie une veste suspendue au portemanteau parce que l'on a froid. Néanmoins, la conscience de transgresser la loi était bien présente chez Jimmy. Mais cette conscience était insuffisante pour l'inhiber, elle colorait juste d'interdit ses actions.

Selon les finances du jour et les rencontres, ils passaient avec Magdalena d'un grand hôtel au partage d'une chambre dans un appartement étroit et surpeuplé. Parfois, une caravane leur était prêtée au fond d'un terrain encombré. Vue sur la mer ou sur la piscine, ils pouvaient déjeuner dans un restaurant aux prix vertigineux. Et d'autres jours, ils se contentaient de trois fois rien pour un repas lorsqu'ils n'avaient plus que quelques derniers euros à gratter.

Jimmy avait l'idée d'une richesse qui doit forcément briller. Il aimait l'or, les accessoires voyants qui s'exhibent et les vêtements où la griffe compte plus que la coupe ou la qualité du tissu. Des articles chers, stéréotypés et m'as-tu-vu. Pourtant, il n'était pas matérialiste. Il accumulait peu. Jamais il ne s'encombrait de bagages. Il laissait, donnait, troquait sans s'attacher aux objets, comme si eux aussi n'étaient qu'en transit. Seule leur jouissance importait. Souvent, des chaussures, des polos, des montres, des lunettes et des bijoux s'oubliaient dans une chambre ou dans le coffre d'une voiture. Au bout du compte, Jimmy dépensait beaucoup pour ne posséder que peu de choses. Mais ce constat lui était bien trop étranger pour qu'il le questionne.

À son contact, Magdalena existait. L'inattendu, les choix rapides et le goût du luxe lui plaisaient infiniment. Jimmy la gâtait.

Elle s'y accrochait aussi, fermement, pour fuir à tout prix l'angoisse, nouvelle et incompréhensible, qui pointait en elle.

Avec lui, des mois durant, elle se sentit vraiment en vie.

11

L'heure de l'arrestation n'était pas celle de leur réveil.

Six heures tapantes ! La porte fut enfoncée et l'appartement envahi. Les cinq policiers jetèrent un rapide coup d'œil dans chacune des pièces pour faire le compte : quatre adultes et deux enfants en bas âge. Immédiatement, une ambiance étrangement calme succéda à la violence de l'intrusion. Tous les occupants furent menés au poste : hommes, femmes, petits et grands. L'opération ne dura que quelques dizaines de minutes. Une façon de faire rodée, précise. Aucune brèche pour la moindre contestation ou amorce de rébellion.

Ensuite, Magdalena ne revit plus Jimmy.

Face au sac de l'adolescente, un « Lady », neuf, en cuir exotique et à l'effigie d'un grand créateur, la policière hésita entre un vol et l'achat d'une contrefaçon. Le sac d'une bourgeoise ou celui d'une jeune de cité ? se demanda-t-elle.

Le contenu révélait que l'objet luxueux n'avait pas eu d'égards à la hauteur de sa valeur. Une fois le sac vidé, un sacré bazar envahissait le bureau : des échantillons de crèmes, des papiers de bonbons, plusieurs rouges à lèvres, un porte-clés sans clés, orné de pompons dorés, un autre, volumineux, aux poissons scintillants. Des pièces de monnaie dispersées se mêlaient à d'innombrables pinces, élastiques et chouchous. S'y ajoutaient une multitude de cartes d'hôtels et de restaurants, des feutres éparpillés dont l'un, décapuchonné, responsable d'une sale trace d'encre sur les parois du sac aux côtés d'un vieux chewing-gum durement accroché au tissu. Pas de portefeuille, pas de papiers d'identité, ni même un quelconque objet – carte de fidélité ou courrier – qui aurait pu mentionner un nom et permettre un début d'identification !

Un téléphone portable se trouvait dans l'amas d'objets hétéroclites.

Magdalena n'était ni rebelle ni opposée, seulement hébétée.

Tout était allé trop vite. Son esprit ne semblait pas connecté. Être tirée de son sommeil brusquement puis extraite de l'appartement si rapidement ne lui permettait pas d'être en phase avec le moment présent.

— Quel est ton nom ?

La simple question administrative des premières minutes devenait passablement agacée. Le vouvoiement du début n'était plus de mise à la énième répétition.

Sa présence dans ce petit bureau de police n'avait aucun sens. Magdalena ne percevait pas encore le coup d'arrêt qui s'annonçait. Rien ne lui aurait permis de l'anticiper. La vie de ces derniers mois avait été si dense. Une vie aux péripéties multiples, sans limites à l'inventivité de l'instant. Une vie rebondissante à l'infini. À aucun moment, l'idée d'un terme n'avait pu l'effleurer. Alors là, le changement de décor ne produisait pas encore ses effets. Tout au plus, Magdalena se demandait ce qu'elle faisait là. Où était Jimmy ?

La femme saisit le téléphone portable échoué sur la table. L'écran était fissuré et sa coque grise avait perdu de sa blancheur originelle. Rien ne se provoqua lorsqu'elle tenta de l'allumer. Cassé ou déchargé ? Elle le consignerait pour l'envoyer au labo.

De quoi lui parlait-on ?

Les propos de la policière atteignaient par bribes la conscience de Magdalena. C'étaient des faits décousus, des pièces disparates qui ne permettaient pas la constitution d'un puzzle.

Magdalena n'en était pas à sa première interpellation.

Dans sa vie d'avant, il y en avait eu d'autres, plusieurs, des auditions aux allures d'interrogatoires celles-ci. La tonalité des questions des enquêteurs s'était faite bien plus incisive et musclée qu'aujourd'hui. Mais elle ne se rappela pas ce jour lointain où une folie destructrice l'avait métamorphosée toute entière et où un déchaînement de violence avait envahi le vestibule d'un appartement. Elle ne pensa pas davantage à Martha. Elle ne se remémora pas les faits rapportés par les policiers et l'énumération infinie des lésions causées. Ça ne l'avait pas concernée. L'évènement qui avait si peu existé avait maintenant totalement disparu. Sa rencontre avec Jimmy avait effacé définitivement cette tranche de vie.

Seul le souvenir d'un séjour dans une geôle froide et malodorante au sous-sol d'un bâtiment d'un hôtel de police se fraya tout d'un coup dans son esprit. Le remake des sensations apparut à l'identique : les relents d'urine et de vomissures qui émanaient de la couverture, la dureté du bloc de béton sur lequel elle avait voulu dormir, la trace d'excrément à côté du cabinet de toilette sommaire, sans cloisonnement à l'intérieur, visible de l'extérieur. Son corps s'était alors figé, resserré, comme s'il avait cherché à disparaître. L'écœurement l'avait submergé. Puis un immense sentiment de vide avait réussi à la libérer du dégoût.

Dans le petit commissariat, Magdalena fut prise d'une désagréable gêne à l'estomac.

La policière reposa le téléphone portable sur le bureau. Elle s'approcha de la jeune fille, se tut et la fixa pour tenter de capter un regard. Puisque ses questions pour obtenir un état civil ne menaient à rien, elle lâcha l'affaire pour entrer dans le vif du sujet :

— Le commerce est lucratif et illicite, qualifia-t-elle.

L'attention de Magdalena ne s'accrocha qu'à l'objet du méfait :

— Des palettes, précisa la policière.

Son premier mouvement fut d'en rire.

Quel ridicule ! Ça se vole ? Ce n'était rien, juste un support, un accessoire de marchandises qui – elles peut-être – auraient été dignes d'intérêt. Combien ça se monnayait ? Quatre à six euros tout au plus ? Une bagatelle de petit joueur qui ne méritait pas tout ce ramdam.

Ce n'est qu'ensuite que son cerveau tenta un lien entre cette affaire de trafic et Jimmy.

Une première étape s'amorça. Le processus prendrait plusieurs heures avant que l'évidence n'éclate au grand jour. C'étaient bien des palettes, récupérées sur la plateforme d'un supermarché, volées et revendues grâce à la complicité du couple qui les logeait depuis une dizaine de jours. L'homme au camion, la femme employée au magasin et Jimmy dans la manutention et la négociation auprès du recéleur.

— Vol en réunion et association de malfaiteurs, objectiva la policière.

De bien grands mots pour une arnaque à la petite semaine. Aucune envergure, aucun panache ! Il ne pouvait y avoir de rapport entre cette affaire et le brio de Jimmy, sa façon de gravir le haut des marches, quitte à les franchir quatre à quatre, pour atteindre le sommet. Toujours, il fonçait, osait, bravait sans se soucier si la manœuvre était légale ou non, justifiée ou dérobée. Ce qui comptait était que cela en vaille le coup. Là, ce n'était qu'un petit manège de gagne-petit qui ne lui ressemblait pas.

Dans l'esprit de Magdalena, le détail de l'histoire écorna un brin l'image. Un mouvement arrière s'engagea. Juste un début, pas mené jusqu'au bout. Mais, les palettes suffiraient pour que le personnage qu'elle admirait tant s'effondre à l'avenir, pierre après pierre. Sa grandeur, sa virtuosité, son audace et sa toute-puissance allaient s'écrouler. Irrémédiablement, Jimmy allait chuter.

Cette dernière demi-heure, Magdalena ne riait plus.

Ses mains saisirent compulsivement le téléphone portable posé sous ses yeux. Il y avait bien longtemps qu'il ne servait à rien.

Impossible de se souvenir où s'était égaré le chargeur. Mais, bien qu'inutile, l'objet était toujours là. Elle s'en étonna elle-même. Dieu sait comment, il avait traversé les péripéties sans cesser de l'accompagner.

Pourquoi ? Elle n'en avait aucune idée. Les rares objets de son ancienne vie s'étaient volatilisés. Même sa petite croix en or, précieuse à ses yeux et fidèle à son cou, n'avait pas résisté. Un renouvellement permanent caractérisait ces derniers mois. Les lieux, les rencontres et les objets valsaient jour après jour à en donner le tournis. Aucune trace ne faisait continuité avec sa vie d'avant, à l'exception de ses cheveux peut-être. Et encore ? Le rouge flamboyant et tonique s'était mué en un orange terne et oxydé. Ses racines foncées qui se prolongeaient maintenant d'une bonne quinzaine de centimètres et sa frange qui lui mangeait le visage rendaient l'ensemble plutôt curieux et franchement négligé. Des cheveux pris dans un double mouvement. Ils témoignaient de la coiffure initiale et marquaient une rupture radicale avec son graphisme et sa sophistication originels.

L'index de Magdalena passa sur le verre fendillé du portable pour tenter de retrouver un éclat. Elle manipulait l'appareil, le faisait tourner entre ses doigts – côté pile, côté face – comme si le geste l'accrochait à une matérialité en cet instant où tout commençait à lâcher. Puis, en une pression d'ongle, la coque arrière du téléphone se déclipsa brusquement.

Collée à la batterie, une petite carte de visite mentionnait un nom et un numéro de téléphone.

Une vague de chaleur irradia son corps. Une chaleur comparable à celle de ce lointain jour d'été où la métropole avait été étouffante et noire de monde. Elle y avait traversé la grande place du centre avec sa grosse boule rouge, rayonnante, au sommet du crâne. Elle avait fendu la foule, lentement, fière de ses effets, pour rejoindre la table d'une terrasse et un premier rendez-vous.

Sur la petite carte, aux côtés d'un logo rouge et noir, quelques inscriptions : *Marion, Éducatrice, Service de l'Enfance.*

12

Rapidement, l'identité de la jeune fille fut établie même si un imbroglio de prénoms auquel la policière n'avait rien compris avait semé le doute, un court instant.

Que cette jeune soit une fugueuse ne la surprit pas le moins du monde. Une question d'allure, une façon de rentrer dans sa coquille devant l'insistance d'une interpellation. En revanche, l'affaire pénale en cours dans son département d'origine la laissa dubitative. À aucun moment, elle n'aurait pu imaginer cette adolescente auteure de faits de violences volontaires graves, passibles de dix-huit mois voire de cinq ans de prison « si les dernières expertises confirmaient une infirmité permanente chez la victime », lui avait-on précisé.

Cette jeune fille calme avait attaqué sa propre mère !

— Une folie sans nom, avait-elle entendu… une enquête qui arrivait à terme, un procès en attente, reporté, dans l'espoir de la retrouver.

La policière n'en revenait pas. Aucune agressivité ne s'était manifestée dans son bureau. Pour les palettes, elle était convaincue que cette adolescente se trouvait embringuée dans une histoire qui ne la concernait pas. Elle lui apparaissait plutôt naïve et très certainement victime par ricochet des faits crapuleux des adultes qui l'hébergeaient. À l'évidence, son audition ne prendrait pas la tournure d'une garde à vue. Seuls les deux hommes et la femme pêchés lors de l'arrestation ne quitteraient pas les locaux.

Les deux petits trouvés dans l'appartement s'étaient époumonés une heure trente dans le couloir. Une détresse phénoménale avait accroché au passage les professionnels qui croisaient le regard des deux bébés. Leurs pleurs et leurs gémissements avaient bousculé l'ensemble du commissariat et perturbé les auditions. Plusieurs collègues s'étaient relayés pour tenter d'apaiser leur agitation, de contenir leurs petits corps qui se jetaient violemment en arrière et leur susurrer des mots qui rassurent. Personne n'y était parvenu. Tout était rentré dans l'ordre à leur départ, orchestré par une assistante sociale relevant des placements d'urgence.

Il fallait maintenant s'occuper de Magdalena.

La première réaction de Marion ne fut pas rationnelle. Elle fila en courant au secrétariat de son équipe, chercher les clés de la voiture de service. Tout de suite, elle devait partir, sauter dans le véhicule, faire mille kilomètres, et rejoindre Magdalena.

Au fil des mois, la préoccupation de sa disparition avait perdu de sa fureur. Une inquiétude continuait néanmoins à se manifester, atténuée, de temps à autre, inopinément. Son expression fluctuait. Son existence perdurait, en soubassement, même si l'on abordait pratiquement plus le sujet au Service de l'Enfance. Mais avec l'appel de ce petit commissariat de police, l'angoisse de Marion de ne pas être venue en aide à cette jeune fille resurgit massivement à la surface. Ne pas répéter l'histoire ! Pour elle, il y avait urgence, une question de vie et de mort !

— Comment va-t-elle ? interrogea madame Skalowky, coupant court à l'emballement de l'éducatrice.

La question resta sans réponse.

L'échange téléphonique avec policière avait été bien trop bref pour que Marion en sache quelque chose. Elle n'avait pas demandé de détails. Dès la connaissance de la nouvelle, elle avait foncé dans sa priorité, celle de vite se mettre en route.

— Attends ! freina la responsable. On s'assoit deux secondes pour réfléchir.

L'air de rien, madame Skalowky repensait souvent à cette jeune fille et aux issues potentiellement sordides de cette histoire qui, un jour ou l'autre, les prendraient par surprise. Sans s'étaler auprès de son équipe, elle craignait l'annonce d'un drame. Alors aujourd'hui, évidemment, le soulagement était immense pour elle aussi. Malgré tout, madame Skalowky restait responsable – un trait de caractère qui collait bien à son job. Il lui fallait contacter les parents, informer le juge des enfants, penser les modalités du rapatriement et trouver un lieu d'accueil dans le département. Un minimum d'organisation et d'autorisations s'imposait.

Très vite, une crainte tempéra son enthousiasme.

L'inconnu de la destinée de cette jeune fille, les conséquences pénales qu'induirait son retour la firent frissonner furtivement. Le début de la fin ?

Deux TGV, huit heures trente de voyage. Le trajet de Marion eut lieu le jour même. Bien en peine pour se concentrer, elle ne put s'attacher au roman embarqué pour occuper ses heures de train. Une fébrilité la rendait électrique et dispersée. Son attention s'accrochait par instant aux autres voyageurs, puis elle quittait le wagon pour se mettre à flotter. Des pensées jaillirent bouillonnantes et brouillonnes. À quelques reprises, elle se surprit à sourire toute seule.

En cet instant, la nouvelle ne s'ancrait pas dans une réalité. Dans la matinée, pas moins de cinq appels téléphoniques avec la policière s'étaient échangés. Les derniers auraient certainement été inutiles, mais Marion avait insisté parce qu'elle avait eu besoin de réentendre et de confirmer une fois encore cette réapparition. Une manière pour elle de parer à l'irréel de la situation. Magdalena était toujours vivante !

Dire que tout ça ne tenait qu'à une petite carte de trois centimètres sur quatre. Par quel miracle avait-elle survécu à l'errance ? C'était pour le moins inhabituel. Lorsque Marion faisait une nouvelle connaissance, elle proposait toujours sa carte avec ses coordonnées. Elle ne se berçait pas d'illusions pour autant, mais ne sait-on jamais ?

Certains d'adolescents ne la saisissaient même pas. Parfois, elle se retrouvait au sol ou parmi les mégots du cendrier extérieur, abandonnée sitôt les deux battants automatiques de la porte du Service de l'Enfance franchis.

Mais celle-ci ? Quand l'avait-elle remise à Magdalena ?

La carte de visite avait plus d'un an et demi.

13

Marion eut très peu d'informations sur ces treize mois d'absence. Le parcours et les rencontres de Magdalena lui restèrent inconnus. Le seul élément tangible était que la jeune fille avait établi un contact avec le frère de sa mère biologique. Peut-être lui avait-il été nécessaire d'aller s'y frotter ?

Jimmy collectionnait de courtes condamnations. Des petites escroqueries, des vols sans menaces et sans armes et des violences envers ses pairs exclusivement. L'ensemble des faits totalisait pas mal d'années d'incarcération. Mises bout à bout, ses peines arrivaient presque au tiers de son existence. Dans ces conditions, pas étonnant qu'une énième affaire s'ajoute à son palmarès et que, par extension, on remette la main sur Magdalena.

La longue liste des antécédents judiciaires qu'avait énoncée la policière de ce petit commissariat du Sud avait plutôt rassuré Marion. Dans le lot, elle n'entendit pas d'histoires glauques ni d'abus. Dans une échelle de gravité où le curseur s'était déplacé par déformation professionnelle, cet oncle lui apparut clairement en dehors des clous, mais pas vraiment un mauvais bougre. Finalement, Jimmy ressemblait à certains des pères des enfants qu'elle accompagnait à l'Aide Sociale à l'Enfance. Des pères ancrés dans une délinquance qui leur collait à la peau depuis leur préadolescence, dans un mode de vie fermement installé qui, au grand dam des services sociaux, transformait tout projet d'insertion, même désiré et solidement construit, en rêve éphémère à répétition.

Des pères parfois touchants, certains aimants.

De son côté, Magdalena fermait la parenthèse. Elle ne livra rien. Elle garda pour elle la place qu'elle avait cherchée dans la famille de Sara. Avec Jimmy, elle avait cru la trouver, alors elle s'y était accrochée. Mais sous des allures robustes et résistantes, la branche saisie à l'arrache s'était avérée fragile et instable. S'y cramponner fermement n'avait pas garanti de solidité au lien.

Curieusement, elle n'éprouva plus par la suite ce sentiment d'abandon qui l'avait mise à mal dans les moments où Jimmy se séparait d'elle. Pas de colère non plus. En tombant de son piédestal, cet homme ne devenait plus rien. Face à de l'insignifiant et du négligeable, il ne lui restait pas de ressentiment suffisant pour s'insurger. C'est pourquoi Magdalena semblait si vide aujourd'hui.

Son admission au Foyer Départemental de l'Enfance ne fut pas vraiment un retour à la case départ. La première fois, elle n'y avait séjourné que quelques heures en sortant d'une nuit aux violences monumentales. Trop peu pour parler d'un accueil.

Cette fois-ci, Magdalena resta.

Elle se fit peu remarquer au foyer. Pas vraiment docile, pas franchement insoumise, elle semblait s'accommoder de la situation avec une inertie déconcertante. Les journées défilaient dans une absence de contenu et d'envies comme si la vie était en suspens.

Marion qui l'avait connue virulente et prête à dégainer à la moindre étincelle ne la reconnaissait pas aujourd'hui. Difficile de déceler de la tristesse ou un brin de déprime, Magdalena vaquait juste dans un néant, une sorte d'anesthésie de l'esprit, sans en éprouver de réel inconfort.

La jeune fille ne fournit aucune explication lorsqu'elle déclina une rencontre avec Michel, son père. Elle ne décrocha pas un mot à propos de Martha, sa mère, et elle ne livra aucune inquiétude au sujet du procès à venir. L'indifférence semblait caractériser toute approche de réalité à laquelle pourtant elle ne pourrait échapper.

N'avait-elle plus rien contre quoi se battre ? s'interrogea Marion.

Parce que Magdalena était pâlotte et légèrement amaigrie, l'éducatrice jugea qu'un check-up au CHU ne serait pas du luxe au retour de ces longs mois d'errance.

Marion la chercha au pavillon des adolescents et la trouva, sans surprise, dans sa chambre. Aucune affiche et aucun bibelot ne personnalisaient le lieu. Les vêtements accumulés en vrac sur une chaise et les produits d'hygiène sur la table de nuit n'avaient pas d'autre intérêt que d'être fonctionnels. Une chambre et des objets sans empreinte.

Allongée sur le lit, Magdalena portait un jogging difforme qui n'avait rien à voir avec les tenues voyantes, provocantes et pétantes de couleurs d'il y a plus d'un an. Là, le tissu râpé aux genoux moulait les cuisses et s'affaissait aux chevilles. Sa teinte grisâtre en questionnait la fraîcheur à tel point que son éducatrice se demanda si l'adolescente le portait nuit et jour.

Magdalena se leva sans discuter, à la première interpellation. Elle ne chercha pas son reflet dans le miroir de la salle d'eau ouverte sur la chambre. Avant de quitter la pièce, elle enfila simplement ses baskets, saisit le blouson en bas du lit puis sortit telle quelle, sans se coiffer et se maquiller.

Encore quelque chose qui ne lui ressemblait pas, releva Marion.

Toutes deux passèrent en voiture aux abords de la plus grande cité de la métropole sans pénétrer les « mailles » que l'une et l'autre avaient si souvent fréquentées. Marion s'interrogea sur les effets de cette proximité. Magdalena n'y jeta même pas un regard.

Arrivées au parking de l'hôpital, l'adolescente refusa catégoriquement que Marion l'accompagne. Première affirmation exprimée, releva intérieurement cette dernière avec la satisfaction enfin que quelque chose se produise.

— OK, se contenta-t-elle de dire. Tiens-moi au courant !

Depuis, Marion attendait dans la voiture. Les heures défilaient sans réponse à ses messages ni retour de Magdalena.

L'air était vif, tonifiant.

La jeune fille marchait avec force et vitalité.

Une vigueur nouvelle emplissait son corps et son esprit depuis qu'elle avait quitté cet hôpital où elle était passée de bureau en bureau et de main en main. Étrangère à l'affaire, elle avait suivi les consignes des uns et des autres : plusieurs blouses blanches, plusieurs salles d'attente, plusieurs examens. Elle s'était laissé faire, bringuebaler de droite à gauche, manipuler le corps sans qu'on recueille son avis. L'urine dans le gobelet, le sang dans le tube, le gel poisseux et la sonde abdominale s'étaient enchaînés, le tout noyé de palabres à n'en plus finir. Puis, brutalement, un coup d'arrêt avait été nécessaire. Elle était partie.

Maintenant, elle se récupérait. Elle se sentait à nouveau elle-même, bien mieux.

Le tram glissait sur sa bande herbeuse, fluide, épousant le tracé large des virages. Le corps de Magdalena tanguait sans résistance. Plus aucune image mentale ne la perturbait depuis qu'une pensée brusque et spontanée s'était imposée sans prémices. Elle l'occupait totalement.

Magdalena ne se souvenait plus du médecin porteur de l'annonce à l'hôpital. Il lui restait juste cette phrase, trois mots accrochés, puissants et déclencheurs :

« Vous êtes enceinte. »

L'association avait été directe. La phrase avait réanimé une image, celle de Martha, alors que sa personne et son prénom n'existaient plus depuis des mois. Dès l'évocation du personnage, l'irritation première s'était gonflée en colère. Très rapidement, un sentiment de haine, incoercible et intense, l'avait submergée. Une haine viscérale, intacte.

Tombée dans l'oubli, elle se réveillait aujourd'hui pour signifier que rien n'était dépassé. De l'eau qui dort…

Avec Martha, il y avait eu les actes de rébellion, les mots assassins, les insultes, le reniement et la violence des coups, mais aucun d'eux n'avait permis d'éponger l'idée folle et déterminée qu'il était nécessaire de la détruire. Malgré le dernier acte – le corps de Martha saccagé, abandonné, gisant dans le vestibule – et le temps passé depuis, rien n'était clos. Il n'y avait pas d'alternative, de doute, de dérobade et Magdalena eut la certitude d'arriver à ses fins en cet instant. Elle attaquerait en une phrase, toucherait au plus profond des entrailles, elle achèverait son adversaire pour de bon.

L'idée ne s'embarrassa d'aucun soupçon de mal-être. Au contraire, l'adolescente quittait une léthargie qui dominait son quotidien des derniers jours et la rendait flottante dans son rapport aux choses et aux autres. La vie et le mouvement reprenaient.

Il n'était pas question de l'enfant.

Lui se développait à l'insu de tous. Il ne perturbait rien du corps au point de s'y fondre tout en longueur comme si l'autorisation de se signaler ne lui avait pas été donnée. Alors, autonome et indépendant, il avait grandi depuis plusieurs mois, tranquillement, sans se faire repérer. De la grosseur d'une courge butternut à cette heure, il atteignait déjà presque cinq cents grammes. Dès lors, il possédait tout le nécessaire en miniature jusqu'à des ongles, des cils et des empreintes digitales. Immanquablement, le jour viendrait où il lèverait le secret. Cette certitude était là, le haut de son crâne pointait déjà vers l'extérieur.

Personne n'aurait pu expliquer pourquoi il quitta sa position à ce moment précis. Alors qu'il effleurait les organes et épousait la paroi, il courba subitement le dos, ramena sa tête tout contre ses genoux et recroquevilla ses membres – jambes et bras – pour former une boule où se pelotonner.

Le choix de qui ? Était-ce un choix ?

La contorsion fœtale compressa l'ensemble du système digestif, elle écrasa la vessie et le foie. La bizarrerie de la sensation ressentie fit grimacer Magdalena. Une vague chargée d'une multitude de bulles plus ou moins grosses ondulait dans son ventre. Ces dernières semblaient migrer en des directions improbables puis éclater les unes après les autres. Ça poussait, étirait, déformait, comme si un parasite prenait possession de son corps sans qu'elle l'ait vu s'y introduire.

En vingt-cinq minutes de trajet, l'élastique de son jogging fut tendu au maximum.

Arrivée sur la grande place circulaire du centre-ville, Magdalena ne quitta pas tout de suite l'arrêt de tram. Happée par l'image reflétée dans la vitre d'un affichage publicitaire, elle fit face à une silhouette inattendue : un corps déformé et méconnaissable, des vêtements chiffonnés et incongrus, une allure négligée. L'image d'un corps délaissé la heurta. C'est aux cheveux que son attention s'attacha le plus longuement. Bicolores et délavés… il fallait y faire quelque chose, pensat-elle brièvement.

Sa réflexion stoppa brutalement, elle traversa la place.

De hauts bâtiments prestigieux ornés de piliers à chapiteaux, de dômes gigantesques, de bas-reliefs et de médaillons sculptés entouraient le jardin central et ses arbres centenaires. Les édifices aux allures de palais de la Renaissance italienne ne créèrent pas la surprise de redécouvrir un décor familier, mais semèrent un léger sentiment d'étrangeté chez la jeune fille. Cet endroit se trouvait stocké dans sa mémoire et pourtant sa reconnaissance en était diffuse. La fréquentation du lieu avait perdu de sa banalité.

Quittant le parc, Magdalena s'approcha de la préfecture où stationnait une foule aux origines hétéroclites. Chacun attendait son tour dans l'espoir ou l'angoisse de voir aboutir sa requête avant de franchir l'entrée où la sécurité imposait un passage au goutte-à-goutte. Deux lions en pierre, gardiens des lieux, se postaient en vis-à-vis sur le fronton tronqué au-dessus du portail. Les animaux figés, massifs et puissants fixaient l'horizon avec une indifférence manifeste pour les personnes agglutinées à leurs pieds.

Magdalena se fraya un passage, coupa la file d'attente puis contourna le bâtiment.

Elle avança, guidée par ses pas, mécaniquement, sans chercher à se repérer. Elle s'engagea dans la première rue à droite puis la seconde à gauche. Son trajet s'ancrait dans un automatisme que le temps n'avait pas altéré.

Devant la porte d'entrée de l'immeuble, elle s'attarda un moment. Cette porte ancienne était si singulière, à la fois imposante dans sa structure en bois massif et délicate dans la finesse de son décor. Magdalena y retrouva le visage sculpté, gracieux et enfantin de la jeune fille qui avait fait courir son imaginaire de petite fille. Il suscita une émotion inattendue, une sorte de bien-être, presque du plaisir.

Avant de passer le seuil, ses mains se posèrent sur la chevelure du personnage. Ses mèches aux longueurs démesurées encadraient la porte de part et d'autre. Dans un geste qui ressemblait à une caresse, l'extrémité de ses doigts glissa lentement le long des ondulations, dans ses creux et ses bosses, jusqu'aux pointes.

La patine du vieux bois rendait le toucher lisse et infiniment doux.

14

Martha avait quitté son corps. La maladie qui la rongeait l'en avait détachée. Aujourd'hui, son activité mentale était quasi inexistante. Affaiblis par la puissance des antalgiques et des immunodépresseurs, son être et son esprit semblaient s'évaporer l'un et l'autre. En résultait un état de désintérêt au monde, à elle-même et aux allées et venues incessantes des professionnels qui défilaient dans son appartement.

Depuis quelque temps, elle n'ouvrait plus la porte d'entrée. Les infirmiers, le kiné, le traiteur et l'aide-ménagère disposaient de leur propre clé.

Ce midi, comme à son habitude, Martha dormait, emballée dans son plaid, recroquevillée dans le cocon de son fauteuil.

Le coup de sonnette fut vif, puis il tira en longueur. Sa répétition la sortit du sommeil. L'appel était continu, pressant, impérieux et injonctif. Il semblait évident que l'auteur ne lâcherait pas l'affaire. Ce n'est pas le devoir d'y répondre ou encore une curiosité pour le visiteur qui animèrent Martha, mais seulement le souhait que cesse cette agression sonore.

Elle se leva difficilement, avec douleur. Ses pas glissèrent sur le parquet jusqu'à l'entrée de son appartement.

La porte franchie, Magdalena fonça tout droit. Elle frappa au passage la tenture qui marquait le seuil au-delà du vestibule, pour s'affaler d'un poids lourd et affirmé sur le vaste canapé du salon. Le tissu encaissa le choc dans une envolée bombée, déformante et voluptueuse à l'image d'une voile gonflée par la puissance du vent puis ramassée lentement, en moult ondulations, sous l'effet d'un brusque changement de cap pris à la barre d'un voilier.

Martha resta dans l'entrebâillement du salon, le flanc gauche adossé au mur, l'intégralité du droit enveloppé dans le drapé sombre au tombé capiteux.

Ni dedans ni dehors.

Immobile.

Des minutes durant, son regard ne quitta pas les yeux de l'adolescente.

« Je suis enceinte » brisa le silence.

Juste trois mots, sans suite ni éclat. Sans explication ni question à cet instant.

Contre toute attente, le silence dura.

Ni lourd, ni embarrassé, ni choqué.

Juste là…

Il dura.

Magdalena regarda Martha. Elle lui apparut d'une maigreur qui n'avait rien de la sveltesse de la femme qu'elle avait connue. Les membres étaient décharnés à en être fripés, les joues creusées, les yeux comme retirés dans leur orbite. Seuls les vêtements lui étaient familiers. Ils avaient l'étrangeté d'une amplitude qui avait perdu son contenu.

Collée à son rideau, Martha perçut un léger mouvement interne. La précision s'affina. Elle sentit le sang dans son corps. Une pulsation régulière, tranquille, rassurante qui authentifiait et garantissait une existence. Une sensation spontanée, inédite depuis des années. Une manifestation qui signifiait, sans tonitruance ni emballement, que simplement quelque chose était encore vivant.

Magdalena vit Martha disparaître derrière la tenture, comme le personnage d'une pièce de théâtre qui n'a plus rien à faire dans la scène ou la partenaire du magicien brusquement absente, évaporée par le truchement d'un tour de passe-passe. Elle en fut surprise.

Elle entendit ensuite le grincement caractéristique, conservé au fin fond de sa mémoire, de l'ouverture du petit tiroir de la console du vestibule.

Quelques instants plus tard, Martha réapparut, écartant le tissu du rideau d'un geste délicat. Un mouvement au ralenti.

Elle marqua un temps d'arrêt, puis elle franchit le seuil du salon.

Elle s'engagea.

Elle s'approcha, pas après pas, sans quitter des yeux Magdalena.

Elle parvint tout près du canapé, tout près de sa bulle, juste à la frontière des corps, jusqu'à cette limite intime où, selon les cas, se produit une effraction ou la satisfaction d'un désir.

Alors Magdalena vit le regard de Martha. Il n'avait rien de fuyant, rien de las, rien d'atterré. Elle en était décontenancée. Puis elle crut percevoir une lueur, une bribe d'étincelle qui, sans qu'elle sache pourquoi, l'apaisa.

Martha prit la main de Magdalena dans les siennes. Elle ouvrit doigt après doigt le creux de sa paume pour y déposer le trousseau de clés depuis si longtemps abandonné.

Dans un silence calme et tranquille, sans un mot, ses deux mains entourèrent le poing refermé de sa fille.